АВАНТЮРНЫЙ ДЕТЕКТИВ

Татьяна Полякова

– Огонь, мерцающий в сосуде –

ЭКСМО

Москва

2012

УДК 82-3
ББК 84(2Рос-Рус)6-4
П 54

Оформление серии *С. Груздева*

Полякова Т. В.
П 54   Огонь, мерцающий в сосуде : роман / Татьяна Полякова. — М. : Эксмо, 2012. — 352 с. — (Авантюрный детектив).

ISBN 978-5-699-57898-6

Инна до поры до времени даже не подозревала, на что она способна! Неужели эта тихая скромница, на протяжении нескольких лет боявшаяся сказать хоть слово поперек властному супругу или старшему брату, сможет все бросить, сбежать в другой город и там впутаться в расследование давней громкой криминальной истории похищения маленького ребенка? Неужели она, чуждая авантюрам, заведет знакомства среди наемных убийц, женщин с сомнительной репутацией и владельцев злачных ночных клубов? Сбежит, заведет и впутается! А все потому, что в один прекрасный день твердо сказала себе: «Я ничего не боюсь. Я больше никогда ничего не буду бояться». Однако жизнь по чужим документам, без поддержки друзей и родных оказалась вовсе не так заманчива, как виделось Инне, томящейся под присмотром мужа в «золотой клетке». Променяв уют и спокойствие на свободу и дух авантюрных приключений, она поняла, что, возможно, бежала не от кого-то, а лишь от самой себя...

УДК 82-3
ББК 84(2Рос-Рус)6-4

ISBN 978-5-699-57898-6

Она ничего не знала обо мне, а я о ней, хотя она была единственным близким мне человеком. Парадокс, над которым я предпочла не размышлять. У меня не имелось желания рассказывать о себе, и я допускала, что то же самое нежелание свойственно моей нечаянной подруге. О своем житье-бытье во время наших встреч я помалкивала, не из необходимости скрывать какие-то тайны, а просто не было ни тайн, ни каких-либо заметных событий в жизни. Рядом с совсем незнакомым мне человеком я могла быть кем угодно: удачливой бизнесвумен или бедной студенткой, и допускала, что Генриетта тоже не прочь пофантазировать.

Наши встречи напоминали общение в соцсетях: отсутствие общих знакомых и общих воспоминаний (я знала, что Генриетта недавно приехала в этот город, и, кажется, издалека) гарантировало анонимность, совсем как в Интернете, где человека из плоти и крови заменяет ник и фото какой-нибудь красотки.

Мы могли придумать себе любую жизнь, и втайне нас обеих влекло к этому. Меня-то уж точно. Но что-то удерживало нас от беззастенчивого вранья, конечно, вовсе не желание быть разоблаченными, прервать эту дружбу было легче легкого, и стыдиться своих фантазий вряд ли бы пришлось.

Причина, скорее, крылась в другом: я чувствовала, что моя подруга глубоко несчастна, хоть и не желала признаваться в этом, и какие бы радужные картины она ни рисовала, я бы ей, наверное, не поверила. Несчастливость таилась в глубине ее красивых васильковых глаз, пряталась в едва заметных складочках возле губ... Я не знала, как должна выглядеть счастливица, но несчастье распознавала сразу. Может, и меня удерживало от фантазий опасение, что Генриетта читает в моих глазах, как я в ее, а может, боялась, что мое выдуманное счастье станет для подруги неким упреком в собственной несостоятельности. В общем, откровенности мы не желали, а от вранья воздерживались, оттого о своем прошлом и настоящем предпочитали молчать. И через месяц после знакомства я только и знала, что ее зовут Генриетта. Где она живет и как проводит время, когда мы не пьем кофе в крохотной кофейне на набережной и не бродим вдоль реки в толпе туристов, оставалось лишь гадать. Несколько раз я собиралась спросить ее об этом, но задавать вопросы друг другу, точно по молчаливому уговору, мы избегали. Почему-то я решила, что ее жизнь сродни моей. Возьмись я рассказать свою историю Генриетте, и сама бы поразилась ее абсолютной обыденности. История человека, который плывет по течению, с грустью наблюдая, как его относит все дальше и дальше от вожделенных берегов. Банальная история, лишенная возможности когда-нибудь стать другой. «Из моей жизни приличного сюжета не получится», — с тоской думала я временами. Кому интересен безвольный герой? Слабым утешением служил тот факт, что таких, как я, тысячи. А многие из тех, кого я встречала во время своих прогулок, вполне могли бы мне позавидовать. То есть не мне, конечно, а внешнему благополучию моей жизни. Муж очень богат, в кошельке у меня две банковские карточки, золотая и платиновая, и я понятия не имею, сколько денег на них. Я не успеваю истратить и малой толики, а счет уже пополняется.

Наверное, по этой причине я терпеть не могу глянцевые журналы, с каждой страницы которых то шепчут, то вопят разодетые дамочки: у тебя может быть все, если на это есть деньги. У меня нет ничего, кроме денег. Впрочем, деньги вовсе не мои, они принадлежат мужу, следовательно, будет правильнее сказать: у меня нет ничего. Еще совсем недавно эта фраза вызывала гнетущую тоску, и вдруг пришло безразличие...

Первые семнадцать лет моей жизни оказались ничем не примечательными, что вряд ли должно удивлять. Губернский город, обычная семья. Мама — воспитатель в детском саду, папа, кажется, работал на заводе. Говорю «кажется», потому что своего отца совсем не помню, родители развелись, когда мне еще не было и трех лет. Папа сильно пил, мама, промучившись с ним лет пятнадцать, наконец сказала: «Хватит». И папа оказался в комнате в большой коммунальной квартире, обитателей которой роднил тот же порок, и зажил там вполне счастливо. Но счастье, как известно, длится недолго, и папу через год или два обнаружили бездыханным во дворе дома с признаками отравления. Об этом мне и брату мама сообщила уже спустя несколько лет после похорон.

К величайшему удивлению бывшей супруги, отец не успел продать за бесценок принадлежавшую ему жилплощадь, мама сдавала комнату студентам, и это явилось существенной прибавкой к ее более чем скромной зарплате. Жили мы не то что бедно, а, скорее, безрадостно. Брат старше меня на двенадцать лет, и мама смертельно боялась, что он отправится проторенной отцом дорожкой. Все ее существование было пронизано этим страхом. Стоило брату чуть задержаться, она не отходила от окна, а когда он возвращался, придирчиво его оглядывала, выспрашивала и обнюхивала. В детстве я только и слышала: «Что это Борька опять задерживается... не дай бог, будет как твой папаша... друзья хорошему не научат. Связался с Васькой, а у того отец забулдыга, и сам Васька вечно с пивом во дворе пасется». В общем, жизнь была полна тревожного ожидания, я садилась на подоконник и вместе с мамой всматривалась в заросший деревьями двор, надеясь, что вот-вот покажется Борька.

Брат, конечно, тяготился неуемной маминой заботой. Сразу после школы его призвали в армию, и это обстоятельство его ничуть не расстроило, подозреваю, для него оно явилось единственной возможностью покинуть наше унылое жилище, не обижая мать. Он служил далеко от дома, навещать его не позволяли скудные средства, и мама довольствовалась редкими звонками и письмами. Служба закончилась, но брат домой не вернулся, сначала выбрав для жительства город, рядом с которым располагалась его часть. Через несколько лет переехал в другой. И маме ничего не оставалось, как ждать его писем, приходивших все реже, нечастых звонков и отпусков, не регулярных, длящихся от силы неделю, в продолжение которой брат лежал на диване, уткнувшись в телевизор. Телевизор позднее сменил ноутбук.

Мамино беспокойство это отнюдь не уменьшило, ей казалось, что брат плохо выглядит, что он болен, втайне пьет, оттого у него нет семьи и очень вероятно, что приличной работы тоже нет. По-моему, ни о чем другом она думать не могла, и эти извечные материнские страхи, которые странным образом в отношении меня никак не проявлялись, в конце концов и привели ее к болезни. Из больницы мама уже не вышла, последние ее слова были: «Вот помру, ему и вернуться будет некуда». В день маминой смерти мне исполнилось семнадцать.

Проститься с мамой брат не успел, приехал накануне похорон. Мы встретились как малознакомые люди, которых объединяло общее горе. О чем говорить, помимо маминой смерти, ни я, ни Борька не знали.

Через неделю начались экзамены в школе, брат уезжать вроде бы не торопился. Спросить его, думает ли он остаться насовсем, я не решалась, а представить свою жизнь после его отъезда затруднялась. Отнюдь не безденежье или бытовые трудности меня пугали. Домашнюю работу я давно привыкла выполнять сама и еще в школе начала подрабатывать. Но фраза «я буду совсем одна» вызывала душевный трепет.

Надо сказать, последние несколько лет брат помогал нам деньгами, но маму это, скорее, пугало, ей казалось, что получены они путем неправедным, и заверения брата, что у него свой бизнес и дела идут неплохо, не убедили. По этой причине, я думаю, она и отказывалась навестить его. Правда, брат особо и не настаивал.

В общем, я вслед за мамой по привычке переживала, а заодно гадала, что будет дальше.

Экзамены закончились, и тогда Борька впервые заговорил о нашем будущем:

— Ты в институт поступать думаешь?

— Да, — ответила я. — Мама хотела, чтобы я пошла на экономический...

— Мама... А ты сама?

— Я бы выбрала музыкально-педагогический.

— Ах, да, ты же на пианино играешь... — Борис взглянул на старенький инструмент, стоявший в углу нашей крохотной гостиной. Пианино нам продала соседка за чисто символическую цену в надежде освободить место для новой мебели, в знак благодарности я уже лет шесть мыла окна в ее квартире каждую весну и осень. — Учиться можешь где угодно, у нас тоже есть университет, и музыкально-педагогический, уверен, тоже есть.

«У нас», надо полагать, это город, где жил брат уже несколько лет. Мы заглянули в Интернет и выяснили: музпед точно есть. Вот так я узнала о предстоящем переезде.

Вскоре выяснилось, что брат уже нашел покупателей на нашу квартиру.

— Ты особо барахла не набирай, — сказал он мне в тот день, когда мы отдали новым хозяевам ключи от квартиры. — Можно все на месте купить.

В результате мы оставили все, от штор на окнах до мыльницы в ванной. Мне было очень жаль пианино, с остальным добром я простилась без особой грусти, сложив в дорожную сумку фотографии, кое-какие безделушки на память о маме и стопку одежды. Оглядев мой гардероб, Борис заявил, что тащить его с собой не стоит.

Мы сели в самолет, и через полтора часа я оказалась в другом городе и в другой жизни. Впрочем, если честно, жизнь моя изменилась мало.

В самолете мамины страхи передались мне, и, таращась в иллюминатор, я пугала себя душераздирающими картинами: безработный и нетрезвый брат лежит на проваленном диване в какой-то халупе, спустив последние деньги за нашу квартиру. Облик брата, одевавшегося стильно и при мне выпившего лишь раз, да и то на поминках, этому вроде бы противоречил, но я вслед за мамой ожидала от жизни самого худшего.

Квартира брата, просторная, трехкомнатная, оказалась почти в центре города. Борис в тот же день отправился на работу, облачившись в костюм и рубашку с галстуком. Вместо того чтобы порадоваться, я была склонна считать, что мне попросту морочат голову, не брат, ему я вполне доверяла, а судьба. То есть я ждала, что в один прекрасный момент все это вдруг закончится самым плачевным образом. Но время шло, а ничего скверного не происходило. Я поступила в университет, работать мне не пришлось, брат категорически запретил, однако, несмотря на внешнее благополучие, мою жизнь трудно было назвать счастливой. Как видно, над нашей семьей тяготело проклятье, за-

ставляя вечно чего-то бояться. Вскоре выяснилось, брат в этом смысле мог дать фору даже маме:
его коньком стало беспокойство, что за каждым
углом меня подстерегает дурная компания. Завести друзей в чужом городе и так нелегко, а тут еще
брат решительно забраковал всех моих потенци-
альных подруг. Обладай я хоть каким-то характером, послала бы его к черту, отправившись жить в
общагу, а по вечерам зарабатывала бы себе на хлеб,
весело покрикивая: «Третья касса свободна», или,
на худой конец, хитрила бы и встречалась с подру-
гами тайно. Но вечная мамина забота о старшем
брате привела к тому, что я искренне считала: мои
желания не имеют значения — привычка недо-
любленного, ненужного ребенка оставаться в чьей-
то тени, — и я послушно отказалась от всех зна-
комств, лишь бы брату не пришлось обо мне беспокоиться. Из университета бежала домой и общалась в основном с компьютером.

Брат обычно возвращался с работы поздно,
правда, донимал звонками, желая знать, чем я занята. Мы в лучшем случае вместе ужинали, чаще
всего молча. Первое время разговор худо-бедно кру-
тился вокруг мамы: надо поставить памятник, сле-
тать на выходной в родные края, навестить моги-
лу, но, привыкая жить без нее, мы говорили о маме все реже и реже, а других тем не находилось, и
разговор часто иссякал, толком так и не начавшись.
И все-таки я любила брата, а он, конечно, любил
меня. Иногда в нашей квартире появлялись девушки, а вместе с ними и робкая надежда, что жизнь
моя как-то изменится, но девушки надолго не за-
держивались, а вопросов о них Борис не терпел.

Впервые я услышала от брата фамилию Бессонов в начале второго курса. О работе Бориса я толком ничего не знала, но тут он стал более откровенным, может, оттого, что здорово нервничал и появилась потребность выговориться. Свои стремления, как выяснилось, он держал в секрете, боясь спугнуть удачу, да и конкурентов побаивался, вот и избрал меня в наперсницы.

Я смогла уяснить следующее: если он получит заказ (очень крупный, который сам по себе уже сделает его богатым человеком), у него появится возможность со временем стать младшим партнером некой фирмы, главой которой и является этот самый Бессонов. Фамилию брат произносил с придыханием, но в его голосе мне, как ни странно, слышалось не столько уважение, сколько страх. И это, признаться, сбивало с толку. Зачем Борьке иметь дело с человеком, которого он боится? Само собой, этот вопрос я так и не задала.

Прошел месяц, напряжение нарастало, брат вечерами носился по квартире, начиная свои импровизированные речи с середины фразы и так же неожиданно их обрывая. Постепенно Бессонов стал для меня неким злым духом, которому надлежало поклоняться, опасаясь всяческих пакостей, ведь он, как и положено злому духу, мог преподнести их в избытке. Несмотря на рассказы брата, навязчивые, бесконечно повторяющиеся, я по-прежнему мало что знала о предмете его вожделений, а Бессонов представлялся мне скверным старикашкой, со страшным лицом и желтоватой бороденкой, алчно глазеющим по сторонам и требующим постоянных жертвоприношений. Человеческих.

Впоследствии выяснилось, что я была недалека от истины, в том смысле, что приношения последовали, вот только не догадывалась, что в роли жертвы придется выступить мне самой.

Заказ Борис все-таки получил, но нервное возбуждение его не оставляло, а жизнь наша никаких особых изменений не претерпела, если не считать того, что брат обзавелся новой машиной, цена которой не укладывалась в моем сознании. Любая сумма, превышающая сто тысяч, представлялась мне заоблачной и практически недостижимой, а то, что брат потратил на машину несколько миллионов, казалось откровенной глупостью.

На день рождения брат подарил мне новенькую «Ауди», и я проплакала всю ночь от счастья, потому что теперь была уверена — брат меня любит. Зачем, в противном случае, делать такие роскошные подарки? К счастью примешивалось чувство вины, что отблагодарить брата я не сумею, робкое троекратное «спасибо» значения не имело, а еще появилась досада, тщательно скрываемая, потому что подарок был абсолютно бесполезным: для чего мне машина, если университет совсем рядом с нашим домом и ездить мне, по сути, некуда. Крамольные мысли я держала при себе и иногда, чтобы сделать брату приятное, колесила по городу, то и дело отвечая на его звонки.

Теперь о Бессонове я слышала ежедневно. Брат рассказывал, что вести с ним дела очень нелегко, человек он жесткий, властный и требовательный. «Но если повезет и я буду в его команде...» Что последует за этим, услышать ни разу не довелось, в этом месте Борис мечтательно улыбался и замолкал, а моя фантазия наделяла Бессонова все новыми и новыми качествами. В конце концов он приобрел черты библейского бога: завистливого и жестокого, который одним махом способен осчастливить и тут же покарать, о чем свидетельствовала история со страдающим праведником Иовом. В общем, все в моей бедной голове перепуталось, что неудивительно: мне недавно исполнилось восемнадцать, и все мои знания о жизни легко умещались на страничке «Вконтакте». Само собой, я продолжала беспокоиться о брате и перед сном, как раньше мама, молилась, прося милости то ли у господа, то ли у неведомого мне Бессонова, который в моем воображении становился все могущественнее и опаснее. О встрече с ним я, конечно, не помышляла, небожители редко касаются своей пятой земли, да и не желала этой встречи, справедливо полагая, что ничем хорошим она для меня не обернется. Но однажды вечером в дверь позвонили. Гости у нас появлялись нечасто — брат обычно отпирал дверь своим ключом, — и, направляясь в прихожую, я гадала, кто это может быть.

На пороге стоял мужчина, по виду ровесник брата или немного старше, высокий, темноволосый, в пальто нараспашку, в руке вертел мобильный. В его облике не имелось ничего устрашающего, лицо можно было бы назвать приятным, если бы не его выражение: помесь насмешки и откровенного презрения ко всему и ко всем. Сердце вдруг ухнуло вниз в предчувствии беды, а ладони мгновенно стали влажными. Гость окинул меня взглядом и спросил:

— Борис дома?

— Нет, — покачала я головой и добавила поспешно: — Он сегодня в клубе.

— То-то я не могу до него дозвониться, — усмехнулся мужчина. — Не возражаешь, если я его подожду?

— Брат вернется поздно, — промямлила я.

— Брат? — поднял он брови и кивнул: — Отлично. Надеюсь, приготовить кофе ты сумеешь? — И вошел в квартиру. Уже в ту минуту я твердо знала: пускать его в дом не следует. И вовсе не потому, что я понятия не имела, кто он такой. Мысль о грабителях и маньяках даже не пришла в голову, я подозревала, что этот куда хуже всех их, вместе взятых. Но произносить твердое «нет» я так и не научилась, а молча захлопнуть дверь перед его носом ума не хватило.

Он вошел, снял пальто и напомнил:

— Кофе.

И я бросилась в кухню, слыша, как он идет в гостиную. Когда я появилась там с подносом, он сидел, развалясь в кресле, и лениво оглядывался.

— Садись, — кивнул на соседнее кресло, взял чашку, сделал пару глотков и едва заметно поморщился. «Кофе ему не понравился», — в панике решила я, как будто от того, понравился или нет, зависело, жить мне на этом свете и дальше или следует незамедлительно скончаться. — Значит, ты его сестра? — спросил он, я кивнула. — Как зовут?

— Инна.

— Красивое имя, тебе подходит.

Он ухмылялся и продолжал меня расспрашивать. Его интересовало, чем я занимаюсь, нравится ли мне учиться, где мои родители. В этих вопросах не было ничего особенного, что вовсе не принесло спокойствия, напротив, страх накатывал с новой силой, стоило встретиться с ним взглядом. И я, старательно отвечая, разглядывала пол у себя под ногами, торопя стрелки часов, что стояли напротив, а они двигались нестерпимо медленно, точно что-то их удерживало.

— Меня, кстати, зовут Александр Юрьевич, — сказал он. — Мы работаем вместе с твоим братом. Александр Юрьевич Бессонов.

В первое мгновение я решила, что ослышалась, потом подумала, это какой-то другой Бессонов, уже зная: передо мной именно он, не зря руки противно потеют. Неясные страхи вдруг материализовались, просто в реальности Бессонов оказался куда моложе и опаснее.

В панике я подумала: мои ответы, робкие и совсем неинтересные (а что такого интересного в моей жизни?), ему не понравились, и рассчитывать на снисхождение не приходится.

— Может быть, еще кофе? — предложила я.

— Спасибо. — Бессонов широко улыбнулся, что тревогу лишь увеличило. — Парень у тебя есть?

Я хлопала глазами, гадая, каким должен быть ответ, но соврать не решилась.

— Нет.

— Удивила. Брат ни с кем встречаться не позволяет или ты чересчур разборчива? — Я гадала, что бы ответить, но тут выяснилось: моего ответа не ждали. — Красивой девушке можно быть привередливой.

— Нет, — отчаянно покачала я головой, заподозрив, что моя предполагаемая привередливость в его глазах страшный грех. — Просто я... так получилось... — Он наблюдал за мной с кривой ухмылкой, а его взгляд становился все настойчивее, все откровеннее. Подобные взгляды женщина понимает интуитивно, независимо от возраста или опыта. Какой бы дурой я ни была, но в ту минуту уже знала, куда все неуклонно катится. Я читала это в его волчьих глазах, в его ухмылке... — Можно, я позвоню брату? — Я попыталась встать, но он удержал меня, ухватил за подбородок, продолжая с усмешкой разглядывать.

— Спешить мне некуда...— И, понизив голос, добавил: — Уверен, парня у тебя никогда не было... Ты очень красивая девочка. Такой прелестный ротик... — Он провел пальцем по моим губам, но и тогда, одурев от ужаса, чувствуя себя кроликом в клетке с удавом, я надеялась, что все как-нибудь обойдется.

Будь на моем месте другая женщина, наверное, смогла бы прекратить все это. Из любой ситуации есть выход, по крайней мере, так утверждают те, кому, вероятно, в жизни повезло куда больше. Может, я панически боялась навредить брату? Я вовсе не ищу себе оправданий, Бессонов искренне считал, будто может делать все, что ему заблагорассудится, а у меня не нашлось сил дать ему отпор. Я лишь беспомощно бормотала «пожалуйста, не трогайте меня», а он смеялся над моим лепетом, и я знала, что иного не заслуживаю: бесхарактерное, никчемное существо, вот кто я.

Я не пыталась сопротивляться и даже кричать не решилась, мысленно молясь, чтобы все это поскорее кончилось. Но время тянулось бесконечно долго. Затянувшийся кошмар, который, проснувшись, торопишься забыть. Боль, унижение и страх — вот что осталось в памяти.

Когда Бессонов наконец отпустил меня, я забилась в угол дивана, боясь поднять на него взгляд, чувствуя себя не только втоптанной в грязь, но и виноватой: я не должна была позволять ему... конечно, не должна.

Это чувство вины и отвращение к себе, а вовсе не к нему, как бы нелепо это ни звучало, осталось со мной навсегда.

— Давай свой кофе, — надевая пиджак, весело сказал он. — Хотя готовить его ты не умеешь.

И я поплелась в кухню. Хлопнула входная дверь, и появился брат. Думаю, ему хватило минуты, одного взгляда на мою физиономию, чтобы понять, что произошло. Но он предпочел сделать вид, будто не понял. Широко улыбнулся Бессонову:

— Не знал, что вы здесь. Давно ждете?

— Часа полтора. Мы отлично провели время, — ответил тот с издевательской улыбкой.

Брат густо покраснел, избегая смотреть в мою сторону, и принялся изображать радушного хозяина. У меня не было сил видеть это, и я бросилась в свою комнату.

— В чем дело? — крикнул Борька вдогонку. — Что за фокусы?

Я захлопнула за собой дверь, привалилась к ней спиной и замерла, торопясь убедить себя, что ничего не было и я сейчас в самом деле проснусь. Я слышала, как Борис, точно извиняясь, проворчал:

— Не понимаю, что на нее нашло.

— Оставь девчонку в покое, — засмеялся Бессонов. — Что ж ты прятал такое сокровище?

— Прятал? Вовсе нет...

— Она прелестна. Ты знаешь, я не любитель ходить вокруг да около, поэтому скажу прямо: мне нравится твоя сестра, и я ее забираю.

— Что значит забираете? — не понял Борька.

— То и значит — она будет жить у меня.

На мгновение возникла надежда: брат сделает то, что должна была сделать я, — поставит на место свихнувшегося на своем могуществе сукиного сына, вытолкав его взашей, — но мы с Борькой оказались одной породы, и надежда померкла, лишь только он произнес:

— Вы что, спятили? — В голосе растерянность, за которым угадывалось бессилие.

— Вовсе нет. Мы с ней отлично поладили, пока тебя ждали. Ты ведь хотел работать со мной? Я правильно понял? — Бессонов сделал паузу, ожидая ответа, но Борис молчал. — Считай, все уже решено. Об остальном поговорим завтра. Девчонку я забираю.

— Подождите... черт... это моя сестра, а не какая-нибудь девка...

— Не вижу проблем, — удивился Бессонов. — Я на ней женюсь. Подумай, какие тебя ждут перспективы.

— Женитесь? — Кажется, это не укладывалось в Борькиной голове.

— Своего слова я никогда не нарушал. Что, собственно, тебя удивляет? Мне давно пора жениться, и твоя сестра мне подходит. По рукам?

— Но... Но так не делают... Я должен с ней поговорить...

— Ерунда. Мы ведь уже все решили. Зови девчонку...

Недолгая пауза, а потом голос брата:

— Инна...

Даже тогда у меня был выбор, я могла послать их к черту, уйти, громко хлопнув дверью, или выброситься в окно, но для этого требовалась хоть крупица мужества, откуда ей взяться у такого безвольного существа, как я?

Брат позвал громче, и я вошла в гостиную, сцепив за спиной дрожащие руки и уставившись в пол.

— Александр Юрьевич рассказал мне о вашем решении, — промямлил Борька. — И я... я не против. Ты можешь отправиться с ним.

Александр Юрьевич взял меня за руку и повел в прихожую.

— А вещи? — подал голос Борька.

— Ее барахло завтра пришлешь.

Так я оказалась в доме Бессонова. Он сдержал слово и действительно на мне женился. Избранный круг гостей и фотография в колонке светской хроники. Брат сиял от счастья. Но для меня это ничего не меняло, наоборот, стало только хуже. Бессонов сдержал слово и уже за это мог себя уважать. А что было делать мне? Благодарить судьбу за его благородный поступок? Он ведь мог вышвырнуть меня из дома через пару месяцев, утомившись игрушкой, и поступил бы правильно — иного я не заслуживала.

Наверное, он искренне старался быть хорошим мужем, ни разу не повысил на меня голос, был снисходительно ласков, но это тоже ничего не меняло. В сущности, ему были безразличны и я сама, и мои чувства, думаю, ему даже не приходило в голову, что они у меня есть. Игрушка начинает жить, только если хозяин берет ее в руки, а все остальное время сидит в углу в ожидании, когда о ней вдруг вспомнят.

Моя жизнь в огромном доме оказалась настоящей пыткой, оставаться одной было мучительно, еще страшнее услышать шаги мужа в холле, гадая, чего он захочет от меня сегодня, и торопиться выполнить любое его желание. Своих у меня быть не могло. Я никто, а никто не может иметь желания или собственные чувства.

Прошел год, потом еще один, мои надежды как-то приспособиться таяли с каждым днем, и однажды я решила: хватит, пора кончать с этим бредом под названием «моя жизнь». Никаких таблеток в доме не было, покупать их в аптеке я не решалась из-за охраны — двое парней, сменяя друг друга, бродили за мной по пятам. Крови я боялась, так что выбор был невелик. Натолкнувшись взглядом на бельевую веревку в кладовой, я подумала, что тянуть не стоит. Через неделю, завтра или сейчас — какая разница? Я отправилась в свою комнату осуществлять задуманное, не догадываясь о видеокамерах, установленных по всему дому.

Подоспевшая охрана положила конец моим приготовлениям, муж по их звонку появился минут через двадцать, усадил меня рядом с собой на диван и заставил смотреть запись с камеры видеонаблюдения.

— По-моему, жалкое зрелище, — заметил он и был, конечно, прав. Я прекрасно понимала, что в очередной раз продемонстрировала собственную никчемность. Я молчала, а Бессонов, глядя на меня, добавил: — Выкинешь еще подобный номер — запру в психушку на пару недель. А потом буду держать на привязи.

К вечеру явился брат, я продолжала молчать, а он кричал, что я безответственная дрянь и дура. Знал бы он, какими эпитетами я себя награждала. Утомившись собственным криком, Борис согласился с мнением, что в психушке меня заждались, но, улучив момент, когда Бессонов вышел из комнаты, шепнул:

— Он что, обидел тебя?

Я едва не рассмеялась. Но во взгляде брата была такая тоска, что смеяться я себе отсоветовала. Требовалось что-то ответить, и я сказала:

— Мне очень одиноко.

— Чушь, — фыркнул Борька, вздохнув с заметным облегчением. — Глупые бабьи капризы. Одиноко... Чего тебе не хватает?

— У меня нет подруг, — начала мямлить я.

— Ну, так заведи...

— Охрана... Они везде со мной, я чувствую себя пленницей.

— Час от часу не легче... Хорошо, я поговорю с твоим мужем. Обещай, что больше не будешь делать глупостей.

Я, конечно, обещала.

И все пошло по-старому. Девица по вызову с постоянным проживанием в доме, вот как я мысленно называла себя. Впрочем, и девицы по вызову, бывает, ведут себя куда смелее. За четыре года замужества я ни разу сама не обратилась к Бессонову. Задать вопрос, произнести самую обычную фразу значило привлечь к себе внимание, а мне хотелось слиться с мебелью, может, тогда он попросту забудет обо мне? Мое странное для супруги поведение Бессонова, как видно, вполне устраивало, то ли он его не замечал, то ли в самом деле забывал, что женат, пока во мне не возникала надобность. У него был свой мир, а я крутилась где-то на периферии, но сорваться с орбиты и уйти в свободный полет не хватало воли, чересчур сильно притяжение.

Однако моя попытка прекратить свое никчемное существование все же имела последствия. Вряд ли на мужа произвели впечатление слова брата (я сомневалась, что Борька посмел говорить с ним об этом), но охрана больше не бродила за мной, если где-то и болталась на расстоянии, то глаз не мозолила. Вероятнее всего, Бессонов решил, что сторожить меня нужды нет. Мои собственные страхи гнали меня домой получше дюжих парней, и вылазки во внешний мир становились все реже и все короче. Но однажды я все-таки повторила попытку вырваться.

Вторая попытка оказалась еще глупее предыдущей и закончилась так же нелепо. Муж ехал в Москву, обычно он везде таскал меня с собой — то ли не хотел тратить деньги на девок, то ли не желал, чтобы я расслаблялась, получая редкие передышки. Он, конечно, догадывался, что я испытываю в его присутствии, и именно это доставляло ему настоящее удовольствие. Он, должно быть, потешался, видя, какой страх плещется в моих глазах, как я вздрагиваю, встретившись с ним взглядом, как тороплюсь услужить. Небожители нуждаются в поклонении смертных, хоть и презирают их. Но в тот раз он коротко сообщил, что уезжает на пару дней, и, проводив его, я выскользнула из дома через дверь на веранде, пользуясь тем, что охранник сидит в холле, лениво листая журнал. К тому моменту охрана не меньше хозяина была уверена в моем абсолютном смирении: уткнусь в ноутбук в своей комнате и покину ее разве только для того, чтобы поесть. О хлебе насущном я, кстати, часто забывала, и нашей домработнице Полине приходилось настойчиво звать меня к столу. В общем, охранник таращился в журнал, а не на мониторы, и мое отсутствие обнаружили ближе к ужину, когда автобус уносил меня все дальше и дальше.

В те первые часы я пережила ни с чем не сравнимое чувство свободы. Автобус, мелькание деревьев за окном и даже толстая тетка рядом, всю дорогу повествующая о своей непутевой снохе, вызывали бурный восторг. Через три часа я оказалась в совершенно незнакомом городе без паспорта (паспорт был у мужа — то ли предосторожность с его стороны, то ли просто забывчивость), но от этого мои восторги вовсе не утихли. Я бродила по улицам, разглядывала витрины магазинов, кормила голубей в парке, не задаваясь вопросом, что я буду делать завтра. Сегодня был мой день, и, какую цену придется заплатить за это, меня не волновало.

Остаться на ночь в зале ожидания на вокзале я не рискнула и до самого утра болталась по городу, иногда заходя в магазины, что работали по ночам.

Деньги у меня были, даже слишком много, но не имелось паспорта, а без него в гостиницу не устроиться. Кто-то другой наверняка нашел бы выход, а я встретила утро в парке, немного подремала на скамейке и вновь отправилась в странствия по улицам.

Мобильный начал трезвонить еще накануне вечером, и я его отключила. Иногда являлась мысль: смогут ли меня отыскать, хотя надо бы подумать, как долго я продержусь. Еще один день прошел незаметно, хотя я плохо помнила, как провела его. Ночью я вновь бродила среди ставших уже знакомыми домов, держась в их тени, короткими переходами от кинотеатра, где смогла отдохнуть пару часов, к освещенному зданию вокзала, и вновь в кинотеатр, который, к моему огорчению, был уже закрыт. Я понимала, что одинокая девушка ночью на улице вызывает недоумение и любопытство, в котором я меньше всего нуждалась, и заглянула в ночной клуб в надежде, что там до меня никому не будет дела, но почти сразу запаниковала: шумная толпа меня пугала. Вздремнуть там даже десять минут было немыслимо, и я поспешила уйти. Наверное, я бы свалилась от усталости в какой-нибудь подворотне, но тут в предутренних сумерках появилась патрульная машина, а я, вместо того чтобы двигать себе дальше не оборачиваясь, бросилась бежать, и стражи порядка ринулись за мной. Отсутствие паспорта и внятных объяснений, а главное, панический страх, который буквально парализовал, когда меня схватили за руку с резким окриком: «Девушка, вы куда так торопитесь?» — привели к тому, что я очень быстро оказалась в отделении.

Пьяной я не выглядела и наркоманкой, надеюсь, тоже, хотя как знать: двое суток без сна привели к некой заторможенности, и мой рассказ о том, что я приехала к подруге, которой дома не оказалось, вызвал большие сомнения. Адрес подруги я назвала, надеясь, что проверять они не станут (в шесть утра люди должны думать о конце смены и скором отдыхе), но они проверили. Я настаивала, что подруга живет на квартире без регистрации, а они не поленились найти номер телефона названной квартиры. Хозяева возмутились ранним звонком, мне же оставалось пожимать плечами: вероятно, подруга сообщила мне неправильный адрес, или я поняла его неправильно. К восьми утра стало ясно: если они хотели отпустить меня с миром, должны были сделать это раньше, мое двухчасовое гостевание не могло завершиться ничем. Один тип в погонах спросил другого:

— Что с ней делать?

Тот помалкивал, пока не явился третий и не сказал, обращаясь ко мне:

— Дома у тебя кто-нибудь есть? Смогут подтвердить, что ты та, за кого себя выдаешь?

Я поняла, что еще одно вранье выйдет мне боком, и продиктовала номер брата. Борька подтвердил, что я — это я, а не кто-то другой, но этим не ограничился и еще минут десять что-то объяснял полицейскому. Вернув телефон, тот сделался предупредительно вежливым, голос его звучал так, точно разговаривал он с больным ребенком, но из отделения меня не отпустили, как я рассчитывала, а заперли в комнате, где, кроме стола и двух стульев, были лишь пятна на давно не крашенных стенах, да решетка на единственном окне. Правда, принесли горячего чаю, два бутерброда и печенье в вазочке. Это было трогательно, но с действительностью меня не примирило.

Чай был выпит, бутерброды съедены, тронуть печенье я не решилась, мне казалось, кто-то оторвал его от сердца. Часа через два после этого появился мой брат. Полицейские передали меня из рук в руки, вздохнув с облегчением, что выход из создавшейся ситуации наконец найден, а брат не сказал мне ни слова до тех пор, пока мы не оказались в его машине.

— Молись, чтобы твой муж ни о чем не узнал, — с трудом сдерживаясь, буркнул Борис, а потом разразился гневной речью: — Ты обо мне подумала? — кричал он, стискивая руль так, что пальцы побелели. — Ты понимаешь, что он сделает со мной из-за твоих дурацких капризов? Чего тебе не хватает?

Я привычно молчала, понимая, что мои слова лишены для него смысла. Конечно, его надежды, что Бессонов не узнает о моей выходке, не оправдались. Охрана донесла об исчезновении в тот же вечер, и, когда брат привез меня в дом мужа, Бессонов уже вернулся из Москвы и ждал нашего возвращения в своем кабинете.

— Ей хотелось навестить подругу, — неловко врал брат, избегая смотреть в глаза хозяина. Тот с минуту насмешливо меня разглядывал, выслушав Борькин рассказ, а потом спросил:

— Надеюсь, ты получила удовольствие?

— С ментами я договорился, — вновь вмешался брат, напомнив о себе сдержанным покашливанием, а я, против обыкновения, не стала молчать. Впрочем, особо героически это не выглядело.

— У меня не было паспорта.

— Да? — усмехнулся Бессонов, вынул паспорт из ящика стола и перебросил мне. — Можешь носить его с собой, если тебе так больше нравится. Только не обольщайся. Объясни своей глупенькой сестренке, — обратился он к Борису, — что все это, — тут он сделал жест рукой, очертив дугу в воздухе, — для ее же блага. Оранжерейному цветку не место на морозе... он там и часа не протянет.

Я удовлетворенно кивнула: он считает меня растением. Что ж... наверное, он прав.

В тот день брат задержался в доме Бессонова, решив, что слова моего мужа следует воспринимать как приказ, и минут сорок втолковывал мне, чего стоят мои глупые выходки. Он то повышал голос, посматривая по сторонам, должно быть, прикидывая, где установлена камера, то понижал его до жаркого шепота, наклоняясь к моему лицу.

— Я всем обязан твоему мужу. Всем. Я благодарен ему, и меня возмущает, что ты... Не думай, что сможешь сбежать... Что толку в паспорте? Он найдет тебя везде, из-под земли достанет... Хочешь угодить в психушку? Так и будет, слышишь? И я по твоей милости лишусь всего... Муж о тебе заботится, — громко сказал он. — И чем ты ему платишь? Неблагодарностью? Александру Юрьевичу пришлось бросить все дела и лететь сюда из-за твоей глупой выходки... Если он после этого запрет тебя в доме — будет абсолютно прав. — Борис пошел к двери, а я сказала, наплевав, что муж, скорее всего, слышит:

— Тебе не приходило в голову: если он дал тебе все, так же легко все и отнимет? И ему для этого не нужен повод...

— Заткнись, — сквозь зубы произнес Борька и захлопнул дверь.

Покидать свою комнату я долго не решалась, опасаясь остаться с Бессоновым наедине. Однако пришлось. Но я уже научилась сбегать из его мира, шепнув самой себе: тебя это не касается, тебя здесь нет, ты так далеко, что он тебя не достанет. Наверное, он это чувствовал, потому что в его волчьих глазах я видела недовольство, злость и что-то похожее на досаду, которую он безуспешно пытался скрыть. Но когда я вновь осталась одна, на смену мгновенному облегчению пришел страх: мой брат прав, это никогда не кончится. И эта мысль накрыла с головой, вызвав лютую тоску.

Вот тогда я и встретила Генриетту. Дождливым днем, в кафе, где под промокшим тентом, с которого ручьями стекала вода, мы сидели вдвоем, она за столиком возле самого входа, и я — в пяти шагах от нее. Мой кофе давно остыл, и к своему она так и не притронулась. Я ловила на себе ее ищущий взгляд, отчего-то смущаясь. Мне хотелось заговорить с ней, а еще казалось, что и она мучительно ищет подходящие слова, чтобы начать разговор. Улыбнулась, пытаясь придать уверенности себе и ей, и тут она сказала:

— Я люблю дождь, а вы?

— Да, — кивнула я, вздохнув с облегчением, но вдруг испугалась, что мое короткое, поспешное «да», заставит ее прервать разговор, она, чего доброго, решит, что он мне в тягость.

— Если дождь немного стихнет, можно будет прогуляться, — сказала девушка. — Только зонта у меня нет.

— У меня есть, — кивнула я на зонтик, что лежал на соседнем стуле и добавила: — Прогуляться в самом деле было бы здорово.

— Можно я пересяду за ваш стол?

— Конечно. Буду очень рада.

Она села напротив и виновато улыбнулась, как будто сомневалась, что поступила правильно.

— Меня зовут Генриетта. Дурацкое имя. — Девушка сморщила носик.

— Красивое, — ответила я.

— Вам правда нравится?

— Да, очень.

— А вас как зовут?

— Инна.

— Инна, — повторила она, словно пробуя мое имя на вкус, и кивнула. Некоторое время мы молчали, наблюдая за потоками воды на асфальте. — Когда идет дождь, мне немного грустно, — сказала она. — Но... спокойно.

Дождь начал стихать, и вскоре мы побрели под зонтом, тесно прижимаясь друг к другу. В тот первый день мы почти не говорили, мне хватало ее присутствия рядом, и ей, наверное, тоже. Вот тогда я и подумала: у нас много общего, возможно, ошибочно приняв чужую хандру от затяжного дождя за беспросветное одиночество. Но все последующее мою внезапную догадку лишь подтвердило.

Мы простились примерно через час. Я не хотела, чтобы она видела мою машину, оттого и не предложила подвезти ее. Девушка была одета очень скромно, а мне важно было быть с ней на равных.

— Завтра увидимся? — спросила она, и я с готовностью кивнула.

Уже дома, в который раз испытывая детский восторг от этого знакомства, я вдруг подумала, что о времени встречи мы не условились. Едва не разревевшись с досады, я поспешила себя убедить, что Генриетта обязательно придет, и ждать ее надо примерно в то же время, то есть часа в два.

Я была в кафе на час раньше и уже через десять минут увидела, как она переходит дорогу, вскочила и помахала ей рукой.

— Я так рада, что ты пришла. Боялась, вдруг забудешь, — засмеялась она, прижимаясь к моему лицу холодной щекой.

— Я тоже рада. И тоже боялась.

— Ты дашь мне номер своего мобильного? Мы могли бы звонить друг другу. Обещаю не надоедать. — Она вновь засмеялась, и я продиктовала номер.

Следующие две недели мы встречались ежедневно, заранее договариваясь о встрече. Несколько раз я пробовала ей звонить, но телефон оказался отключен, мне она тоже не звонила. И я решила, что мои звонки могли нарушить привычное течение ее жизни, той жизни, о которой я совсем не знала, как она не знала о моей. Мне нравилось думать о ней, воображать, что она делает, когда меня нет рядом. Один раз она все-таки нарушила табу, вдруг сказав:

— Ты очень одинока. — И я кивнула, отворачиваясь, а она до боли сжала мою руку, и этот жест был ответом на мой незаданный вопрос.

Примерно в конце третьей недели я, вернувшись после встречи с Генриеттой, застала в доме Борьку, он сидел с Бессоновым в гостиной. Я испуганно взглянула на часы, страх сменило недоумение: муж вернулся с работы слишком рано.

— Послушай, что говорит твой брат, — сказал мне Бессонов. — Он собрался жениться. Вот это новость. — Он покачал головой, точно брат намеревался сделать несусветную глупость, Борис пожал плечами.

— Пора прощаться с холостяцкими привычками.

— Да-да, — покивал Бессонов. — Твои дела идут неплохо, почему бы и не подумать о наследнике. Кому-то ведь надо оставить свои деньги, а?

В тот момент я решила, это упрек в мой адрес, ведь я до сих пор так и не забеременела. Врачи разводили руками, не находя явных причин. Хотя мне причина была хорошо известна: невозможно получить потомство от столь разных особей. Сколько ни скрещивай их по своей нелепой прихоти, законов природы не изменишь. Скажи я это брату, переживавшему из-за моей несостоятельности куда больше, чем тот же Бессонов, и встречи с психиатром мне не миновать.

— Я хочу вас познакомить... Алла прекрасная девушка...

— Когда собираетесь в загс? — перебил Александр Юрьевич.

— В следующий вторник подаем заявление...

— В следующий вторник? Значит, у тебя еще есть время одуматься, — засмеялся Бессонов, и брат засмеялся вместе с ним, приняв его слова за шутку.

Назавтра мы отправились в ресторан, где Борис и познакомил нас со своей девушкой. Высокая, уверенная в себе брюнетка, мой брат едва доставал ей до плеча и смотрел на нее с обожанием, а она покровительственно улыбалась, но недолго. Под взглядом Бессонова девушка слегка смешалась, а уже через полчаса в ее голосе появились заискивающие интонации, и на смену уверенности пришло беспокойство. Я подумала, что мы втроем напоминаем нашкодивших детей, которые старательно изображают паинек в надежде избегнуть наказания. Бессонов в тот вечер был добродушен, насколько это вообще возможно, и даже сделал ей комплимент, но ни его добродушие, ни притворный восторг ее очарованием Аллу не обманули, она, конечно, догадывалась, кто перед ней. Если волчара и умилится грациозности юной козочки, это не помешает сожрать ее в один присест. Когда Бессонов, взглянув на часы, сказал: «Пожалуй, нам пора», Алла поспешно вскочила, готовая сорваться с места, не веря, что опасность миновала и острые зубы не сомкнутся на ее шее.

— Твой брат идиот, — сказал муж, помогая мне сесть в машину. — Девка запала на его бабло, а он слюной давится, таращась на ее сиськи.

А в понедельник ночью я проснулась от телефонного звонка. В комнате было темно, и в первое мгновение я решила, что звонок мне приснился. Бессонов включил настольную лампу и сгреб мобильный, что лежал на тумбочке. Ночные звонки были редкостью, и я не знала, что лучше сделать: притвориться спящей, выйти из комнаты или сначала дождаться распоряжения на этот счет.

— Да, — произнес он недовольно, прикрывая глаза от света. — Что за бред? Черт... — Муж поднялся и вышел из спальни, прижимая к уху мобильный. Дверь закрыл, однако вернулся быстро. — Спи, — бросил мне, выключил лампу, и я поспешила выбросить ночной звонок из головы.

Утром, открыв глаза, я увидела, что мужа рядом нет. Обычно просыпался он в восемь, я на полчаса раньше, чтобы успеть приготовить кофе. Я бросилась в кухню, Бессонов, сидя за столом, смотрел в окно.

— У меня скверная новость, — сказал, не оборачиваясь. — Борис погиб.

Плюхнувшись в кресло, я сцепила руки на коленях. Он посмотрел на меня и хмыкнул:

— Твоя страсть играть в молчанку так велика, что вопросов ты не задашь? Или тебя такая мелочь, как смерть брата, попросту не интересует?

— Что случилось? — пробормотала я.

— Смотри-ка, ты не безнадежна...

— Авария?

— Нет. — Он нахмурился и сказал досадливо: — Бориса застрелили возле его дома, когда он возвращался от своей красотки. Теперь девице придется искать нового жениха. Уверен, бедняжка рвет на себе волосы от досады... Я, конечно, позабочусь, чтоб тебя не очень доставали... Но на пару недель о покое можно забыть. — Он нахмурился, разглядывая меня, а я решилась задать вопрос:

— Кто мог это сделать?

— Откуда мне знать? Совершенно идиотская история. Менты наверняка начнут копаться в наших делах, так вот: к его смерти они не имеют никакого отношения. Поняла?

— Да.

В тот же день я встретилась с Генриеттой. Мне необходимо было увидеть ее, просто увидеть, почувствовать рядом.

— Ты сегодня печальная, — сказала она, когда мы брели по набережной, взявшись за руки. — Что-нибудь случилось?

— Нет. Все в порядке, — покачала я головой, мне хотелось броситься к ней на шею, разрыдаться, но я улыбнулась и добавила, точно оправдываясь: — Немного голова болит.

Я так и не сказала ей о своем горе. Боялась, что, начни я рассказывать, придется открыть и все остальное. Мы шли по набережной, я думала о брате, о его гибели, и вдруг слова, сказанные мужем, зазвучали совсем иначе. И теперь я не сомневалась: это он убил Бориса.

Разумеется, я не считала, что стрелял сам Бессонов. Это было попросту невозможно, в тот вечер он находился дома. Но кто конкретно стрелял, не имело для меня значения, теперь я знала главное: он убил брата. И причина была ясна. Он сделал Бориса богатым человеком, а потом решил все отнять и выбрал самый простой для себя способ. И деньги брата вернутся к Бессонову, он наверняка считает их своими, поэтому его так раздражала предполагаемая женитьба. А если брат написал завещание и все свои деньги оставил Алле? Я знала: сколько ни тешь себя надеждами, Бессонов получит то что хотел, как получал всегда. Нет никакого завещания и быть не может, Борису вряд ли пришло в голову оставить его.

— Знаешь, я, наверное, скоро уеду, — услышала я голос Генриетты и вздрогнула от неожиданности.

— Надолго? — спросила испуганно.

— Не знаю...

— Но ты ведь вернешься?

Она вздохнула и покачала головой:

— Иногда мне кажется, если я уеду, все будет по-другому. Хотя и сомневаюсь, что где-то есть место для меня.

Она вроде бы хотела еще что-то сказать, но замолчала.

— Пожалуйста, не уезжай... — попросила я, чувствуя, что сейчас разревусь от жалости к себе. Часы на башне, мимо которых мы проходили, отбивали время, а я криво усмехнулась: — Мне пора, извини.

Она обняла меня и поцеловала в висок, как делала всегда при нашем расставании, и я побежала к парковке, где стояла моя машина, обернулась и увидела, как Генриетта, запахнув на груди свой белый шарф, смотрит мне вслед. А я почувствовала укол в сердце, и кто-то будто шепнул: «Ты видишь ее в последний раз».

Надо было вернуться, взять ее за руку, устроиться на скамейке в тихой аллее или за столиком в каком-нибудь кафе и спросить: куда и почему она хочет уехать, отчего столько горечи в ее словах и в ее взгляде? Но через полчаса я должна быть дома. И я, махнув ей рукой на прощание, ускорила шаги.

Вечером, когда Бессонов сидел в гостиной возле телевизора, я осторожно наблюдала за ним, все больше и больше убеждаясь в правоте собственной догадки. Он не считал нужным притворяться, что гибель Бориса произвела хоть какое-то впечатление, и привычного течения нашей жизни она не нарушила. Временные неудобства в виде надоедливых следователей, но и их он препоручит своим адвокатам. «Я должна все рассказать», — думала я в страхе, и наутро в кабинете следователя мысленно повторяла это все снова и снова, уже зная, что ничего не сообщу о своих подозрениях.

Следователь был терпелив, но смотрел на меня с недоумением.

— Получается, о делах брата, как и о его личной жизни, вам, в сущности, ничего не известно? — к концу второго часа устало произнес он. — Вы редко виделись?

Я пожала плечами:

— Он заезжал пару раз в неделю.

— А вы навещали его?

— Нет.

— Борис Петрович много работал, — вмешался адвокат, который настоял, что будет присутствовать при беседе. — Молодой мужчина, свободный от каких-либо обязательств... Вечера он предпочитал проводить вне дома. Обращаю ваше внимание на существенную разницу в возрасте, а также на то, что Инна Петровна состоит в браке... У каждого из них была своя жизнь, неудивительно, что госпожа Бессонова мало осведомлена о делах брата.

— Понятно, — вздохнул следователь. — И никаких предположений, кто мог желать его смерти?

— Разумеется, никаких, — посуровел адвокат.

— Какие отношения были у него с вашим мужем? — Адвокат недовольно нахмурился, а я ответила:

— Он очень его уважал. — «И боялся», — мысленно добавила я.

— Они когда-нибудь ссорились?

Я попыталась представить, как Борис «ссорится» с Бессоновым... следователь и адвокат вытаращили на меня глаза, а я поняла, что смеюсь.

— Извините, — сказала поспешно. — Они отлично ладили. Брат очень уважал Александра Юрьевича. Он многим ему обязан. Зная их отношения, сама мысль о возможной ссоре представляется нелепой.

— Вот как? — Следователь заподозрил в моих словах иронию, которой и в помине не было, повертел в руках авторучку, вздохнул и произнес: — Что ж, спасибо за помощь... — Своей иронии он не скрывал.

В день похорон брата я не виделась с Генриеттой. В десять утра мы с мужем были в зале прощания. Держа меня за локоть, Бессонов окинул равнодушным взглядом собравшихся. Проститься с братом пришли человек двадцать, в основном мужчины. Почти всех я видела впервые. К нам приблизились несколько человек — выразить соболезнование, я что-то отвечала, а Бессонов кивал с таким видом, точно имел дело с надоедливыми просителями. Алла в черном кружевном платье стояла в нескольких шагах от меня, стискивая в руках свечу, которые всем раздал священник. Девушка словно не замечала меня и старательно отводила взгляд от Бессонова.

Воздух казался спертым, я боялась, что упаду в обморок, подошла к гробу на негнущихся ногах. Лицо брата, отрешенное, чужое, вызвало странные чувства: удивление, боль, а еще любопытство: как это — вдруг не быть? Я вслушивалась в слова священника, наблюдая за пламенем свечи, Алла громко всхлипнула и ухватилась рукой за гроб.

— Прощайтесь, — сказал священник.

Алла зарыдала, закрывая лицо ладонями, а я поцеловала брата и сделала шаг назад. Бессонов наклонился к нему, и мне на миг показалось, что муж улыбается.

Сразу после кладбища поехали в ресторан, но на поминках мы с мужем пробыли недолго. Подозреваю, все вздохнули с облегчением, когда мы покинули зал.

— Завтра мне надо быть в Москве, — сказал Бессонов, садясь в машину. — Поедешь со мной.

«Похороны брата лишь незначительный эпизод, — мысленно усмехнулась я. — Завтра он о Борисе уже забудет». А вечером, глядя в огромное кухонное окно, я думала, что опять не увижу Генриетту. Два дня, три? Вошел муж, посмотрел недовольно.

— Отправляйся спать.

Я поднялась и покорно пошла в спальню. Но уснуть не могла. Таращилась в темноту, боясь пошевелиться, и глотала слезы. А потом услышала, что звонит мой мобильный. Телефон лежал в холле на тумбочке. Только один человек мог мне звонить. Я выскользнула из постели с бешено бьющимся сердцем. Если муж проснется... В темноте я не видела его лица, но он не шевельнулся, дышал ровно. Аккуратно прикрыв за собой дверь, я бросилась в холл. Мобильный замолчал где-то на полдороге. Я схватила его, нажала кнопку вызова и услышала голос Генриетты:

— Инна, прости, что звоню так поздно.

— Ерунда, я так рада тебя слышать. Мы не виделись сегодня...

— Я хотела попрощаться с тобой, — сказала она каким-то чужим голосом. — Не могла не попрощаться... Ты единственный близкий мне человек. Вспоминай меня иногда...

— Ты уезжаешь? — заволновалась я.

— Нет, — ответила она после паузы, показавшейся мне мучительно долгой.

— Тогда в чем дело?

— Я больше не могу, Инна. Все бессмысленно. Я больше не могу...

— Что ты говоришь? Где ты?

— На пешеходном мосту, помнишь, мы стояли там и любовались рекой...

— Что ты там делаешь в это время? Я сейчас приеду, — в отчаянье предложила я.

— Нет. Ничего не нужно. Прощай.

С минуту я слушала короткие гудки, беспомощно оглядываясь. Набрала номер, но Генриетта не ответила. Я проскользнула в свою комнату, торопливо оделась, больше всего на свете боясь, что муж проснется. Схватила сумку, мобильный...

Ночью охраны в доме не было, я открыла входную дверь и, больше не заботясь о том, что муж может меня услышать, побежала к калитке.

Мне повезло, на пустынной улице я увидела свободное такси.

— На набережную, — бросила водителю, с трудом сдерживая дрожь. — К пешеходному мосту. — Взглянула на часы: пять минут второго.

До набережной мы доехали за десять минут. Водитель свернул к пристани и спросил с сомнением:

— Вам действительно сюда?

Я сунула ему в руки деньги, торопясь поскорее уйти.

Узкий мост над рекой, освещенный желтоватым огнем фонарей, был пуст.

— Генриетта! — отчаянно закричала я. На миг меня ослепил свет фар той самой машины, на которой я приехала, она быстро удалялась, а я продолжала оглядываться. Мои крики, нарушившие тишину, так и остались без ответа: ни звука шагов, ни силуэта, мелькнувшего вдали. Я была здесь одна.

Достав из сумки телефон, я набрала номер. Мобильный Генриетты был отключен. Вцепившись в перила моста, я всматривалась в темную гладь реки, тихонько поскуливая.

— Генриетта, — прошептала едва слышно, и вот тогда, оглянувшись, увидела что-то светлое возле перил напротив. На асфальте женские туфли, а рядом с ними сумка. Ее сумка. Перегнувшись так, что едва держалась на ногах, я увидела белый шарф, зацепившийся за что-то чуть ниже перил. Я встала на колени и, просунув руку между кованых прутьев, попыталась достать шарф. Под ночным ветром он то приподнимался, то плавно опускался вниз, похожий на крылья неведомой птицы. Мне удалось ухватиться за него, и через мгновение шарф был в моих руках. Зарывшись в него лицом, я сидела не шевелясь, думая о том, что это ее прощальный подарок. Мы действительно оказались похожи, она тоже мечтала вырваться, только, в отличие от меня, у Генриетты хватило на это мужества.

Вместе с горечью я чувствовала что-то вроде зависти и тешила себя нелепыми фантазиями: вот мы, взявшись за руки, прыгаем вниз, холодная вода смыкается над головой, и я на краткий миг чувствую себя свободной.

— Почему ты не дождалась меня? — спросила я с обидой. Взяла ее сумку, дернула молнию. В кармашке лежал паспорт. Она и вправду оказалась Генриеттой. Генриетта Александровна Романова. Тридцать лет. А я-то думала, она ненамного старше меня. Я смотрела на ее фотографию, и впервые меня по-настоящему поразило наше сходство. Внешнее сходство. Нет, конечно, перепутать нас было невозможно, и за сестер, пожалуй, не примешь. Впрочем, сестры необязательно похожи. Ярко-синие глаза, волосы с медным отливом, тот же овал лица, пухлые губы, чуть вздернутый нос... В ту минуту я вдруг почувствовала, что боль отступает, а на смену ей пришла робкая надежда. Сама того не ведая, Генриетта дала мне шанс: изменить свою жизнь, стать другим человеком.

Еще не отдавая себе отчета в своих действиях, я сбросила обувь и примерила туфли Генриетты. Они оказались чуть-чуть великоваты. Намотала ее шарф на шею, сняла свой кардиган и перебросила через перила, рукав зацепился за кованую завитушку ограды, и я удовлетворенно кивнула. Вынула из своего кошелька кредитные карты и деньги, их было немного, тысяч пять. Схватила сумку Генриетты и быстро зашагала к набережной, моя сумка с паспортом, и туфли так и остались на асфальте. Я двигалась пошатываясь, точно пьяная, в голове ворох мыслей, сердце бешено стучит. Заметив скамью, пристроилась на краешке, дрожа от ночного ветра. Паспорт, что-то было в паспорте. Так и есть.

Железнодорожный билет. Значит, Генриетта действительно собиралась уехать? Перебравшись поближе к фонарю, я внимательно рассмотрела билет. Поезд отходит в 2.30. Железнодорожный вокзал в трех троллейбусных остановках отсюда. Я успею. Придется идти пешком, таксист может меня запомнить, и на центральные улицы лучше не выходить.

Я свернула в ближайший переулок, ускоряя шаги, почти бежала. На женщину без багажа проводница обратит внимание... Возле вокзала есть торговый павильон, работает круглосуточно. Я както покупала там зубную щетку, забыв свою дома. Мы направлялись с мужем в аэропорт, и он сказал, что проще заехать сюда, чем возвращаться... Увидев впереди вокзал, я замерла на мгновение: «Неужели я это сделаю? — и фыркнула зло: — Я ничего не боюсь. Я больше никогда ничего не буду бояться».

На вокзале я оказалась за сорок минут до отправления поезда. Торговый павильон работал. Первым делом я отправилась к банкомату. Раз за разом снимала деньги, пока не увидела надпись: кончились банкноты. Пухлая пачка денег теперь лежала в сумке. Утром попытаюсь снять еще, может, повезет и к тому моменту карточки не будут заблокированы.

Тучная брюнетка клевала носом, сидя на высоком стуле в единственном работающем отделе, остальные были закрыты, на клочках бумаги написано от руки «Технический перерыв». Но в том отделе, что работал, было все необходимое: дамская дорожная сумка из кожзаменителя с лейблом известной фирмы, по цене, за которую у этой самой фирмы можно приобрести разве что заклепку, зубная щетка, теплый свитер и журнал. Женщина равнодушно взяла деньги, даже не взглянув в мою сторону.

Я услышала объявление о посадке и отправилась на третий перрон, по дороге надев только что купленный свитер. Поезд проходящий, на перрон вместе со мной спешило человек десять, не больше. Возле восьмого вагона отчаянно зевавшая проводница стояла в одиночестве. Я поздоровалась, протянула ей билет вместе с паспортом и широко улыбнулась.

— Второе купе, — сказала она. — Выбирайте любую полку, вагон почти пустой.

Войдя в купе, я включила свет и устроилась возле окна. Через десять минут поезд тронулся, в темноте мерцали редкие огни, и, провожая их взглядом, я дала себе слово, что никогда сюда не вернусь. Еще через десять минут заглянула проводница, спросила, не хочу ли я чая, и пожелала счастливого пути. Я разделась, юркнула под одеяло, закрыла глаза и почти мгновенно уснула.

Утром меня разбудила проводница.

— Скоро прибываем.

Я потянулась, не спеша вставать, и еще минут пятнадцать лежала с закрытыми глазами. «Неужто я сделала это?» — с удивлением думала я. Само собой, я догадывалась, что мое вчерашнее внезапное решение было из тех, которым тараканы в голове обычно аплодируют стоя. Но, несмотря на это, ни страха, ни тем более раскаяния не чувствовала.

Прихватив полотенце, я отправилась в туалет, на ходу размышляя. У меня есть паспорт, а, значит, есть возможность где-то устроиться. Если повезет, мой муж поверит, что я этой ночью бросилась с моста. Немногочисленные знакомые решат, что на меня так подействовала гибель брата, я и раньше производила впечатление девицы без царя в голове, и окончательно свихнуться такой, как я, ничего не стоит. Течение в том месте сильное, и то, что труп не обнаружат, особо подозрительным не покажется.

«Я сняла деньги в банкомате после своей предполагаемой кончины, — напомнила я себе. — Но ведь сумку мог обнаружить кто-то из случайных прохожих и позаимствовать деньги и кредитки. Бессонов потешался над моей привычкой держать в кошельке листок бумаги с написанным на нем кодом кредитных карт. «Мечта карманника», — говаривал он и добавлял, что запомнить четыре цифры для меня задание повышенной сложности. Теперь это очень кстати. Неудивительно, что предполагаемый прохожий без признаков сознательности сразу припустился к банкомату. Плохо то, что банкомат на вокзале. Тетка в торговом павильоне могла меня запомнить. Это очень плохо. Способна она узнать меня на фотографии? С уверенностью вряд ли. Номер моего мобильного, конечно, проверят, на звонок Генриетты обратят внимание. И при желании выяснят, что она в ту же ночь покинула город. Вполне вероятно, что моя сумка и туфли в действительности привлекут внимание случайного прохожего, который решит их присвоить и о находке не сообщит. Следовательно, мое исчезновение с мостом никак не свяжут, то есть я не покончила жизнь самоубийством, а попросту сбежала. И в этом случае единственная зацепка — звонок Генриетты. Все упирается в этот самый звонок.

Ее мобильного в сумке не было, и свой я выбросила в реку, но это ничего не меняет. Телефон Генриетты наверняка зарегистрирован, и Бессонов очень быстро узнает ее фамилию. И, разумеется, захочет найти, чтобы задать вопрос, какое отношение она имеет к его жене. Звонок можно было бы принять за случайный, если бы я не перезвонила, говорили мы несколько минут, слишком много для того, чтобы выяснить, что кто-то просто ошибся номером. А может, мои страхи напрасны? И искать меня муж не станет? Не меня даже, а неведомую ему Генриетту. «Не лги себе, — усмехнулась я. — Птичка выбралась из клетки, и он захочет ее вернуть. Птичка ему даром не нужна, но здесь дело принципа». Следует приготовиться к худшему: он будет искать Генриетту. Искать по всей стране? Есть у него такие возможности? Наверное, есть, хотя... может, его могущество я преувеличиваю? «А если тело Генриетты найдут?» — пришла мне в голову здравая мысль, правда, с большим опозданием. У нее должны быть родственники, знакомые, которые смогут ее опознать. И возникнет вопрос: а кто отправился на поезде с ее паспортом? И тогда мне придется скрываться не только от мужа, но и от следствия. Кто поверит в мой рассказ в этом случае? Куда логичнее предположить, что я столкнула Генриетту с моста, чтобы обзавестись документами. И вместо вожделенной свободы я получу тюремный срок.

При мысли об этом я похолодела, но тут же погнала привычные страхи прочь: я ведь дала себе слово, что больше ничего не буду бояться.

Поезд в последний раз качнулся и замер на перроне, я подхватила дорожную сумку и направилась к выходу.

— Удачи, — сказала мне на прощание проводница.

— Спасибо. — В чем в чем, а в удаче я очень нуждалась.

Раннее утро, но на вокзальной площади уже многолюдно. Возле стоянки такси образовалась очередь. Заметив кафе с приветливо распахнутой дверью, я направилась туда. Есть не хотелось, а вот выпить кофе я была не прочь. Устроилась за ближайшим столиком и попыталась решить, что делать дальше. Задерживаться в этом городе не следовало. Если меня будут искать, то, конечно, начнут отсюда. Мысль снять деньги в банкомате тоже придется оставить, это ведь след. Случайный прохожий снимает деньги в банкомате сначала в одном городе, а потом в другом... При разумной экономии снятых денег мне хватит надолго. Купить билет на ближайший автобус, для этого паспорт не понадобится, и мой след здесь и оборвется. Оказаться далеко отсюда и попытаться устроить свою жизнь. Снять квартиру, найти работу. Для начала сгодится любая работа, лишь бы не приглядывались к паспорту.

Но покидать этот город мне не хотелось. Он притягивал, как магнит. Ведь город был как-то связан с Генриеттой, о которой я все это время не переставала думать. Нет, я вовсе не надеялась узнать ее тайну, возможно, и не было никакой тайны, а было лишь чувство одиночества, какие-то житейские неурядицы, показавшиеся невыносимыми в тот момент, когда она стояла на мосту и готовилась сделать решающий шаг. Но она зачем-то хотела отправиться сюда.

Должно быть, вместе с ее именем мне каким-то фантастическим образом передалась частичка ее желаний, подспудных мыслей. Именно они удерживали от того, чтобы из кафе прямиком направиться в кассу автовокзала, что был напротив. Ничего не случится, если я останусь на пару дней. Когда-то я мечтала здесь побывать, увидеть древний собор над рекой, побродить по узким улочкам... После службы в армии брат некоторое время жил здесь, около трех лет, если мне не изменяет память. На тумбочке возле маминой кровати стола фотография брата, как раз на фоне того самого собора.

Тут я с удивлением поняла, что мысль о брате не вызвала боли, думать о нем как о мертвом почему-то не получалось. Или я просто спешу оставить все в прошлом? Разве это возможно? Сколько ни называйся чужим именем, от себя не убежишь... На какое-то мгновение мой поступок показался пределом глупости, но лишь на мгновение. Как бы скверно я ни чувствовала себя в будущем, что бы ни предстояло мне пережить, это все-таки лучше моего недавнего существования.

Из кафе я вышла в приподнятом настроении, готовая горы свернуть. Спросила у прохожего, как попасть в центр, и вскоре уже могла любоваться собором.

Ближе к обеду я решила, что следует найти подходящую гостиницу, недорогую, и, по возможности, в центре города, который произвел на меня большое впечатление. Будет здорово побродить здесь пару дней. Очень скоро на одной из узких улочек, утопавших в зелени, мое внимание привлек особняк, добротное здание с мезонином. Я-то думала, в нем находится какой-нибудь музей или банк, на худой конец, но золотая табличка сбоку от двустворчатой дубовой двери поведала, что это ночной клуб «Абажур». Само собой, я не знаток клубов, но кое-какое представление о них имела, и благородная сдержанность таблички, да и само здание, не обезображенное рекламой, произвели впечатление, в том смысле, что поставили в тупик. Что это за клуб такой? К особняку было пристроено трехэтажное здание, недавно отреставрированное. Выкрашенный в голубой цвет фасад украшали белые наличники и кованый козырек над дверью. Гостиница «Старый город», под надписью графическое изображение собора. До соборной площади отсюда десять минут неспешным шагом, месторасположение на редкость удачное, и гостиница новая. Вот только цена за номер может быть как в пятизвездочном отеле где-нибудь в Хельсинки. Однако я все-таки решила зайти.

Небольшой холл в английском стиле мои подозрения только укрепил. Холл, кстати, был пуст, диваны в полоску тосковали в отсутствие постояльцев, за высокой стойкой я увидела девушку-администратора и направилась к ней. Она дежурно улыбнулась, а я поздоровалась и спросила:

— Свободные номера есть?

— Вас что интересует? Одноместный люкс...

— Люкс, наверное, дорого, — перебила я. — Мне самый обычный номер. Приехала на пару дней, хочу посмотреть город. — Она назвала цену, а я вздохнула. Не Хельсинки, но близко к этому. И мне не по карману. — Дороговато... — Я уже собралась уходить, девушка окинула меня оценивающим взглядом и сказала:

— Есть один номер, совсем маленький, зато дешевле вы в центре вряд ли найдете. — Цена воодушевила, и я согласно кивнула. — Только выходит номер во двор, а у нас ремонт... в общем, полюбоваться видом из окна не получится.

— Это я как-нибудь переживу.

Я достала паспорт, а девушка попросила меня заполнить анкету. В паспорт, кстати, даже не заглянула.

Через десять минут я поднималась на третий этаж, в гостинице был лифт, но я предпочла лестницу, чтобы немного оглядеться. Чисто, уютно, холл отделан с безупречным вкусом, чувствовалось, что дизайнер здесь потрудился. Все номера располагались с правой стороны. Поглядывая на дверные таблички, я дошла до конца коридора, впереди дверь с надписью «Посторонним вход воспрещен», я остановилась в недоумении, потому что нужного мне 309 номера так и не увидела, пока не обратила внимание на дверь слева. Мой номер оказался единственным, расположенным с этой стороны.

Повернув ключ в замке, я вошла в маленькую узкую комнату. В пространство в одиннадцать метров умудрились втиснуть санузел (крохотная душевая кабина, раковина для младенца и унитаз), бельевой шкаф, двуспальную кровать и две тумбочки. На кронштейне телевизор, широкий подоконник заменял стол, к нему была придвинута банкетка.

Несмотря на лилипутские размеры, номер показался уютным. Бросив сумку на кровать, я подошла к окну. Девушка права, любоваться здесь нечем. Двор-колодец, четыре небольших здания, пристроенные друг к другу, в плане выглядели как квадрат с двором посередине. Мой номер находился в боковой пристройке, в самом ее конце. Две гладких стены, лишенные окон, за исключением моего, конечно. Строение напротив выглядело удручающе: провалы окон, трещины вдоль стен. За ним виднелась крыша мезонина — тот самый ночной клуб, успевший произвести впечатление. Четвертое здание, замыкавшее квадрат, было немногим лучше того, что напротив. Правда, крышу успели перекрыть, но стены не оштукатурили. Окна трех этажей были закрыты деревянными ставнями. Судя по мешкам цемента и большому количеству мусора, там шел ремонт, хотя никакого движения не наблюдалось. В здании напротив железные ворота, новенькие, кованые, с золотыми загогулинами. Они, надо полагать, вели во двор ночного клуба. Вот, собственно, и все. Рабочий день в разгаре, а во дворе тишина, строители досаждать не будут, а стоять возле окна мне необязательно.

Приняв душ, я спустилась вниз с намерением пообедать. На полосатом диване сидели двое мужчин, судя по всему иностранцы. Администратор взглянула на меня и улыбнулась.

— Не посоветуете кафе где-нибудь поблизости? — спросила я.

— Пройдите метров триста по улице в сторону центра, кафе «Таис», вкусно и недорого. Как номер?

— Уютный.

— Вам повезло, через неделю начнется ремонт, и уютным он вряд ли покажется.

— Там тоже будет гостиница? — спросила я, чтобы поддержать разговор.

— Да. Хозяин выкупил это старье, надеясь все снести и построить новое здание... — Девушка развела руками. — Развалины признали историческим наследием, которое пришлось восстанавливать.

— Получилось, кстати, очень неплохо.

— А в какие деньги это влетело... — Она закатила глаза и рассмеялась. — Пока, как видите, отреставрировали только половину. Третий корпус надеялись к весне сдать, замучили согласованиями. Два месяца ждем у моря погоды, такими темпами до четвертого здания очередь дойдет не скоро.

— А красивое здание рядом?

— Ночной клуб. Тоже нашему хозяину принадлежит. Роскошное заведение, но... не всем по карману.

— Жаль, интересно было бы заглянуть.

— Может, и удастся, — хитро сощурилась она. — По пятницам девушек пускают бесплатно. Плюс бокал шампанского.

— Щедро.

— Угу. Только позаботьтесь о вечернем туалете. Фейсконтроль жесткий.

— Боюсь, придется обойтись без клуба, — засмеялась я и направилась к выходу. И только на улице с удивлением подумала, как легко мне удалось завести разговор. Еще вчера это было проблемой...

В гостиницу я вернулась ближе к десяти вечера, успев еще раз перекусить в маленьком бистро рядом с Соборной площадью. Ноги ныли от долгой ходьбы, зато мысли о будущем не досаждали, то есть я предпочитала о нем не думать. В одиннадцать я была уже в постели, уверенная, что усну, как только голова коснется подушки. Примерно так и получилось. Однако часа через два я проснулась. Работал кондиционер, и в крохотной комнате стало холодно. Кондиционер я выключила, подумала и решила приоткрыть окно. Не успела я подойти к нему, как что-то грохнуло, и в небе вспыхнули огни фейерверка. Я стояла разинув рот, прикидывая, что за праздник в городе. Судя по всему, праздновали в ночном клубе, из-за ворот напротив доносились громкие голоса, свист и веселое улюлюканье.

Вскоре огни погасли, а голоса стихли. Я устроилась на подоконнике, потому что спать вдруг расхотелось. Вот тогда мое внимание привлекло окно второго этажа, скрытое ставнями. Мне показалось или сквозь них пробивался свет? Тонкая полоска. Наверное, показалось. Хотя, может, в здании дежурит сторож. Я долго приглядывалась, так и не решив, вижу свет или нет, в конце концов разозлилась на себя: какое мне до этого дело? И отправилась спать. Но уснуть не удалось. Я вертелась с боку на бок, пытаясь устроиться поудобнее, пока не услышала резкий звук, будто кто-то распахнул окно и створка ударилась о стену. А вслед за этим мужской голос произнес:

— Твою мать...

Не повод вскакивать с постели и бежать к окну. Голос звучал приглушенно, точно его обладатель в слушателях не особо заинтересован.

— А ну, давай назад... — Мужчина, безусловно, к кому-то обращался, голос по-прежнему старательно понижал, пока он не перешел в сердитый шепот: — Руку давай... шею себе свернешь на хрен, тебе же хуже...

Я подошла к окну и осторожно выглянула. Двор тонул в темноте, и все-таки я вполне отчетливо видела: ставни на том самом окне, что недавно меня заинтересовало, распахнуты, створка стеклопакета, который скрывали ставни, открыта, и там маячит какой-то тип, высунувшийся почти по пояс. На карнизе второго этажа, распластавшись по стене, стояла женщина, одной рукой держась за ставень, а второй пытаясь дотянуться до водосточной трубы. То, что это женщина, сомнений не вызывало, хотя толком разглядеть я ее не могла. На ней были брюки и рубашка, подчеркивающие широкие бедра и талию.

— Акробатка, твою мать, — продолжал тихо говорить мужчина. — Труба твою задницу не выдержит, свалишься вместе с ней. Вот будет хохма. Юрик тебя уже внизу поджидает, так что ничего у тебя не выгорит.

Тут я увидела Юрика. Под окном, задрав голову, стоял мужчина.

— Давай, давай, — подал он голос. — Приму тебя в объятия.

— Держи руку, дура! — в сердцах рявкнул первый мужчина, чуть не вывалившись из окна. Женщина, помедлив, осторожно шагнула в его сторону, через мгновение он схватил ее за руку и потянул на себя. Она смогла взобраться с его помощью на подоконник и первым делом двинула парню ногой, он тут же исчез из поля моего зрения, рявкнув: — Вот сучка!

Вслед за ним женщина скрылась в доме. Парень, вновь показавшийся в окне, махнул рукой приятелю и поспешил закрыть ставни. Юрик не спеша направился к металлической двери в самом конце дома, на которую я до этого момента не обращала внимания. Дверь чуть скрипнула, закрывшись за ним, а я нахмурилась. Дом-то оказался обитаемым. Вот только свидетелем чего мне довелось стать? Девушка пыталась сбежать, это более менее ясно. Но кто она такая и что здесь делает эта троица? А главное, что делать мне? Звонить в полицию? Отличное начало свободной жизни с чужим паспортом в кармане. Сообщить администратору, что в соседнем доме свет горит и кто-то ходит? Пусть сама звонит в полицию. А если не позвонит, решив, что у меня глюки, или, того хуже, донесет хозяину, а тот о троице хорошо знает: вдруг они там засели не без его ведома? Скорее всего, так и есть, иначе они редкие нахалы. Но девушка пыталась сбежать, это очевидно, значит, ей грозит опасность, и я просто обязана помочь. Правда, знать не знаю как.

Время шло, а стоящих идей не наблюдалось. Я дважды подходила к телефону, который был в номере, и опять возвращалась к окну. Для пленницы девушка вела себя довольно своеобразно, парня пнуть не побоялась, хотя могла бы предположить, что кара последует незамедлительно. Может, это жест отчаяния? Это я кролик трусливый, а она бесстрашная. Высоты не испугалась... Меня бы никакие силы не заставили ступить на карниз...

Мои размышления были внезапно прерваны. Створки ворот в доме напротив разошлись в стороны, и во двор въехала машина. Фары потушены, что меня насторожило, впрочем, не только это. Если не ошибаюсь, передо мной «БМВ», и что такой машине делать во дворе, заваленном строительным мусором? Машина между тем развернулась и задом подъехала к металлической двери, за которой не так давно скрылся Юрик. Я заняла позицию сбоку от окна, глядя на происходящее во все глаза, свет, само собой, не включала и теперь искренне надеялась, что меня не заметят.

Дверь со стороны водителя открылась, и я увидела мужчину в светлой футболке, полоски на его кроссовках в темноте ярко светились. Это было бы забавно, не выгляди происходящее так зловеще. Мужчина открыл багажник, почти одновременно с этим железная дверь распахнулась, и показались Юрик с приятелем. Они с трудом волокли большой тюк. Небо начало сереть, теперь разглядеть парочку и их ношу было куда легче. Нечто большое и продолговатое, завернутое в покрывало или тонкое одеяло, которое они держали за края. Ноша провисла под своей тяжестью, а я клацнула зубами: чересчур похоже на тело человека. Бездыханное. «Господи, они убили девушку», — в ужасе подумала я. Тюк между тем запихнули в багажник.

— Черт, — выругался кто-то из троицы, а другой сказал:

— Ноги его держи.

— Сам держи.

— Ты че, покойников боишься?

Над открытым багажником на мгновение мелькнула нога, обутая в мужской ботинок. Крышка захлопнулась, а водитель сказал:

— Не скучайте без меня, девочки, — и полез в машину.

Через полминуты «БМВ» исчез за воротами, которые тут же закрылись, а Юрик с приятелем — за железной дверью.

— Это не девушка, которую я видела, — пробормотала я, переместившись на кровать. Но покойник имел место. Мужчина, на что прозрачно намекал ботинок и слова парня «ноги его держи»... Его, а не ее. Но мне от этого немногим легче. А тут еще женщина. Она до сих пор в доме. Надеюсь, жива, но очень возможно, что ненадолго. Вопрос тот же: что делать? Черт, я здорово перепугалась и на номер машины не обратила внимания, впрочем, не очень-то его и разглядишь, если фары выключены.

Я быстро оделась и вышла из комнаты. Спущусь вниз и скажу дежурной, что в их владениях происходит что-то подозрительное: бродят люди, хлопают ставнями, — и не уйду до тех пор, пока она не позвонит в полицию.

Но, оказавшись в коридоре, осуществлять свои намерения я не торопилась, и вовсе не отсутствие решимости было тому причиной, а дверь с надписью «Посторонним вход воспрещен». Я уже худо-бедно ориентировалась в здешних коридорах, вот и надумала проверить свою догадку. Хотя дверь, скорее всего, заперта.

Я взялась за ручку, и дверь легко открылась. За ней был небольшой коридорчик со служебным помещением. Справа узкая лестница, должно быть, на чердак, а вот слева железная дверь с белыми разводами краски и внушительным засовом. Потребовались усилия, чтобы его сдвинуть. Но оно того стоило. Дверь вела в соседнее здание, в то самое, где держали девушку. Это стало ясно, как только я ее приоткрыла. Впереди была темнота, пахло краской и сыростью. Откуда-то снизу пробивался свет.

— Мне не страшно, — пробормотала я, очень в этом сомневаясь, и сделала три робких шага. Туфли для моей затеи не годились, и я их сбросила. Осторожно продвигалась вперед, ориентируясь на свет, и вскоре вышла к лестнице. Бетонные ступени без перил. Прижимаясь к стене, я начала спускаться. Здесь оказалось куда светлее, и спуск проблем не вызвал. Теперь было видно, что на втором этаже успели возвести перегородки и даже приступили к отделке. Тусклая лампочка на длинном шнуре освещала коридор. Впереди просторное помещение, свет там куда ярче, и именно оттуда доносились голоса.

— Помнишь ту грудастую, с которой мы в клубе зажигали?

— Вова, какая грудастая, дай поспать.

— Тебя че, сюда спать послали?

— Вова, отвали.

— Проспишь на хрен все. Эта сучка чуть не сбежала.

— Да куда ей деться.

Парней я видеть не могла за выступом стены, но теперь точно знала, где они находились. А вот где девушка? Я на цыпочках вошла в коридор, и ответ пришел сам собой: на всем этаже была только одна дверь, всего-то в нескольких метрах от меня. В замке торчал ключ. Я прикинула расстояние, которое отделяло меня от парней: два десятка метров. Можно рискнуть. В полуобморочном состоянии и в диком изумлении от собственной отваги я скользнула к двери и повернула ключ в замке. На счастье, парни в этот момент дружно загоготали, и звук, с которым повернулся ключ, и скрип открывающейся двери потонули в их хохоте. А я оказалась в кромешной тьме, потому что дверь за собой поспешила прикрыть. Сбоку донесся чей-то вздох.

— Никуда я не делась, придурки, — услышала я голос. — Катитесь отсюда. — И замерла, силясь хоть что-то разглядеть. Девушка завозилась и спросила настороженно: — Эй, кто здесь?

— Меня зовут Генриетта, — шепнула я.

— Чего? — Вероятно, услышанное не укладывалось у нее в голове, впрочем, неудивительно. — Откуда тебя черт принес?

— Из гостиницы. Я видела, как вы пытались сбежать.

— Как ты могла видеть... а... окно... Давай вали отсюда. Если эти идиоты тебя застукают, башку оторвут.

— А вы?

— Чего — я? У меня руки связаны.

— Руки не ноги, — рассудила я.

— Дурдом, — сказала девица и весело хихикнула. — А куда побежим?

— Для начала надо выбраться отсюда.

Глаза понемногу привыкли к темноте, и теперь я различала нечто похожее на диван. На нем угадывался силуэт девушки — она лежала лицом к стене.

— Помоги, — сказала она ворчливо. Я приблизилась и помогла ей подняться. — Ну, веди, чудо безбашенное, потайной тропой Чингачгука.

— Дверь скрипит, надо подождать, когда они опять загогочут.

— Разумно.

Мы замолчали, прислушиваясь к мужским голосам. Ждать, к счастью, пришлось недолго, не знаю, сколько я смогла бы выдержать.

Мы выбрались в коридор, я держала девушку за локоть, и мы очень осторожно направились к лестнице. Подъем занял всего несколько секунд. Тут я испуганно подумала: а вдруг дверь заперли с той стороны или нас там кто-то ждет? Но ничего подобного не произошло, дверь открыта, и в коридоре никого не оказалось.

Я задвинула засов, и мы припустились к моей комнате.

— Развяжи мне руки, — попросила девушка. — Свет в номере не включай, идем в ванную.

В крохотном закутке мы едва поместились вдвоем. Устроившись на крышке унитаза, я занялась ее руками. Запястья стягивала тонкая веревка, впиваясь в кожу. Проще было ее разрезать, но ножа в номере не было. Я орудовала руками и зубами, лица девушки не видела, но догадывалась, что мое копошение отнюдь не безболезненно.

Наконец веревку удалось распутать, я вздохнула с облегчением, а недавняя пленница повернулась ко мне, растирая запястья.

— Ух ты, — насмешливо сказала она, не спеша меня разглядывая. — Тебе лет-то сколько, прекрасное дитя?

— Может, вы назад вернетесь? — задала я встречный вопрос.

— Ладно, я по-доброму. Зависть гложет. Ты красотка, а годов тебе не больше двадцати. Где мои семнадцать лет... — заголосила девица.

Где ее семнадцать, я не знала, но в те времена я, скорее всего, посещала начальную школу. Теперь я смогла хорошо ее рассмотреть. На вид лет тридцать. Настоящая красавица. Темные глаза, тонкий с горбинкой нос, брови вразлет, большой рот с изысканным рисунком. Яркая, нездешняя красота. А фигура у девушки такая, что мужчины наверняка оборачивались, встретив ее, и долго смотрели вслед.

— Вы очень красивая, — брякнула я.

Она усмехнулась.

— Ага, Софи Лорен. — Точно, вот на кого она похожа. — Толку-то от этой красоты, — фыркнула девица. — Слышала пословицу: «Не родись красивой, а родись счастливой»? Мое счастье поманило, да где-то затерялось. Что ж, давай знакомиться. Значит, тебя Генриеттой зовут? Чудно.

— Не имя красит человека, — заметила я, как видно, заразившись от нее страстью к пословицам.

— Это точно. У меня имя самое простое — Ольга. — Она с дурашливой миной протянула мне руку, и я ее пожала. — Идем в твои хоромы, чего в сортире сидеть. Свет не включай, — предупредила она.

Шагнув в комнату, по-кошачьи скользнула к кровати и легла, подперев голову ладонью. Я села рядом, прикидывая, стоит лечь или нет? Находиться в постели с малознакомым человеком казалось неприличным.

— А у тебя хобби такое: приключения искать на свою задницу? Как тебя вообще угораздило? Или ты и вправду отмороженная?

— Я трусиха, — честно ответила я. — Но со вчерашнего дня решила ничего не бояться.

— Тогда с почином тебя, детка.

— Слушайте, вы не могли бы быть повежливей, в конце концов, я вам помогла.

— Я тебя об этом не просила. Но все равно спасибо. Убегать от них было ни к чему, но ведь не назад же теперь возвращаться.

— А ваша первая попытка не засчитывается? — съязвила я.

— Это я так... из вредности... Терпеть не могу, когда мной командуют.

— Кто эти люди? — решилась я задать вопрос.

— Обычные придурки, — махнула она рукой, зевая во весь рот.

— Обычные? А мне кажется, у вас большие неприятности.

— Крестись, если кажется. А тебе что за дело до чужих неприятностей? Своих нет? Ментам не звонила?

— Не успела.

— И слава богу. Менты нам ни к чему, — подмигнула она. — Сами разберемся. Парни — мои приятели, мы малость повздорили. Ничего бы они мне не сделали, это тебе с перепугу показалось.

— Ага. Труп мне тоже с перепугу показался?

— Какой труп? — Ольга резко села и на меня уставилась.

— Тот самый, что Юрик с Вовой из дома вынесли. Загрузили в «БМВ», который со стороны клуба подъехал, затолкали в багажник.

— Да ладно... Ты видела труп?

— Я видела ногу в мужском ботинке, если вас это успокоит.

— Так, может, кто-то из дружков хватил лишнего, такое бывает.

— Вова сказал, что это покойник.

— Вова — дурак.

Ольга прошлась по комнате, сложив на груди руки и что-то мурлыча себе под нос.

— Вот, значит, как. А я понять не могу, что это на благоверного накатило.

— Что? — нахмурилась я.

— Это я так... мысли вслух. Был труп или нет, а дела наши с тобой хреновые. То есть мои дела хреновые — в обычном режиме, а вот твои совсем плохи. Спала бы ты, девонька, и никуда не лезла. Ну да ладно. Прорвемся. До утра здесь перекантуемся, а утром надо когти рвать. Юра с Вовой редкие идиоты, а вот их хозяин совсем не дурак. На окно твоего номера внимание обратит и решит проверить, кто тут этой ночью обретался...

«Как же я об этом не подумала? — мысленно ахнула я. — И что мне теперь делать? Бежать, вот что. И забыть все как страшный сон».

Ольга между тем разделась и юркнула под одеяло.

— Чего сидишь? — шикнула на меня. — Я не кусаюсь.

Подумав, я легла рядом.

— Я умею хранить тайны, — сказала тихо.

— Не сомневаюсь. Только у меня нет ни одной, так что задушевного девичьего разговора не получится. Спи.

Легко сказать. Я лежала, гадая, во что меня угораздило вляпаться. И ведь по собственной воле, никто не просил. Лучше б я продолжала всего бояться, чем вот так, с бухты барахты...

Только я задремала, как Ольга завозилась рядом. Повернувшись, я увидела, что она стоит возле окна.

— Очухались, придурки, — фыркнула она весело. — Недолго музычка играла...

Я поднялась и встала рядом, осторожно выглянула. Было уже совсем светло. Юра с Вовой заполошно бегали по двору с неясной целью.

— Как только земля таких олухов носит... Ага, решили все-таки позвонить, — комментировала Ольга чужие действия, Юрик в самом деле схватился за мобильный.

Через минуту парни припустились к воротам, которые при их приближении открылись, и вскоре видеть их мы уже не могли.

— Ну, вот, любоваться больше нечем, — вздохнула Ольга. — Вернемся в объятья Морфея.

Я проснулась в девять, Ольги рядом не было. Испуганно вскочила, шаря взглядом в поисках сумки. Вот будет радость, если деньги исчезнут вместе с ночной гостьей. И поделом мне. Это же какой идиоткой надо быть... Тут Ольга появилась из ванной, и с самобичеванием я решила повременить.

— Доброе утро, красавица, — с улыбкой сказала она, плюхнулась на банкетку и на меня уставилась. Во взгляде вовсе не было насмешки, скорее сомнение и настороженность, перемены налицо, вот только не ясно, хорошо это для меня или плохо.

— А ты вообще откуда? — спросила она.

Я назвала город, не видя смысла лгать.

— Завидую, — усмехнулась Ольга.

— Чему?

— Моя большая и, увы, неразделенная любовь как раз там обретается.

— Мне кажется, такая женщина, как вы...

— Не верь тем, кто утверждает, что мужики на красивую рожу ведутся. То есть поначалу, конечно, да, но, как свое получат, наблюдается заметное охлаждение. Впрочем, в моем случае все было несказанно хуже. Не любил он меня, ни годок, ни денечек, ни минуточку. Вот такая хрень. Не задалась моя судьба, подруга.

— Интересно было бы взглянуть на мужчину, о котором вы так горюете, — сказала я без намека на иронию.

— И мне интересно, но он к себе не зовет и сюда не едет.

— Наверное, он очень привлекательный.

— Вот уж не знаю.

— Как это?

— Так. Когда втюришься по уши — поймешь. Не помню, чтоб его кто-то считал особо симпатичным, что неудивительно: характер-то паршивый.

— Как же вас угораздило?

— Мужик стоящий, а у стоящих мужиков характер всегда паршивый. За красивой мордахой не побежит, нюни распускать не будет. Сказал — как отрезал. И что для нашей сестры в этом хорошего?

— Наверное, ничего.

— Правильно говоришь. От моей любви отвлечемся и вернемся к твоим делам. Ты здесь по какой надобности?

— Приехала город посмотреть, — пожала я плечами.

— Значит, время у тебя есть, работа не ждет, мама не торопит?

— Я вообще-то на пару дней хотела...

— Может, и пары дней хватит, — кивнула она.

— На что?

— Разрулить все по-умному, спасительница ты моя. Чтоб я жила и здравствовала и тебя ничего не тревожило. Из гостиницы надо выметаться. Найдем местечко получше, есть у меня такое на примете. Здесь неподалеку торговый центр, дуй туда. Купишь мне парик, солнцезащитные очки и обувь. — Она кивнула на свои босые ноги. — В таком виде по городу не пойдешь. Да и платье купи, побалахонистей, которые обычно старые бабы носят. Нужно скрыть мои прекрасные формы. Обувь тридцать восьмого размера, платье бери пятидесятого. Деньги есть?

— Немного.

— С баблом проблем не будет. На дверь повесь табличку «Не беспокоить». Чего сидишь? Двигай.

— Я не уверена... — начала я, но Ольга перебила:

— Не уверена, так слушай тетю. Все будет в клеточку. Или в полоску... В общем, смелей вперед, труба зовет.

— Умыться можно или сразу бежать?

— Можно, но по-военному. Позавтракаем позже. Я тебе такой омлет забацаю, пальчики оближешь.

Через десять минут я отправилась в торговый центр. На то, чтобы купить все необходимое, потребовалось совсем немного времени. Решив, что жизнь входит в новую фазу и надо быть готовой ко всему, я купила себе джинсы, кроссовки (туфли Генриетты для приключений не годились) и еще кое-какие вещи. Набралось два больших пакета. С ними я и появилась в гостинице.

— Простите, вы номер продлевать будете? — завидев меня, спросила администратор.

— Нет, вечером уезжаю.

Поднявшись на третий этаж, я постучала в номер, предварительно убедившись, что поблизости никого нет.

— Заходи, — кивнула Ольга, открыв дверь.

— Горничная не беспокоила?

— Нет. Показывай, что принесла...

Мы разобрали покупки, Ольга осталась довольна. Она и в мешковатом платье умудрялась выглядеть соблазнительно, но жемчужного цвета парик и очки изменили ее облик почти до неузнаваемости.

— Собираем барахлишко и сматываемся. Я иду первой и жду тебя возле кафе «Таис», это...

— Знаю, я там вчера обедала.

Ольга свернула брюки, в которых была этой ночью, собираясь сунуть их в пакет, но что-то привлекло ее внимание. Она запустила руку в карман брюк и извлекла кусочек пластика, похожий на банковскую карту.

— Удача сама идет нам в руки, — довольно кивнула она. — А я и не помнила, что сунула его в карман.

— Что это? — нахмурившись, кивнула я на карточку.

— Ключ. От нашего светлого будущего.

Она направилась к двери, приоткрыв ее, осторожно выглянула и ушла, весело мне подмигнув:

— Adios, мучача.

Признаться, выходя из гостиницы, я сомневалась, что еще раз увижу Ольгу. Приключение стоило нервов и кое-каких потерь в бюджете. Обидно, если я так и не узнаю, кто она и почему ее держали взаперти этой ночью. Что ж, если возле кафе ее не будет, отправлюсь на автовокзал. Этот город оказался чересчур гостеприимным.

Ольги возле кафе не было, хоть я к этому и готовилась, на глаза от обиды навернулись слезы. Я беспомощно огляделась и тут услышала стук в окно: Ольга, находясь в кафе, барабанила по стеклу, привлекая мое внимание. Я припустила к двери и вскоре уже сидела за столом напротив.

— Суперзавтрак с божественным омлетом переносится на ужин, — сообщила она. — Придется довольствоваться глазуньей. Я уже все заказала.

— Изменения касаются только завтрака? — на всякий случай спросила я.

— Предприятие наше, возможно, выйдет хлопотным, а у меня здесь неподалеку заначка припрятана, как раз на такой случай. Бабла хватит год скрываться. Но мне в это сказочное место соваться нельзя. Придется тебе.

— А что это за место?

— Ночной клуб «Абажур».

— Тот, что рядом с гостиницей?

— Точно. Служебный вход с торца. Народу сейчас в клубе немного, а ты девчонка шустрая, справишься. Позвонишь в дверь, скажешь, что к Светлане Ивановне на собеседование. Как войдешь, направо будет лестница, поднимешься на второй этаж, первый кабинет налево. Не перепутаешь? Вот ключ. — Она протянула мне кусочек пластика. — Принцип тот же, что в гостиничных номерах. Войдешь, запрешь дверь, чтоб кто-нибудь не вломился ненароком. В шкафу висит голубой пиджак, за подкладкой булавкой пристегнутый ключ от стола. Вынешь верхний ящик, перевернешь, на донышке пакет с баблом. Вот, собственно, и все.

— А если на кого-нибудь нарвусь?

— Ври, что пришла на работу устраиваться.

— На какую работу?

— Официанткой в ресторан. Главное, в кабинет попасть и забрать деньги.

— А ты не боишься, что я...

— Не боюсь, — отрезала Ольга. — У тебя глаза честной девушки. Если они врут, мир катится в пропасть, и бабло уже не спасет.

К этому моменту мы успели покончить с завтраком, и Ольга сказала:

— Жду тебя здесь. Выпью кофейку пару чашечек. Эти стервецы меня чаем в пакетиках поили. За что и несут сейчас заслуженную кару.

— Я боюсь, — честно призналась я, отводя взгляд.

— Не свисти. Ты со вчерашнего дня ничего не боишься.

— Я...

— Топай. Раньше сядешь — раньше выйдешь. В нашем случае — скорее вернешься. Чмоки-чмоки. Да, денег мне оставь расплатиться за завтрак.

Деньги я, конечно, оставила, пакеты с вещами, само собой, тоже, и побрела к «Абажуру», то есть сначала побрела, а потом бодренько припустилась. Если притормозю и начну размышлять, точно ни в какой ночной клуб не сунусь. Да мне с центрального входа, как нормальным людям, и то войти в клуб непросто, кажется, все на тебя смотрят и непременно с вопросами пристанут. А тут еще эта партизанщина. Но Ольга права: если меня ночью угораздило пробраться в дом, где обретались двое головорезов, то сегодняшняя вылазка просто фантики.

Вот и «Абажур». Дойдя до конца здания, я свернула, приглядываясь. Впереди парковка, непрезентабельные развалины с воротами посередине с этой стороны были затянуты полотнищем с изображением французских окон и завитушек на фасаде, должно быть, так здание выглядит в мечтах владельца. С торца, ближе к парковке, дверь, открытая настежь. В десятке метров от дома стояла «Газель», двое мужчин в комбинезонах разгружали ящики. В мою сторону даже не взглянули, что позволило мне прошмыгнуть в здание. Лестница, второй этаж и дверь слева. Я вставила карточку в считывающее устройство и вошла. Все оказалось нереально просто. Шкаф-купе, в шкафу женские вещи, аккуратно развешанные на плечиках, и среди них голубой пиджак. Я провела рукой по подкладке, нащупала ключ. Теперь открыть ящик стола.

Ящик оказался набит какими-то документами. Я переложила их на столешницу, стараясь не шуметь, вытащила ящик и перевернула. Коричневый пакет держался на полосках скотча. Срезала их ножом для бумаги, который обнаружила в ящике, и сунула пакет в сумку. Перевела дух и вернула ящик на место. Начала складывать бумаги, и тут в дверь постучали. Я замерла, чувствуя, как все холодеет внутри.

— Ольга! — позвал женский голос. — Открой, это я.

Не получив ответа, женщина забарабанила сильнее.

— Кончай дурить, открой, я ведь слышу, что ты там.

Если и дальше играть в молчанку, она весь клуб на ноги поднимет. Я подошла и осторожно приоткрыла дверь. На меня смотрела пухленькая девица лет двадцати восьми.

— Ты кто? — растерялась она.

Можно ее оттолкнуть и бежать отсюда опрометью. Весьма вероятно, что меня догонят, не девица, так кто-нибудь из охраны, должна она быть в таком месте. Или нет? Надо было на что-то решаться. Я схватила девицу за руку, втянула в кабинет и закрыла дверь.

— Не ори.

— Ты откуда здесь, ты... — заволновалась она.

— Меня Ольга прислала. Взять кое-что. Видишь ключ? — Я продемонстрировала карточку, девица вроде бы немного успокоилась, по крайней мере, заговорила тише:

— А Ольга где?

— Она не хотела, чтобы ее здесь видели, вот и отправила меня.

— А ты вообще кто? — нахмурилась толстуха.

— Подруга.

— Чего-то я тебя не знаю.

— Я тебя тоже.

— Сейчас проверим, какая ты подруга. Позвоню Ольге... — Она уже тянулась к мобильному, но я сказала:

— Она не ответит. Соображай быстрее: если она не позвонила тебе, а меня сюда прислала, значит, не хотела, чтобы кто-то в клубе знал...

— Так она что, от мужа сбежала? — ахнула девица. — Ну, дела... с Игоречком, да? Идем ко мне, все расскажешь.

Она распахнула дверь и потащила меня в коридор.

— Я не могу, Ольга ждет... — шипела я.

— Подождет пять минут. А мне ночь не спать от любопытства. Идем.

Кабинет, в который она меня привела, находился рядом с Ольгиным.

— Садись, — кивнула девица, указывая мне на стул. Комната поменьше Ольгиной и отделана попроще, два стола напротив друг друга, стеллажи с бумагами, сейф в углу — обычное офисное помещение. Поняв, что шансы вырваться равны нулю, я обреченно плюхнулась на стул. — Кофе хочешь? — спросила девица. — Меня, кстати, Светланой зовут. А тебя?

— Генриеттой.

— Ой, — пискнула она и добавила, пожав плечами: — Бывает. Давай рассказывай, что там Ольга замутила. — Светлана суетилась возле кофе-машины, поглядывая на меня с веселым озорством.

— Ничего я не знаю. И кофе не хочу.

— Да ладно, Ольга в курсе, я язык за зубами держать умею. С Игорьком она, да? Сбежали? Его пятый день ищут.

— Кто?

— Папаша его, естественно. Кто ж еще. Ну, Ольга, — хихикнула она. — А я смотрю, Валерик злой, как собака. Спрашиваю: «Где Ольга?», а он мне: «Черт знает, где ее носит». Ну, звезда, ну, начудила.

— Кто такой Валерик? — задала я вопрос, уже поняв: Светка из тех, кто ужас как любит потрепаться.

— Здрасьте... — развела она руками. — Валерик — Ольгин муж, хозяин нашего клуба. Что ж тебе подруга ничего не рассказала?

— Наверное, решила, что меня это не касается. Слушай, мне надо идти. Ольга волнуется. Хочешь, пойдем вместе, только не уверена, что она особо обрадуется. Мне было строго-настрого сказано... — Тут дверь открылась, и в кабинет вошел мужчина: смуглый красавец, взгляд с поволокой, стильный костюм бежевого цвета, рубашка с расстегнутым воротом. Я сразу поняла, что мое везение кончилось и задание я провалила.

— Привет, — сказал он хмуро.

— Здравствуйте, Валерий Сергеевич, — пропела Светлана и застыла с чашкой в руке.

— Кто это? — кивнул он в мою сторону.

Я застенчиво улыбнулась и промямлила:

— Я по поводу работы...

— Да?

— Да-да, — подхватила Светка. — Девушка пришла официанткой устраиваться.

Валерий Сергеевич взял стул, устроился на нем, закинув ногу на ногу, и на меня уставился. Надеюсь, чужие мысли он читать не умеет, хотя взгляд такой, точно он у меня под черепушкой шарит.

— Хотите кофе? — продолжала болтать Светка.

— Давай.

— Вот, беседую с девушкой... решаю, брать или нет.

— Бери. Администратором в ресторан.

— У меня нет рекомендаций... — залепетала я.

— У тебя есть самая лучшая рекомендация: посмотри в зеркало и увидишь. Оформляй на работу, — сказал он Светке, поднимаясь. — Пусть завтра выходит. — Взял из ее рук чашку и добавил: — Кофе я у себя выпью. Зовут как? — прежде чем уйти, спросил он меня.

— Генриетта.

— Класс... — Валера подмигнул и наконец удалился.

— Ух, — выдохнула Светка. — А ты молодец, сообразительная. Может, правда к нам на работу? Платят прилично.

— В работе я вообще-то нуждаюсь...

— Ну, так и давай. Видала, как тебя хозяин глазами жрал? Приглянулась.

— Тогда я поищу работу в другом месте.

— Валерик с нашими девками любовь не крутит, у него принципы: где работаешь, там не гадишь. Юлька, официантка, с нашим охранником шуры-муры завела, обоих уволил. Любите, говорит, друг друга в ином месте. Так что не бойся.

— Неудивительно, что Ольга от него сбежала, по-моему, он... ненадежный, — с трудом нашла я подходящее слово.

— Ты Ольгу плохо знаешь, вот уж, я тебе скажу... Валерке надо памятник поставить за то, что он терпит ее выкрутасы. Теперь с Игорьком спуталась. Ну на фига он ей? Парень совершенно никчемный. За каждую юбку норовит уцепиться, одно достоинство — папа богатый. От наркоты в мозгах сиреневый туман, а бабла в картишки просаживает — мама не горюй. Ну на что ей это счастье? Помяни мое слово, через пару недель опять к Валерке прибежит. А он, дурак, снова простит.

— Что, часто бегает?

— Нет, — засмеялась Светка. — Это я так... Обычно у нее хватает ума глупостей не делать. Неужто она в Игорька всерьез втюрилась?

— Спросишь у нее, когда встретитесь, а я пошла.

— А как насчет работы? Что мне Валерке сказать?

— Скажи, что я подумаю.

Поспешно покинув кабинет, я бегом припустилась к лестнице и вздохнула с облегчением, только оказавшись на улице.

Ольга ждала меня в кафе.

— Ну? — спросила хмуро, приглядываясь ко мне. Я достала пакет и протянула ей.

— Вот они, мои бабосики, — засмеялась она, заглянув в пакет, но деньги пересчитывать не стала. — Молодец.

— Тебе привет от Светки...

— Черт... — скривилась Ольга. — Чего ты ей сказала?

— Она сама так много говорила, что мне не пришлось. Светка считает, ты сбежала с типом по имени Игорь.

— Ага, — Ольга задумалась. — Теперь полгорода будет знать, что я в бегах.

— Это хорошо или плохо?

— Давай двигать отсюда, — не ответив на мой вопрос, предложила Ольга. — Задолбалась здесь сидеть.

Она направилась к выходу, и мне ничего не оставалось, как последовать за ней.

— Прогуляемся пешочком, — сказала она. — Тут недалеко. Заодно в магазин зайдем, жратвой затаримся.

— Думаю, нам пора проститься, — сказала я.

— Что так?

— Решайте свои проблемы, а у меня другие планы.

— Эк тебя заносит, то «выкаешь», то «тыкаешь». Ты уж определись. Лично я за демократию и доверительность отношений. А что касается проблем, сдается мне, у тебя их ничуть не меньше. Я утречком в твой паспорт заглянула, уж извини мне мое любопытство. Документик-то, девонька, не твой. Что скажешь?

— Скажу, что это не ваше дело.

— Правильно, не мое. Ты мне помогла, а я добро помню. Короче, держись меня, и с божьей помощью решим все проблемы. Постепенно.

— У меня в этом большие сомнения, — проворчала я.

— Потом расскажешь.

В общем, я продолжала шагать рядом с двумя пакетами в руках, Ольга мурлыкала под нос популярную песенку, мимо нот, но с душой. Несмотря на ее залихватский тон, чувствовалось: что-то ее беспокоит. Впрочем, неудивительно. Может, она просто боится остаться одна? Копаться в чужой сумке большое свинство, а я тоже хороша, могла бы позаботиться о паспорте.

В супермаркете Ольга сразу же направилась к банкомату, поменяла пять стодолларовых банкнот на рубли.

— Жди здесь, а я быстренько по залу пробегусь.

Быстренько у нее не получилось. За это время я трижды собиралась сбежать, но вместо этого осталась стоять на месте. «Уехать я всегда успею», — утешала я себя. Похоже, Ольга во мне нуждается. Или я в ней? Ладно, потом разберемся.

Она появилась с большим пакетом в руках и сказала весело:

— Смерть от голода нам не грозит.

Выйдя из супермаркета, мы отправились по узкой улочке, которая вывела нас к новеньким особнячкам. Они жались друг к другу, соревнуясь в высоте заборов и в количестве машин, припаркованных у ворот.

В хитросплетении здешних переулков сам черт бы не разобрался, но Ольга, похоже, неплохо ориентировалась. Где-то через полчаса мы остановились перед покосившейся калиткой из железных прутьев, слева и справа кирпичные заборы, и вдруг неказистая калитка и сетка рабица по сторонам. Сунув руку между прутьев, Ольга открыла калитку. Узкий проход между заборами вывел нас на участок, заросший травой. Три высоченные березы, а в глубине участка дом, одноэтажный, из белого кирпича. На окнах железные решетки, вид абсолютно нежилой.

— Это твое надежное местечко? — нахмурилась я.

— Не нравится? Внутри он выглядит лучше.

Она поднялась на деревянное крыльцо с покосившимся козырьком.

— Дом давно пора снести, — не унималась я.

— Ага. Землица здесь на вес золота. Оторвали бы с руками, да хозяина никак не найдут.

— А что с ним случилось?

— Ничего. Не любит он свои хоромы, ему тут призраки являются. — Ольга пошарила рукой под козырьком крыльца и показала мне ключ. — У нас-то с тобой совесть чиста, и привидений нам бояться нечего. — Вставила ключ в замок и распахнула дверь: — Добро пожаловать!

Несмотря на мои худшие опасения, дом внутри выглядел вполне сносно. Небольшая кухня и две комнаты. Из мебели на кухне стол, два стула, газовая плита в углу и раковина. Ольга повернула кран. Что-то зарычало, зафыркало, а потом полилась бурая жидкость.

Я заглянула в комнаты. В одной — две кровати с панцирными сетками, в другой — шкаф, диван, два кресла и свернутый трубкой поролон, должно быть заменявший матрас. Шторы на окнах задернуты. На полу и подоконниках слой пыли, но комнаты, как ни странно, заброшенными не выглядели, люди здесь, надо полагать, время от времени появлялись.

— В шкафу одеяла и постельное белье, — сообщила мне Ольга. — Посуда и прочая ерунда. Я иногда сюда заглядываю, когда хочется отдохнуть от мира. Ни одна скотина тут не сыщет.

— А твой муж?

— Ему-то здесь что понадобится? О Валерке Светка растрепала?

— Я с ним успела познакомиться. Он меня на работу взял.

— Да? Сейчас расскажешь. Ванны тут нет, только душ. Возьми в кладовке ведро и швабру, будем наводить чистоту.

Я не стала возражать, сходила в кладовку, нашла все необходимое и приступила к работе.

Много времени она не заняла. Пока я надраивала полы, Ольга разобрала покупки и приготовила кофе. Приняв душ, мы устроились за столом.

— Ну, вот, теперь и побазарим, — усмехнулась Ольга. — Значит, Валерка взял тебя на работу?

— Сказал, что могу приступать с завтрашнего дня.

— Еще бы. Ты — красотка, а он к девичьей красе неравнодушен.

— И тебя это не волнует?

— А чего мне волноваться? У него своя жизнь, у меня своя.

— Но он ведь твой муж?

— Правильно. Муж. Только я не ревнива, и он давно ревновать разучился. Сколько можно?

— Послушай, — сказала я, отодвинув чашку с недопитым кофе. — Твоего любовника ищут пятый день, если верить Светке. Это не его случайно Юрик с Вовкой запихнули в «БМВ»?

— Откуда мне знать, кого они запихнули? Я же ничего не видела. Это ты у нас глазастая.

— Но ты прекрасно знаешь тех, кто держал тебя взаперти?

— Юрика с Вовой, конечно, знаю.

— И кто они такие?

— Придурки, знамо дело.

— Не хочешь говорить — не надо.

— А чего о них говорить? Ладно, раз ты такая любопытная... Это парни из нашего клуба, охранники. Тот, что на «БМВ», скорее всего, Валька Шакунов, начальник охраны. Вот он совсем не дурак, и я голову ломаю, с чего это вдруг Валька трупы развозит, да еще в своей тачке? Если ты, конечно, не врешь и труп действительно был.

— Хорошо, я могла ошибиться, и они грузили коврик, обутый в ботинок. Устроит?

— Лучше бы и коврика не было. Думай теперь, кого эти придурки замочили.

— Мысли о том, что это Игорек, ты не допускаешь? — съязвила я.

— Ну, почему. Однако бы очень не хотелось. Не оттого, что я питаю к нему большую любовь, если честно, мне по барабану, что с ним. Все дело в его родителе. Он мужик с деньгами и связями, вряд ли ему понравится, что сынишку в багажник запихивают живого или мертвого.

— Давай говорить откровенно. У тебя была связь с этим Игорем, твой муж узнал об этом...

— Ой, не смеши, — хихикнула Ольга и рукой махнула. — Да если Валерка начнет башку отрывать каждому, с кем я сплю, в городе мужиков не останется. А уж Игорька тем более не тронет. Во-первых, они друзья, во-вторых, Валерка знает, что тот мне даром не нужен, а в-третьих, ему на хрен не нужны заморочки с папашей. Валера абсолютно доволен своей жизнью, у него есть любимое дело, клуб, гостиница... он серьезный человек, а серьезные люди любовников жены не убивают.

— Но почему он тебя взаперти держал?

— Сие загадка. Я думала, осерчал на мое скверное поведение, порочащее честь и достоинство. Решил малость проучить. Но теперь, думаю, причина в другом...

— Он хочет, чтобы все считали: ты сбежала с этим Игорем?

— Очень может быть, — кивнула Ольга. — Говоришь, того пятый день ищут? Примерно столько я и была под присмотром наших общих знакомых.

— А как ты вообще оказалась в недостроенном корпусе?

— Рассказываю, — вновь кивнула Ольга. — В пятницу, ближе к вечеру, Валерка на рыбалку уехал, я тоже пораньше из клуба ушла. В субботу у меня выходной, лежу на родном диване, телик смотрю. Вдруг являются Юра с Вовой. Я думала, в клубе чего случилось, у нас, знаешь ли, всякое бывает. А эти гады меня под белые руки и в машину. Я с вопросами, они молчат. Я Юре в зубы, они психанули, руки-ноги мне связали. Я кусаться, они в рот кляп. Потом, конечно, зверства свои оставили, за пирожными в кондитерку бегали, но все равно я была очень зла. Особенно на Валерку. С чего ему так свирепеть? Оказывается, был повод.

— Но если твой Валерка не имеет отношения к исчезновению Игоря, зачем ему все это?

— Вот этот вопрос меня очень волнует, — вздохнула Ольга. — В какое дерьмо он вляпался?

— Почему бы не спросить его об этом? Он ведь твой муж? — Тут я о своем муже подумала и заткнулась, а Ольга ответила:

— Потому что я на него очень сердита. Нет бы все растолковать жене, посидеть вдвоем на кухоньке, подумать, что делать и как дальше жить, а он меня в арестантки определил. Это он мне свою крутость демонстрировал. И что хорошего?

— А вдруг он все-таки... — начала я с сомнением.

— Игорька кокнул? Уж поверь мне, это самая несуразная глупость на свете.

— Твой муж тебя любит? — нахмурилась я.

— По-своему, — ответила Ольга. — И я его точно так же. Ревность тут ни причем, повторяю специально для бестолковых. Валерка ревнует меня только к одному человеку, но тот далек от мысли заключать меня в объятия. А жаль. За ним бы я на край света побежала.

— Ты сказала, он живет в другом городе? — спросила я, сетуя на собственное любопытство. Но уж очень интересно было, что за мужчина отказался от такой красавицы.

— Живет, живет, — вздохнула Ольга.

— Вы давно не виделись?

— Как он отсюда уехал, так и не виделись.

— А почему уехал?

— Тяготился своей популярностью. Решил, что на новом месте начнет новую жизнь.

— Не очень-то понятно, — обиделась я.

— Ладно, попили, поели, теперь надо одного человечка навестить. Кстати, напомни купить мобильный. У тебя ведь телефона тоже нет? Ни такси вызвать, не пощебетать друг с другом из соседних комнат. Сущее наказание.

— Ты хочешь, чтобы я пошла с тобой? — удивилась я.

— А ты не хочешь? Я думала, тебе интересно.

— Что интересно?

— Ну... был труп или нет, и если был, то чей?

— Слушай, а мне из-за ваших трупов голову не оторвут? — спросила я сердито.

— Пока ты со мной — нет. Уж я об этом позабочусь. Кстати, а что это мы все обо мне да обо мне. Не желаешь поведать, что ты здесь делаешь с чужим паспортом?

— Давай лучше трупом займемся, — ответила я, подумав.

— Не настаиваю. Признание должно быть добровольным и чистосердечным. Подожду, когда созреешь.

Мы вышли из дома, Ольга заперла дверь и спрятала ключ в тайник под козырьком крыльца.

— Запоминай, что где лежит, авось пригодится.

Стоянки такси поблизости не было, и мы направились к супермаркету. По дороге обзавелись мобильными, Ольга не спешила объяснять, у кого мы намерены побывать в гостях, а я с вопросами не лезла. Не очень-то меня это в тот момент волновало. Абсурдность происходящего вызывала растерянность и легкую нервозность. Я задалась мыслью: это нормально вот так болтаться по городу в компании девицы, которую трупы не пугают? И как далеко меня это заведет? С другой стороны, недавнее стремление обосноваться где-то и начать новую жизнь теперь особого энтузиазма не вызывало. Похоже, новая жизнь уже началась, и совсем не так, как ожидалось. И что теперь? Следовать за Ольгой путем тернистым и опасным или найти спокойный уголок и затаиться? А существует ли этот самый уголок для человека с чужим паспортом? Только сейчас я по-настоящему поняла, какую сделала глупость там, на мосту.

— Надо сумку купить, — вдруг сказала Ольга.

— Какую сумку?

— Обычную, дамскую. Женщина без сумки выглядит довольно странно.

— Хорошо, давай купим сумку, — кивнула я, подумав в досаде: «Чем у нее только голова забита?»

Сумку Ольга выбирала так придирчиво, что у меня едва хватило терпения дождаться, когда она направится к кассе.

— Теперь все? — спросила я, выходя из магазина.

— Ага. А куда ты так торопишься? — удивилась Ольга.

— У нас вроде бы было дело...

— Точно. Тебе никто не говорил, что в любой ситуации надо получать от жизни удовольствие?

Наконец мы оказались в такси, Ольга назвала адрес, и мы поехали в спальный район. Сплошные серые девятиэтажки с редким вкраплением чахлых деревьев, огромным торговым центром и крытым катком, над которым развевался триколор.

Возле одной из девятиэтажек машина остановилась, Ольга сунула водителю деньги и ходко припустилась к подъезду, окинув взглядом двор, заставленный машинами.

— Валькина тачка здесь, — удовлетворенно кивнула она. — Значит, в клуб еще не уехал.

Набрала номер квартиры на домофоне и стала ждать.

— Да, — недовольно буркнул мужской голос.

— Валька, открой и не вздумай моему звонить, ты меня знаешь...

— Черт, — сказал Валька, но дверь открыл.

— К кому мы идем? — заволновалась я с некоторым опозданием.

— Начальник охраны клуба, — пояснила Ольга. — Кстати, хороший парень.

Я схватила ее за руку и зашептала:

— А это не он труп вывозил на «БМВ»?

— Надеюсь, что он. Он, он, — покивала она. — Кто ж еще?

— Я не пойду, и вообще...

— Да ладно. Все нормально. Я не собираюсь ему говорить, что труп видела ты. Еще вопрос, был ли труп, оставь свои глупые страхи, у тебя теперь есть я. Скажу, когда надо бояться.

— Спасибо, — съязвила я.

— Пожалуйста, — пожала плечами Ольга.

Мы вышли из лифта на шестом этаже, возле открытой двери в квартиру номер двадцать четыре замер мужчина. Лет тридцати с небольшим, светлый ежик волос, брови сведены на переносице, по всему выходило, нам тут не особенно рады.

— Привет, — широко улыбнулась Ольга, а он вновь чертыхнулся и головой покачал.

— Выглядишь по-дурацки, — заявил он, судя по всему, имея в виду ее наряд.

— Издержки жизни в глубоком подполье. Узнал бы меня, если б на улице встретил?

Отвечать на этот вопрос Валентин не стал, посторонился, пропуская нас в квартиру, окинул меня взглядом с ног до головы и спросил:

— Кто это?

— Подруга. Я у нее сейчас обретаюсь.

— Что-то я ее раньше не видел.

— Так это и ценно. У тебя водочки не найдется? Что-то я малость взволнована.

Мы прошли в кухню, ничем особо не примечательную. Ольга плюхнулась на стул, я, подумав, села напротив. Валентин достал из холодильника колбасу, аккуратно разложенную на тарелочке, и бутылку водки, вспомнил про хлеб, нарезал его толстыми ломтями. Из шкафа появились три стопки, нам налил по полной, себе половину.

— Твое здоровье, — сказала Ольга и выпила. Едва пригубив водку, Валентин отошел к окну, сел на подоконник и продолжил нас разглядывать, в лице читалось сомнение и плохо скрываемое беспокойство.

— Ты чего пришла? — не выдержал он.

— Разговор есть. Серьезный. Скажи-ка мне, друг сердечный, а куда это у нас Игорек запропастился?

— Гордеев?

— Ага, ага, — закивала Ольга.

— Тебе лучше знать. Прошел слух, что ты с ним от Валерки сбежала. Сегодня Светка звонила, интересовалась, неужто правда?

— Светка — дура, а у тебя-то с головой все в порядке, скажи на милость, с какой стати мне от Валерки сбегать?

— Вот уж не знаю... Гордеев сыночком очень недоволен, не зря тот в клубе прятался, папаша давно собирался его в психушку отправить на лечение. Может, Игорек решил, психушка подождет, и от папы смылся. И ты вместе с ним.

— Вместе с ним мне не резон. Выходит, ты ничего не знаешь?

— Про Игоречка? Нет.

— Ага. И с чего вдруг муженек меня под арест посадил, да еще твоих придурков сторожить приставил?

— У Валерки и спрашивай.

— Я тебя спрашиваю. Ведь как-то он тебе это объяснил? Только не надо прикидываться, что о моем заточении ты не знал.

— Ну, знал, — поморщился Валентин. — Но вопросов не задавал. Я их сам не люблю и к другим с вопросами не лезу.

— Но ведь некие мысли в голове имелись?

— Я решил, что Валерка на тебя просто разозлился, — ответил хозяина квартиры, пожав плечами. — Иди домой и поговори с мужем. Он, должно быть, беспокоится.

— Придется ему еще немного побеспокоиться, — фыркнула Ольга. — Он мне растолковать, что да как, не пожелал, прислал твоих чертей — и под замок. С женой, скажу тебе, так не поступают. Теперь я не желаю с ним беседы вести задушевные. Чтоб впредь неповадно было.

— Ольга, — Валентин взглянул хмуро и головой покачал. — Кончай дурить. Двигай домой, незачем тебе по городу болтаться. Гордеев сына ищет, сегодня Башка в клубе был, вынюхивал, вопросы задавал, когда вас с Игорьком там видели в последний раз и все такое... Башка редкий урод, ты ж знаешь, пусть лучше думает, что ты с Гордеевым где-то у теплого моря брюхо греешь.

— Где ты у меня брюхо видел? — возмутилась Ольга, но тут же запечалилась: — Значит, Николаша обо мне спрашивал? Ой, как нехорошо.

— А я о чем? Топай к мужу, он решит, что делать.

— А самолюбие? Да и Коленьку мне бояться причин нет.

— Ага. Башка сначала ребра тебе пересчитает, а потом о причинах спросит. Ты ж его знаешь.

— Знаю, знаю. Лютый зверь у нас Коленька. Гордеев велел ему сына искать?

— Выходит, так.

— Ну, тогда от Башки надо не мне, а тебе прятаться, — хмыкнула Ольга, Валентин уставился на нее, сверля взглядом, а она ласково продолжила: — А что за труп ты из гостиницы вывез? Случаем, не Игорька моего?

Валька закатил глаза и матерно выругался.

— Ты спятила, что ли? — взгляд его метнулся в мою сторону, и он добавил в голос суровости: — Давай выметайся отсюда.

— Если ты из-за подружки моей, считай ее слепоглухонемой.

— Ты б поберегла девчонку-то, что она подумает?

— А чего ей думать? Ладно, иди, милая, телевизор посмотри, — повернулась она ко мне. — А мы тут еще водки выпьем.

Я с большой готовностью поднялась и покинула кухню.

Ольга обещала не рассказывать о том, что я труп видела, и вот, пожалуйста. Разве можно ей доверять? А я-то хороша, у самой язык за зубами не держится, а к ней с претензиями.

Я прошла в гостиную, включила телевизор, но через минуту уже была возле двери в кухню. Уж если не хватило ума помалкивать, по крайней мере буду в курсе, чего следует ждать от этого разговора.

— Спятила, при девчонке болтать такое? — гневно выговаривал Валька. — Мозги у тебя набекрень.

— Если только самую малость, — хихикнула Ольга. — Терпеть не могу, когда со мной в кошки-мышки играют. Ты, Валя, видно, забыл, чем мне обязан?

— Не забыл, — огрызнулся он.

— Тогда давай начистоту.

— Скажи на милость, зачем ты притащила сюда девчонку?

— Деть некуда, а бросить жалко. Девчонка лишнего слова не скажет, не бойся. Так что за труп ты из гостиницы вывез?

Недолгая пауза, потом Валька обреченно спросил:

— Кто из этих придурков проболтался?

— Оба. Пока меня сторожили, языком мели, как тетки на рынке, а я от безделья прислушиваться стала к их болтовне.

— Уволю к черту...

— Лучше утопи, как котов шелудивых, — засмеялась Ольга.

— Может, и придется. Боюсь, дело принимает скверный оборот, если Башка везде свой нос сует.

— Его точно Гордеев послал?

— А кто еще?

— Ты про труп мне расскажи. Не таись, — напомнила Ольга.

Я слышала, как Валентин подошел к столу, налил водки и выпил.

— Кто Игорька-то пришил? — полезла Ольга с вопросом.

— Понятия не имею. Я его в подсобке нашел. Ты в пятницу из клуба когда ушла?

— Валерка на рыбалку в восемь отчалил, и я за ним.

— Ну вот, а я остался. Четверо типов, что в мезонине засели, меня беспокоили. Игра шла по-крупному, вот я и пасся в клубе, боялся, как бы чего не вышло. Разъехались они только в семь утра, я собрался домой, думал, наконец-то высплюсь, и тут уборщица мне навстречу, когда я уже уезжать хотел. Говорит, не могу попасть в подсобку. Я разозлился, что с глупостями лезет, велел слесаря вызвать, но все-таки решил взглянуть, чего там.

— Интуиция? — хихикнула Ольга.

— С вашими вечными заморочками не знаешь, чего ждать, — разозлился Валентин. — Уборщица сказала, обычно ключ в замке торчит, он и в тот раз был в замке, только ключ кто-то сломал. Мне это очень не понравилось. Сказал, обойдемся без слесаря, открыл дверь, а там такой подарок: на полу сидит твой Игорек с пробитой башкой. Глазки открыты и не дышит. То еще зрелище. Короче, труп. И что делать прикажешь?

— Валерке звонить, само собой.

— Я и позвонил, велел Вове с Юриком в коридоре пастись и никого не пускать. Вроде газом пахнет, свет включать опасно и все такое. Хорошо, хоть в клубе в такую рань, кроме уборщиц и охраны, никого не было. Парням объяснять, что к чему, поначалу тоже не стал, но они, конечно, заподозрили: дело нечисто. Слава богу, Валерка оказался в зоне досягаемости, но рыбачил за сто километров, пока он приехал, у меня мозги начали закипать. Он на труп взглянул, матюгнулся, и мы стали думать, что нам с ним делать. В полицию звонить? Менты на нас и без того косо смотрят... Гордееву? Разбирайся с ним, кто его сыночка непутевого в нашем клубе пришил. И в этом случае заморочек с ментами не избежать, а уж сам Гордеев...

— Ваше затруднительное положение вполне понятно, — вновь встряла Ольга. — И до чего додумались?

— Для начала надо было труп из клуба убрать. А куда? Не повезешь же его белым днем по городу? В общем, мы его в машину затолкали и спрятали в гостинице, чтоб пока там полежал.

— И у Валерки возникла гениальная мысль — меня под арест посадить?

— У меня возникла, если тебе интересно. Расчет простой: пусть все решат, что вы куда-то отчалили, будет время разобраться в ситуации.

— Разобрались?

— Какое там... Гордеева в пятницу вечером в клубе не было. Или был?

— Пока я не ушла, точно не было.

— И ночью не показывался. Я его не видел, и охрана уверена, он не приходил.

— Так как же он в подсобке оказался?

— Аист принес. Валерка считает, труп подбросили. Чтоб головная боль была у нас.

— Что значит подбросили? Он ведь не пакетик с коксом?

— Правильно, умница, и сделать это мог лишь человек, который клуб знает как свои пять пальцев.

— То есть кто-то из наших?

— Или кто-то из постоянных клиентов. Кому твой Игорек мог насолить?

— Да кому угодно. Он же придурок. Но чтоб убить... Нет, что-то тут не складывается.

— Не складывается у нее... ты б подумала, каково нам...

— Ладно, не увлекайся. Труп вы спрятали в нашем недострое и меня туда же определили. Большое вам спасибо. Нет чтобы все рассказать.

— Это я Валерке молчать советовал. Хрен знает, какой номер ты выкинешь, когда о кончине Игорька узнаешь.

— Да мне он... я что, по-твоему, враг своему мужу? Валерка ко дну пойдет, и я вместе с ним. Муж и жена — одна сатана...

— А твой длинный язык?

— Много вы от своих секретов выгадали? Конспираторы. Ладно, дальше-то что?

— А дальше ничего. Время идет, ясности никакой, и Гордеев сыночка ищет. Надо было что-то с трупом решать, не может он на стройке валяться. Мы его мешками завалили, но он уже вонять начал.

— Ага. И ты его где-то в лесочке прикопал?

— Прости, что не мог организовать твоему любовнику торжественные проводы, — съязвил Валька.

— Что ж теперь... пролью скупую слезу в своей холодной постели. Сколько ж тебе муженек отвалил, если ты на такое подписался?

— Не обидел. Мне, знаешь ли, с трупами в багажнике раньше разъезжать не приходилось. Где теперь Гордеев-младший, знаю только я, а я уже и сам забыл. Нет трупа — нет уголовного дела. Пусть ищут... но проблемы это не решает.

— Само собой. Башка шустрый, начнет носом землю рыть и...

— Оттого и советую: двигай к мужу, а потом найди местечко понадежней, отсидишься.

— А когда вернусь, что отвечу на вопрос: куда делся Игореша? Или вы с Валеркой мое возвращение не планируете?

— Ты глупостей не говори, — обиделся Валька. — Нам нужно время, чтоб убийцу найти. Вот и все. Мы его найдем, не сомневайся. С клубом его что-то связывает...

— Игорек к Верке нашей дышал неровно. Может, он к ней в клуб приходил? Черт... она же у нас на больничном.

— Верки в клубе не было. Через центральный вход он войти не мог, охрана бы видела. Остается дверь в офис и та, что ближе к развалинам.

— Записи видеонаблюдения смотрел?

— Хватит, а? Дураком меня считаешь? На видеокамере только часть парковки видна да боковая дверь.

— Говорила я вам, на безопасности не экономят. Лишнюю камеру в лом поставить. Да, совсем ты не порадовал меня, Валя, — вздохнула Ольга, скрипнул стул, должно быть, она встала из-за стола.

— К мужу пойдешь?

— Погожу пока. Решил жить своим умом, так я не возражаю. Тебе буду позванивать, надо ж держать руку на пульсе.

— Валерке расскажешь, что у меня была? — буркнул Валентин.

— Зачем? Это наши с тобой дела и моего мужа не касаются. Вот только как бы он без моего чуткого руководства дров не наломал... идиот, прости господи.

— Ты б на мужиках-то не висла, и проблем у твоего мужа было бы куда меньше. Если б не ты...

— Ага, ага. Если б не я, вы бы, конечно, ментов вызвали на труп любоваться?

— Почему бы и нет? Искали бы убийцу на здоровье. А так что? Полгорода знает, ты с Игорьком любовь крутила, вот и повод проломить дураку голову. Я-то понимаю, что Валере все это по барабану, а вот менты вцепятся.

— Это точно. Тяжело признать, но в том, что мы в дерьме по самые уши, есть и моя заслуга.

Решив, что разговор подошел к концу, я юркнула в гостиную и в телевизор уставилась.

— Гертруда! — рявкнула Ольга. — С вещами на выход.

— Меня зовут Генриетта, — огрызнулась я, когда мы входили в лифт, наспех простившись с хозяином.

— Да ладно... Гертруда тоже неплохо. Подслушивала? — подмигнула Ольга.

Я пожала плечами, в своем поступке повода для хвастовства не видела, но и врать не собиралась.

— Правильно, избавила от необходимости пересказывать наш увлекательный разговор. Кто ж нам такую свинью подсунул? — Ольга поскребла затылок, сдвинув парик на нос, потом поправила парик двумя руками, точно шапку, и вздохнула.

— Это ты труп свиньей называешь? Как-то неуважительно по отношению к любовнику.

— Да не был он моим любовником. Терся рядом, потому что ни одной бабы пропустить не мог. А мне что, жалко? Он за вечер в клубе такие бабки оставлял, грех не пококетничать. Для дела польза, и мужик доволен. Любовь бывает только одна, а моя сюда носа не кажет.

Мы вышли из дома, и я спросила:

— Что теперь будешь делать?

— Что-что, убийцу искать. Кто-то Игорька по башке отоварил... Валька прав, этот тип имеет отношение к клубу.

— Ты в самом деле думаешь, что труп вам подсунули?

— А что еще я думать должна?

— Я бы из числа подозреваемых твоего мужа не исключала, и Вальку этого тоже.

— Ну, ты загнула. Валерка был на рыбалке, в тех краях что-то вроде базы, народу пасется немало. Наверняка есть свидетели, что он всю ночь там обретался и уехал только утром после Валькиного звонка. От города километров сто, и как, скажи, он мог такое проделать? Да и ни к чему Валерке трупы, а Вальке тем более. Кого-то это вечно обдолбанное чучело вконец достало, а нас решили сделать крайними. Ну, я этим деятелям устрою, будут знать, как в мою подсобку трупы запихивать.

— Есть подозреваемые? — спросила я, страдая излишним любопытством.

— Появятся. Надо только терпения набраться.

— Что это за Башка, о котором Валька говорил?

— На редкость скверный тип. Работает у Гордеева-старшего, вроде начальник охраны. А вообще псих, и человека убить ему раз плюнуть. Про него разное болтают. И куда только правоохранительные органы смотрят? — дурашливо сморщила она нос. — Конечно, они б его и рады посадить, но руки коротки. Опять же, не пойман — не вор. А у него еще такой заступничек, как папаша Гордеев.

— Он-то кто такой?

— Бизнесмен. И лучший друг нашего губернатора. Они на пару такие дела проворачивают... закачаешься от зависти.

— И чему же ты завидуешь?

— Наглости и полной безнаказанности. Хотя в глубине души и то и другое осуждаю.

— Ну и дела у вас в городе, — покачала я головой.

— У вас, что ли, лучше? Давай кафе найдем поприличней, чего-то есть хочется, — повертев головой, пробормотала Ольга, меняя тему.

— А зачем мы продукты покупали? — резонно напомнила я.

— Нет здоровья у плиты стоять. Утром обещаю омлет, а сейчас срочно нужно коньячку соточку и рыбку на гриле, — удовлетворенно кивнула она, ткнув пальцем в заведение под названием «Белый кот». — Где кот, там и рыба. Пошли.

— Ужин могу я приготовить, — в целях экономии предложила я.

— Не занудствуй, я угощаю. Денежки тратить нужно. Залежатся и протухнут.

И мы пошли в кафе. Выглядело оно уютным, и мне понравилось. Я заказала салат, Ольга с серьезным видом изучала меню, и конца этому не предвиделось. От нечего делать я принялась оглядываться. На стене за моей спиной радовала глаз надпись на красной бумажной ленте: «Ура! Нам десять лет!» Ниже несколько фотографий в рамочках. Двое парней и три девушки стоят, тесно прижавшись друг к другу, улыбаясь в объектив, в центре мужчина постарше, под фотографией надпись: «Мы открылись» — и дата. Еще фотографии... Я равнодушно мазнула взглядом, и вдруг... сердце ухнуло вниз. На одной из фотографий я увидела Генриетту.

Поначалу я решила, что мне почудилось некое сходство, я постоянно думаю о ней, так что неудивительно. Поднявшись, я подошла к стене, внимательно разглядывая фотографию. Две девушки с немного смущенными лицами сидели за столом. Та, что справа, с короткими темными волосами, это, без сомнения, Генриетта. Ее лицо я успела изучить до мельчайших деталей, так что теперь была уверена, это действительно она, только гораздо моложе. Под фотографией надпись: «Наши первые посетители». «Это она», — настойчиво билось в голове. А что, собственно, меня удивляет? Я ведь знала, что Генриетту что-то связывает с этим городом, не зря она собиралась сюда. Теперь я точно знаю: десять лет назад она жила здесь.

— Что тебя так увлекло? — услышала я за спиной голос Ольги и вздрогнула от неожиданности. Признаться, я успела забыть, что в кафе не одна, если быть точной, на несколько минут я выпала из реальности, настолько меня поразила моя находка.

— Надо же как-то коротать время, пока ты пялишься в меню, — ответила я, возвращаясь к столу. Ни к чему привлекать внимание Ольги к фотографиям, она видела мой паспорт и на сходство может обратить внимание. Хотя вряд ли. Нужно обладать исключительной памятью... На фото в паспорте у Генриетты другой цвет волос и прическа другая. Теперь у меня появился шанс хоть что-то узнать о девушке, чье имя я ношу. Ольга ничего не должна знать об этом. Слишком многое пришлось бы объяснять...

Поужинав, мы пешком отправились к дому. Ольга продолжала гадать, как труп Гордеева-младшего мог оказаться в ночном клубе, но, подозреваю, на этот раз слушателем я была неблагодарным. Другие мысли одолевали.

Видя мою задумчивость, Ольга замолчала, а я с опозданием сообразила: мое поведение, скорее всего, вызовет у нее вопросы, даже если она их и не задаст, они все равно останутся. Покидать город я более не спешила и в Ольге нуждалась, не столько в ней самой, сколько в надежном убежище. Правда, являлась мысль, что рядом с ней я рискую куда больше, чем находясь в одиночестве.

Вернувшись в наше жилище, мы устроились на кроватях и продолжили разговор, теперь я была куда внимательней, по крайней мере, нужные реплики вставляла, Ольгу это вполне устроило, однако время от времени я ловила на себе ее взгляд, в котором читался немой вопрос. Впредь надо быть осторожней.

Утром я проснулась рано, Ольга спала, отвернувшись к стене, и это позволило мне улизнуть из дома, ничего не объясняя. Само собой, отправилась я в кафе «Белый кот», очень волнуясь и все-таки надеясь, что из моей прогулки выйдет толк.

Кафе открывалось в десять, пришлось ждать больше часа. Это время я потратила на нервную беготню по парку под равнодушными взглядами мамаш с колясками и пенсионеров на скамейках. Идеи являлись ко мне одна другой фантастичнее. Вдруг в кафе мы с Ольгой оказались отнюдь не случайно, она знала о фотографиях, вот и привела меня туда с намерением оценить мою реакцию. Бред... или не бред? Из всех кафе в городе выбрать именно то, где висит фотография Генриетты... Невероятное совпадение. Но еще более невероятным представлялось, что Ольга знает о моей подруге. При таком раскладе случайность я исключала: допустить вероятность того, что Ольга, заглянув в кафе еще до нашего знакомства, обратила внимание на фото незнакомого человека, а потом смогла узнать девушку на фотографии в моем паспорте, я отказывалась. Это даже не фантастическая идея, а попросту идиотская. Выходит, либо они действительно были когда-то знакомы, либо все это мои домыслы и наше появление в кафе чистая случайность. Почему бы, кстати, не поговорить об этом с Ольгой? Так ли уж необходимо хранить свою тайну? Будь моя новая знакомая другим человеком, необходимость и вправду была бы невелика, но Ольга... с такой, как она, совершенно не знаешь, чего ожидать.

Наконец полтора часа прошли, и я направилась к кафе, в этот момент Ольга и позвонила.

— Где тебя носит? — ворчливо осведомилась она.

— Интересуюсь местными достопримечательностями.

— Вот это мило... А мне здесь одной сидеть?

— Ты же в подполье. А мне ничего не мешает свободно передвигаться по городу.

— Все-таки с твоей стороны свинство оставить меня изнывать от тоски.

— Ты можешь потратить время с пользой, еще раз прикинув, кому мешал Игорек.

— Много от этого толку, — вздохнула она. — Сидя в доме, убийцу не найдешь.

— А что изменится, если мы засядем там вдвоем?

Ольга чертыхнулась и прервала разговор, а я с замиранием сердца толкнула дверь в кафе. Ранних посетителей оказалось немного. Двое мужчин в костюмах сидели возле окна, то и дело отвечая на звонки по мобильному. Еще один пристроился в уголке с ноутбуком и чашкой кофе. Услышав, как звякнул дверной колокольчик, из подсобки появилась официантка. Я заказала кофе и посоветовала себе собраться с мыслями, а главное, быть понапористей. Когда девушка подошла ко мне вторично, я спросила:

— Могу я поговорить с кем-нибудь из менеджеров?

— А в чем дело? — насторожилась официантка. — Кофе не понравился?

— Что вы, кофе у вас прекрасный. Меня интересует вот эта фотография. — Я ткнула пальцем в снимок, благо что сидела за столом как раз под ним.

— Фотография? — Девушка нахмурилась, гадая, что особенно интересного я могла обнаружить. — Менеджер здесь, но... я сейчас спрошу.

Она удалилась, а вернулась уже не одна, рядом с ней шла молодая женщина в черной юбке и белой блузке с бейджиком на груди «Татьяна Сомова, администратор». Я вскочила и протянула ей руку.

— Инна, — представилась я, Генриетта имя редкое, а две Генриетты — это слишком. — Спасибо, что согласились помочь.

Девушка слегка обалдела от эдакой прыти, но руку пожала, назвав своя имя, и устроилась за столом напротив меня.

— Так в чем проблема?

— Давно здесь висит эта фотография?

— С воскресенья, пятый день... мы к юбилею готовимся.

Я вздохнула с заметным облегчением. Выходит, видеть эти снимки Ольга не могла, находясь в заключении.

— На фотографии моя подруга. Так случилось, что мы давно не встречались... с седьмого класса, — глазом не моргнув, соврала я. — Моя семья переехала в другой город, и мы потеряли друг друга... Мне бы очень хотелось ее найти...

— Этой фотографии десять лет, и я просто не знаю, как вам помочь.

— Может быть, у вас остались ее данные? Поверьте, для меня это очень важно...

— Какие данные? — нахмурилась Татьяна. — Я же говорю: фотографии десять лет, я тогда даже не работала. Девушек сфотографировали на память как первых посетителей, и все...

— Логично было поинтересоваться их именами, может, и номером телефона...

— Не думаю...

— Но ведь вы тогда еще не работали и наверняка не знаете... Я очень, очень прошу вас помочь. Если надо, я заплачу.

— Вот уж глупости... Может, посмотреть в книге отзывов? — подумав, сказала она.

— А книга сохранилась?

— Наш хозяин все хранит, — улыбнулась Татьяна. — Идемте.

Боясь спугнуть удачу, я вслед за ней прошла мимо кухни в крохотный кабинет, который она делила с девушкой постарше.

— Катя, а где у нас старая книга отзывов? — спросила Татьяна, обращаясь к коллеге.

— В шкафу, посмотри в нижнем ящике. Викторыч ее совсем недавно разглядывал, еще сказал: «Вот так пишется история». — Она весело фыркнула и уткнулась в компьютер, а Татьяна открыла шкаф, покопалась с минуту и извлекла книгу в красном переплете, больше похожую на альбом.

— Вот, смотрите, — открыла книгу и, положив ее на стол, пододвинула ко мне. На первой странице я прочитала надпись: «Приятно было узнать, что мы оказались первыми посетителями вашего замечательного кафе. Желаем всем сотрудникам оставаться такими же доброжелательными и веселыми. Удачи вам и побольше посетителей». Ниже дата и две подписи. Одна начиналась с двух заглавных букв, так многие расписываются, первая буква относится к имени. Не очень разборчиво, но начальные буквы, вне всякого сомнения, Н и З, вместо другой росписи какая-то немыслимая закорючка, однако первая буква, безусловно, К. То есть ни та ни другая Генриетте принадлежать не могла, ведь ее фамилия Романова. Выходит, я обозналась и на фотографии вовсе не она? Или первых посетителей было куда больше?

Я пролистала журнал, следующие записи были сделаны гораздо позднее.

— Как вашу подругу зовут? — спросила Татьяна.

— Генриетта, — ответила я разочарованно.

— Значит, ее фамилия вторая... Как видите, никаких телефонов здесь нет.

— Да, спасибо...

— Чего ищете? — оторвавшись от компьютера, задала вопрос Катя.

— Девушка на фотографии в зале узнала свою подругу. Они много лет не виделись...

— Как интересно... Что за фотография?

— Наши первые посетители...

— Так одна девушка к нам заходит, два дня назад была... увидела фотографию и приятно удивилась, что мы ее сохранили. Официантки рассказывали. Викторыч велел, если она появится, вручить ей пригласительный...

— Мы вечеринку для постоянных клиентов устраиваем, — поспешно пояснила Татьяна. — В честь нашего десятилетия.

— Когда будет вечеринка? — воодушевилась я.

— Во вторник, начало в семь вечера.

— У меня к вам просьба, если девушка придет в кафе, попросите ее, пожалуйста, со мной связаться и позвоните мне сами, чтобы я знала: вы передали мою просьбу.

— Хорошо, — пожала плечами Татьяна. — Сейчас скажу Ирине, она остальным девчонкам передаст.

Я продиктовала номер, Татьяна записала его на листе бумаги.

В зал я вернулась одна, заказала еще кофе, а когда официантка подошла, повторила свою просьбу, не очень рассчитывая, что Татьяна будет о ней помнить. Ирина меня внимательно выслушала, записала номер мобильного в свой блокнот, а я оставила ей на чай тысячу, шепнув:

— Если вы мне поможете, за мной еще две тысячи.

— Сказать честно, я ее ни разу не видела, — нахмурилась девушка, поспешно убирая деньги в карман форменной куртки. — То есть, может, видела, просто внимания не обращала. Или она не в мою смену приходила. Но теперь буду присматриваться.

— Спасибо, — сказала я и поспешила к выходу.

Можно считать, что удача мне улыбнулась. Если надпись в книге сделала Генриетта, что за странность с фамилиями? Ответ прост: Генриетта успела ее сменить. Ведь прошло десять лет. Она могла выйти замуж. По словам Кати, одна из официанток видела девушку с фотографии, несомненно, это подруга Генриетты, сама она появиться здесь два дня назад не могла. Если бы мне удалось разыскать девушку... Она заходит сюда... пусть редко, но заходит. Ей передадут мою просьбу. Она должна позвонить, хотя бы из любопытства.

Я была немного раздосадована тем, что удача, поманив, вдруг исчезла за горизонтом, но надежды все-таки не теряла. Придется запастись терпением... Так ли уж важно, узнаю я о прошлом Генриетты или нет? — попыталась я себя вразумить. Что мне с того, если ее не может быть рядом? Есть кое-что поважнее... Мне бы следовало подумать о том, как устроить свою жизнь, а не ввязываться в авантюру с Ольгой и не искать человека, которого больше не существует. А если Генриетта жива? — впервые предположила я. Испугалась в последний момент и поспешила выбраться на берег. Течение сильное, но для хорошей пловчихи прыжок с моста вовсе не означает безусловную гибель. Она вернулась за своими вещами и вместо них обнаружила мои. Как она отнесется к подобному обмену, к тому, что я вместе с паспортом присвоила ее имя? Будь я на ее месте, поспешила бы к поезду... Хотя с какой стати она должна думать, что я воспользуюсь железнодорожным билетом? Но проверить была обязана... Все это плод моего воображения, нежелание смириться с тем, что ее больше нет. Но если все-таки допустить подобную мысль.. Что она подумает обо мне? И как поступит? Пойдет к моему мужу? Или в полицию? А что ей еще останется? «Господи, да как мне в голову пришло удрать с чужим паспортом?» — в который раз задавалась я вопросом. Ответить на него при желании можно, вот только изменить уже ничего нельзя.

Ольга встретила меня вопросом:

— Как достопримечательности?

— Стоят на своих местах.

— Это хорошо, — кивнула она, что-то помешивая в кастрюльке. — А я вот по хозяйству... Мой руки, будем обедать. Чувствуешь, как пахнет?

Запах в самом деле стоял божественный, я заглянула в кастрюлю, но Ольга погнала меня прочь.

— Мой руки, говорю.

Руки я вымыла и устроилась за столом. Блюдо с непроизносимым названием оказалось очень вкусным. Однако, наблюдая довольную Ольгину физиономию, я заподозрила, что и название, и сам рецепт — плоды ее неуемной фантазии.

— А ты как провела время? — решила я полюбопытствовать.

— У плиты стояла.

— Я-то думала, ты составляешь план мероприятий по поимке злодея.

— Толку-то от моих планов...

— Вчера ты уверяла, что выведешь убийцу на чистую воду.

— Выведу. Просто гениальные идеи где-то задерживаются.

Мы лениво болтали, потом я вымыла посуду, внеся посильную лепту в ведение хозяйства. Ольга пару раз нетерпеливо взглянула на часы, вроде бы чего-то ожидая. Вскоре выяснилось: не чего-то, а кого-то.

Только мы перебрались в нашу импровизированную спальню, как в дверь постучали. Я замерла, тревожно глядя на Ольгу с немым вопросом. Стоит затаиться? Или бежать сломя голову? Второе проблематично: на окнах решетки, а у единственной двери незваный гость. Или еще хуже: хозяин дома. Впрочем, неизвестно, что хуже.

— Открой, — хмыкнула Ольга, и стало ясно: появление гостя особого беспокойства и уж тем более удивления не вызвало. Должно быть, кто-то из ее знакомых решил нас навестить, хоть и предполагалось, что мы тут прячемся. Вздохнув, я пошла открывать: если она не опасается посетителей, то мне вроде бы и вовсе ни к чему.

На пороге стоял смуглый красавец, хозяин ночного клуба и муж Ольги. Выглядел щеголем: светло-серый костюм и белая рубашка.

Я помнила, что прячемся мы здесь в том числе и от него, вот и запаниковала, знать не зная, как отнестись к его появлению: то ли «караул» кричать, то ли попросту захлопнуть дверь перед его носом.

С решением я подзадержалась, он успел сделать шаг, и теперь закрыть перед ним дверь оказалось проблематично. Надо сказать, если я пребывала в растерянности, то и мое присутствие в доме вызвало у него схожее чувство. Правда, он с ним быстро справился. Едва заметно поморщился и спросил:

— Где Ольга?

— Здесь я, здесь. Куда мне деться! — заголосила она.

Легонько оттерев меня плечом, Валера прошествовал в комнату, где на кровати лежала его супруга, закинув руки за голову, и насмешливо улыбалась. В доме она ходила в брюках и рубашке, так что сейчас все ее прелести были представлены в наилучшем виде, и я подумала: мужчине, наверное, нелегко наблюдать ее кошачье потягивание, оставаясь при этом равнодушным. Именно равнодушие отчетливо читалось на лице гостя. Впрочем, будучи мужем, он к Ольгиным выкрутасам давно привык и, видимо, не считал ее достоинства особенно выдающимися.

Он взял стул и устроился на нем, привычно закинув ногу на ногу.

— Привет, — произнес он после довольно длительной паузы, в продолжение которой они друг друга разглядывали.

— Здравствуй, голуба моя, — кивнула Ольга. — Немного тебе понадобилось времени, чтобы меня найти.

— Мне известно твое пристрастие к этому дому.

— Еще бы... — фыркнула Ольга.

— Не пойму только, чем оно так привлекательно, — закончил он и усмехнулся.

— Врешь. Все ты понимаешь.

Он засмеялся, вроде бы своим мыслям, что выглядело немного неожиданно.

— Напоминание о том, сколь многое нас связывает? — взглянув исподлобья, спросил Валера, перестав смеяться.

— Что-то вроде этого, — проворчала супруга.

Тут он кивнул в мою сторону и задал вопрос:

— Девушку ты в клуб отправила?

— Ага.

— Зачем?

— Много будешь знать — скоро состаришься. Ты-то со мной не очень откровенен.

Я стояла в дверях, переводя взгляд с одного на другого, кашлянула и спросила тихо:

— Может, мне уйти?

— В соседнюю комнату? — промурлыкала Ольга, наверное, намекая на мою страсть подслушивать.

— На улицу.

— Лучше останься здесь, — серьезно сказала она, села на кровати и принялась разглядывать свои руки.

— Девушка откуда взялась? — без особого любопытства спросил Валера.

— Господь послал, — съязвила Ольга. — Помогла покинуть место заточения.

— Вот как. Занятно... Ты можешь злиться, но в тот момент мне показалось это единственно верным решением.

— А со мной поговорить ты не пробовал?

— Ты редко прислушиваешься к моим доводам, и рассчитывать на твою покладистость давно не приходится. Ты привыкла делать только то, что считаешь нужным...

— Дурак ты, Валера, — вздохнула Ольга. — Пора бы знать: твое благополучие меня заботит так же, как мое собственное.

— Серьезно? Тогда не следовало тащить сюда девчонку.

— А вот это как посмотреть... другого надежного места у меня не было, а расставаться с ней я не хотела.

— Признательность за освобождение?

— С признательностью я уж как-нибудь да справилась бы... Взгляни.

Она достала из-под подушки мой, то есть Генриетты, паспорт и перебросила мужу.

— Эй, откуда у тебя... — начала я с возмущением, но Ольга махнула рукой:

— Не вопи.

— Ну, знаешь ли...

Подойти и забрать паспорт? Вряд ли получится, если Валера будет против. Тот между тем равнодушно пролистал документ и спросил, обращаясь к Ольге:

— И что?

— На фотографию посмотри. Внимательно.

Он взглянул, хмыкнул и ко мне развернулся.

— А это точно твой паспорт?

— Да пошли вы... — ответила я, раз уж ничего другого не оставалось.

— Ты, девонька, зла на меня не держи, — вновь заговорила Ольга. — Мои дела, скверные кстати, тебе хорошо известны. Должна я знать, что ты за птица такая, чтоб потом локти не пришлось кусать.

Валера о чем-то размышлял, постукивая по ладони моим паспортом. Документ надо вернуть во что бы то ни стало, иначе назвать мое положение бедственным было бы большим оптимизмом. А если они меня сдадут в полицию? Вряд ли... уж очень много интересного я смогу там поведать. Проще свернуть мне шею... А что? Такому типу, как Валера, поди, не привыкать. Я сделала шаг к нему, пока еще с неясной целью, стиснув зубы и глядя исподлобья, а Валера протянул мне паспорт:

— Держи.

Я схватила его и теперь вертела в руках, понятия не имея, что делать дальше: уйти, точнее, сбежать, пока не поздно, или послушать, что скажет эта парочка. Валера между тем поднялся, вернул стул на прежнее место и заявил:

— Раз уж я смог тебя найти, не вижу особой необходимости в вашем здесь присутствии. Уверен, есть более приятные места.

— Например? — усмехнулась Ольга.

— Моя квартира на Гагарина, — пожал он плечами.

— Куда ты девок своих водишь?

— По крайней мере, у меня хватает ума не светиться с ними в клубе, — ответил он без намека на язвительность. Парнем Валера был на редкость сдержанным, а мне хватило ума сообразить: несмотря на то что оба жили своей жизнью, предпочитая устраивать ее так, как считали нужным, что-то их крепко связывало. Куда крепче супружеских уз. Общий бизнес? Наверное. Не зря Ольга сказала, что ее благополучие зависит от его.

— А что собираешься делать ты? — поспешно спросила Ольга, поняв, что задерживаться супруг не собирается.

— То же, что и раньше: искать типа, благодаря которому мы оказались в щекотливой ситуации, — пожал он плечами, надо полагать, имея в виду убийцу Игорька, и добавил: — Тебе ведь о ситуации известно?

— Известно, — проворчала Ольга. — Есть успехи?

— Нет. Кстати, я подумал, прятаться тебе уже ни к чему. Твое нежелание появляться в обществе Гордеев расценит по-своему. Хотя, может, у тебя есть причины скрываться?

— Какие, к бесу, причины? — разозлилась Ольга.

Валера уже выходил из комнаты, но, услышав вопрос, притормозил в дверях, повернулся и ответил с усмешкой:

— Весьма вероятно, что последние мгновения своей жизни Игорек провел в твоем обществе.

Ольгу точно подбросило.

— Ну, ты мерзавец, — прошипела она.

— Это всего лишь предположение, — улыбка на физиономии супруга стала шире. На мерзавца он вроде бы не обиделся, а вот нервозность женушки доставила ему явное удовольствие.

— Хочешь все свалить на меня? — задала она вопрос, сдерживая ярость.

— Далек от такой мысли ввиду ее явной глупости. Но... Гордеев ищет сына. Пока он считает: вы где-то в теплых краях предаетесь греху сладострастия. Наша Светлана Ивановна держать язык за зубами не способна, и о том, что ты в городе, узнают довольно быстро. Заинтересованные люди, я имею в виду. Господа из полиции и сам Гордеев захотят задать тебе вопросы.

— Да ради бога. Я знать ничего не знаю...

— Тогда почему пряталась?

— Я не пряталась, а гостила у подруги. Хотелось сменить обстановку.

Валера кивнул.

— Позаботься о том, чтобы твои слова смог кто-то подтвердить. — Он помахал ошалевшей супруге ручкой и проследовал к входной двери, за которой через мгновение и скрылся.

Ольга матерно выругалась и покачала головой:

— Мне, оказывается, надо об алиби позаботиться... Он-то был на рыбалке в ту ночь, когда Игорек простился с жизнью... А я? Я спала себе дома и знать ничего не знала...

— У вас прекрасные отношения, — съязвила я. — Основанные на доверии и большой любви...

— Много ты понимаешь, — фыркнула Ольга. — Валерка меня под замок посадил, чтоб никто не смог до меня добраться, пока он это дерьмо не разгребет. А я... нет бы сидеть себе тихо... твою мать...

— Рада, что ты так уверена в чистоте его помыслов, — пожала я плечами. — Топай в квартиру мужа. Мне, кстати, тоже пора.

— Куда? — искренне удивилась Ольга.

— Куда угодно, лишь бы от тебя подальше.

— Разозлилась, что я твой паспорт Валерке показала?

— Ты стащила его из моей сумки. По-твоему, это дружеский поступок?

— Разумный уж точно, — нимало не печалясь, ответила она. — Заметь, о том, что тебе известно о трупе, я ему ничего не сказала, хотя могла бы. И тогда Валере ничего не осталось бы, как посадить под замок тебя.

— Еще один повод поскорее смыться.

— Не спеши. Девица ты мутная, если с чужим паспортом сюда пожаловала. Объяснять ничего не хочешь... Валерка должен знать, что среди нас игрок с краплеными картами...

— Вот кто я, оказывается.

Я устроилась на стуле, на котором несколько минут назад сидел Валера, и уставилась на Ольгу.

— Ага, — кивнула она. — Ситуация, скажем прямо, непростая. Менты под моего Валерика давно копают, да и так граждан, охочих до чужого добра, пруд пруди. А тут еще труп. И неизвестно откуда вдруг возникает девица в роли моей спасительницы. Может, ты правда дура безбашенная, а может, надоумил кто. Войти в доверие...

— Хватит, — сказала я, поднимаясь. — Я ухожу, так будет и тебе, и мне спокойнее.

— Уже не будет, — вздохнула Ольга. — Коли нас черт свел, надо совместными усилиями...

— Какие еще совместные усилия, если ты считаешь меня бог знает кем...

— Объясни, откуда у тебя паспорт. Чтоб не думалось. Не менты же тебя послали? Уж у них-то хватило бы ума сварганить документ получше.

— Час от часу не легче, — закатила я глаза.— Хорошо. Я поссорилась с родителями. Точнее, с отчимом, — на ходу сочиняла я. — Решила уехать. На время. При этом была уверена: меня начнут искать.

— И паспорт взяла у подруги? — подсказала Ольга.

Я уже собралась кивнуть, но что-то меня удержало: то ли цепкий Ольгин взгляд, то ли интуиция вдруг сработала... но и выкладывать всю правду я не спешила. Если Ольга считала меня мутной особой, то и мое мнение о ней ничуть не лучше.

— Паспорт попал ко мне случайно. Я нашла сумку, нашла, а не украла, как ты, наверное, подумала.

— Ничего подобного. Подозревать тебя в воровстве с моей стороны довольно глупо. Ты не воровка, не то своих денежек я бы не увидела.

— И на том спасибо. Сумку я нашла в парке, на скамейке. Наверное, настоящая Генриетта ее забыла. И я подумала, что чужой паспорт очень кстати.

— А отчим твой...

— Я не собираюсь о нем говорить.

— Ну и ладно. Как тебя звать-то?

— Лучше я еще немного побуду Генриеттой.

Ольга хлопнула себя по ляжкам с веселой ухмылкой, поднялась и направилась ко мне.

— Сойдемся на том, что мы во всем разобрались. Зла на меня не держи, а Валерку не опасайся. Он о твоем мухлеже с паспортом будет помалкивать. Кстати, торчать здесь нам в самом деле ни к чему. Поехали в его квартиру, там веселее, телик есть и все такое...

Ольга начала переодеваться для выхода в свет, то есть напялила костюм и свой дурацкий парик, а я пыталась решить, что мне делать. Отказаться ехать с ней — нажить врагов в ее лице и в лице ее благоверного. Это она пока о трупе промолчала, а если решу сбежать, скорее всего, расскажет. И я, вполне вероятно, действительно окажусь под замком. Как же меня угораздило ввязаться во все это? Поздновато спохватилась...

— Чего сидишь? — удивилась Ольга. — Собирай вещички.

В общем, через час мы уже были в квартире ее супруга, в типовой многоэтажке в спальном районе. Добирались туда на такси, и по дороге Ольга позвонила мужу. Возле подъезда нас поджидал хмурый Юрик, молча сунул ей ключи и удалился. В квартиру она вошла первой, не спеша заглянула в единственную комнату и прочие помещения. Судя по всему, раньше ей бывать здесь не доводилось, и тайная жизнь мужа вызвала живейший интерес. Впрочем, отчего же тайная, если о квартире Ольга знала. Да, забавная семейка.

— Неплохо устроился, — вынесла она вердикт, я во время ее экскурсии паслась в узкой прихожей. — Будь как дома, — напутствовала она меня, стаскивая надоевший ей парик.

Квартира выглядела своеобразно. Жить в ней вряд ли кто собирался, и предназначалась она исключительно для утех. В комнате кровать чудовищных размеров, круглая и, на мой взгляд, неудобная, застелена пушистым пледом белого цвета, несколько мягких пуфиков, на стене огромная плазма и фотографии без рамок, увеличенные копии порнографических открыток, бывших в ходу лет сто назад. Как ни странно, откровенно пошлым интерьер не выглядел, в нем было, скорее, озорство, в общем, отвращения чужое любовное гнездышко не вызвало, а вот неловкость — да, по крайней мере, у меня: точно в замочную скважину подглядываешь.

В кухне на барной стойке батарея бутылок на любой вкус, Ольга разлила коньяк в рюмки и одну протянула мне.

— Давай за новоселье.

Коньяк я терпеть не могу, но выпила, чтобы избавить себя от объяснений по этому поводу.

— Ты в ванную загляни, — хмыкнула Ольга, наливая по второй.

Я заглянула. Назвать это ванной язык не поворачивался, скорее мини-бассейн. В полумраке стены таинственно мерцали, хитроумная подсветка на потолке имитировала звездное небо. Я вдруг подумала, что Валерка здесь не с девицами развлекается, а лежит в одиночестве, отдыхая душой от своей темпераментной супруги. Хотя одно другому не мешает.

— Нравится? — спросила Ольга, когда я вернулась в кухню, к этому моменту вторую рюмку она уже выпила, вновь потянулась за бутылкой, но вдруг махнула рукой. — Приобщимся к чужим радостям, — подмигнула она. — Стервец умеет отдыхать со вкусом. А какое чувство стиля... — Она продолжила нахваливать мужа, а я лишь мысленно головой качала: чему она радуется?

Остаток дня мы провели в праздной болтовне. Ольга несколько раз пыталась вроде бы ненавязчиво расспросить меня о проблемах с родней, но, натыкаясь на мое молчаливое сопротивление, тут же переводила разговор на другие темы. Само собой, былую любовь тоже вспомнила. Вскоре стало ясно: о ней, то есть о нем, она может говорить бесконечно. Странное дело, ее рассказы вовсе не наскучивали, напротив, словно завораживали, и если она могла бесконечно вспоминать, то я — бесконечно слушать. Неведомый тип будоражил воображение. И я начала приставать с вопросами, уж очень хотелось понять, как он выглядит, чем занимается, в конце концов, вторая странность заключалась в том, что ничего конкретного узнать о нем не удалось. Стоило мне вмешаться в ее монолог с уточнениями, как Ольга хмурилась и замолкала, глядя на меня с большим неудовольствием. И даже имени его назвать не пожелала.

Перед сном мы приняли ванну, я бы предпочла сделать это в одиночестве, но Ольга, явившись с любимым напитком, начала высмеивать мое провинциальное ханжество, и я, чертыхнувшись, решила наплевать на стыдливость, которую готова была признать смешной, но предупредила, что любовь к экспериментам во мне начисто отсутствует и внезапная широта взглядов распространяется лишь до определенных границ.

— Идиотка, мать твою, — фыркнула Ольга, плюхаясь рядом. — Бабы меня не заводят. Слава богу, мужиков хватает. Зато обстановка весьма способствует задушевному разговору. Пощебечем мило, по-девичьи...

Щебетала в основном она, но лежать в теплой воде было действительно приятно, хотя и зрели в глубине сознания вопросы: я что, спятила? Чем я вообще занимаюсь? Мне надо думать о том, как устроить свою жизнь, а не слушать болтовню этой чокнутой...

Следующий день мы провели вдвоем, квартиру практически не покидая. То есть: я с утра отправилась в магазин за продуктами, но уже через полчаса после этого Ольга принялась названивать с вопросами, где меня носит и когда я намерена вернуться. Находиться под домашним арестом мне и в прошлой моей жизни надоело, и попытка контролировать мои передвижения вызвали гневный протест: хотя ссориться с Ольгой не хотелось, я твердо дала понять, что отчитываться перед ней не собираюсь. Само собой, меня неудержимо тянуло в кафе «Белый кот» в надежде что-нибудь разузнать о девушке с фотографии, а посвящать в свои дела Ольгу я сочла неразумным. В кафе я, конечно, заглянула. Увидев меня, Ирина первым делом сообщила, что о моей просьбе помнит. Я пару часов пила кофе в одиночестве, сидя за столиком возле окна, надеясь, что именно сегодня подруга Генриетты вдруг здесь появится. Она не появилась, и я в конце концов отправилась в квартиру Валеры, где весьма раздосадованная моим отсутствием Ольга готовила обед.

— Опять меня одну бросила, — выразительно взглянув на часы, заметила она.

— Вот уж не думала, что тебе требуется нянька.

Скорее всего, ей просто скучно сидеть в квартире. Но почему-то возникла мысль: есть еще причина пристального внимания к тому, как я провожу время. Впрочем, причина вроде бы ясна: я, с точки зрения Ольги, чересчур осведомлена о ее делах, и потому она хочет держать ситуацию под контролем.

— Давай я тебе любовных романов куплю, — предложила я. — Будет чем себя занять.

— Только чужой любви мне и не хватало, — хмыкнула она. — От своей деваться некуда.

В субботу я с самого утра покинула наше общее обиталище и скорее из вредности болталась до вечера по городу. Я брела по набережной, когда зазвонил мобильный. Уверенная, что это Ольга, отвечать не спешила, но на дисплей взглянула и смогла убедиться, что номер мне незнаком. Звонила та самая официантка из «Белого кота».

— Инна? Девушка, про которую вы спрашивали, сегодня была у нас.

Эти слова вызвали радость и досаду одновременно. Если бы я не болталась по городу, а терпеливо ждала в кафе, то смогла бы с ней встретиться.

— Вы передали ей мою просьбу? — заволновалась я.

— И просьбу, и номер вашего мобильного. Пригласительный, кстати, ей тоже вручили.

— Она что-нибудь сказала?

— Обещала позвонить. Но очень удивилась, не могла понять, кто ее разыскивает. Я сказала, вас интересует ее подруга, Генриетта, а она ответила, что подруги с таким именем у нее не было.

— Как не было? — растерялась я.

— Ну, она так сказала.

— А фотография в вашем ресторане? Это ведь она там вместе с подругой?

— Да, она. В общем, я выполнила вашу просьбу, ждите звонка.

Она дала отбой, а я, устроившись на ближайшей скамейке, задумалась. Неужели я обозналась и девушка на фотографии вовсе не Генриетта? Сходство поразительное. Не могут люди, не связанные родством, быть так похожи. Или в действительности нет особого сходства, все дело в ракурсе, освещении и прочем... Но я готова поклясться, что на фото Генриетта, только с другой прической и на несколько лет моложе... Вся надежда, что ее подруга позвонит, и я смогу во всем этом разобраться.

Но в тот день она так и не позвонила, не позвонила и на следующий. В понедельник, горя нетерпением, я опять зашла в кафе, вручила Ирине обещанные две тысячи и засыпала ее вопросами. Ничего нового официантка мне сообщить не могла. Девушка, по ее словам, больше не появлялась. В прошлый раз она здесь обедала, логично предположить, что работает где-то рядом. Хотя в тот день была суббота, впрочем, не у всех суббота выходной. На всякий случай я просидела в кафе до пяти, хотя ясно было: обеденный перерыв давно закончился. Конечно, ничего не мешает девушке заглянуть сюда вечером, но, по словам коллеги Ирины, видела она ее тут только днем. Рядом с кафе такое количество офисов и магазинов, что искать ее просто немыслимо. Если бы девушка собиралась мне позвонить (хотя бы из любопытства), то давно бы сделала это. Оставалось надеяться, что на вечеринке она появится, как-никак обещанная бесплатная выпивка должна ее заинтересовать.

Все еще пребывая в тяжких раздумьях, я вошла в подъезд дома, где находилась квартира Валеры, поднялась на этаж и начала шарить в сумке в поисках ключей. Ключи у нас были одни, и в то утро Ольга дала их мне, чтоб я не паслась под дверью, как накануне, когда мне пришлось звонить довольно долго, прежде чем Ольга, счастливо проводившая время в ванне в блаженной дреме под слащавое пение неизвестного мне исполнителя на испанском, наконец услышала звонки и открыла дверь, возникнув передо мной в мыльной пене и чалме из ярко-оранжевого полотенца.

— А если бы на пороге стоял какой-нибудь мужчина? — ехидно поинтересовалась я.

— А я не жадная, пусть смотрит и завидует Валеркиному счастью, — хмыкнула Ольга, но утром дала мне ключи, ворчливо заметив: — Где ж тебя носит?

Так вот, я вставила ключ в замок и вдруг услышала громкий вопль. Слов не разобрать, но вопила, безусловно, Ольга. С чего б ей так орать, если в квартире она одна? Может, Валера пожаловал, и они выясняют отношения? Истошный вопль повторился, на сей раз сопровождаемый ругательствами. В прошлую свою встречу они вели себя куда спокойней. А мне что делать? Уйти, не мешая милым браниться, или все-таки следует заглянуть в квартиру и узнать, что происходит? Здравый смысл настойчиво предлагал смыться, но жизнь моя к тому моменту вступила в фазу, где здравый смысл проигрывал и я совершала поступки, словно помимо собственной воли. Поставила сумку с продуктами на пол, очень осторожно открыв дверь, шагнула в прихожую и услышала Ольгин голос:

— Ты зачем утюг взял, изверг?

— А ты догадайся, — глумливо ответил мужской голос. Валерке он не принадлежал, и ранее я его не слышала. Так что версия, будто у нас в гостях Юрик или Вова, критики не выдерживала.

— Я сейчас так заору, весь дом соберется, — пообещала Ольга. Мужчина хмыкнул.

— Придется тебе пасть заклеить.

Тут меня потянуло на свежий воздух, но вместо этого я замерла как вкопанная. Происходящее становилось понятным: Ольга остро нуждается в помощи, и спасать ее в очередной раз предстоит мне. «Позвонить соседям, вызвать полицию...» — пронеслось в голове. Соседей дома может не оказаться, о полиции думать не хотелось. Впрочем, мне необязательно с ними встречаться. Соберу народ и дам деру...

Тут взгляд мой натолкнулся на бейсбольную биту, стоявшую возле двери. Впервые я обратила на нее внимание еще в тот день, когда появилась здесь впервые. Ольга на мой вопрос: «Зачем бейсбольная бита понадобилась Валере?» — весело фыркнула: «Должно быть, от своих девок отбивается».

Тараканы в моей голове должны были визжать от восторга, потому что я схватила биту и осторожно направилась в кухню, оставив входную дверь распахнутой настежь. Предосторожность так себе, и все же... Кухонная дверь оказалась открытой, что существенно облегчало задачу. Прижавшись к стене, я заглянула в кухню и смогла убедиться, что гость у нас только один, хотя мне и одного за глаза. Ольга сидела на полу возле окна, я видела только ее босые ноги с ярко-красным педикюром, над ней нависал тип в черной футболке, стоя ко мне спиной. В руке его был утюг, провод тянулся к розетке под столом. Он потрогал утюг пальцем.

— Горячо, — сказал удовлетворенно. — Покайся, радость моя, пока не поздно.

— Да чтоб ты сдох! — рявкнула Ольга.

А я влетела в кухню, размахнулась и опустила биту на голову мужчины. Занятые друг другом, и он и Ольга до последнего мгновения о моем присутствии не догадывались. Ольгин вопль заглушил мои шаги, но тип с утюгом, вероятно, что-то почувствовал и резко дернул головой, собираясь повернуться, но опоздал.

С перепугу я вложила в удар все свои силы. Мужчину качнуло, он издал нечто похожее на стон и распластался на полу. Утюг, который он, падая, выронил, угодил Ольге по ноге, она дернулась, сбрасывая его, и завопила:

— Да что ж за наказание!

— Он тебя не покалечил? — прошептала я, намертво вцепившись в биту.

— Ты смерти моей хочешь, — простонала Ольга. — Какого хрена ты его по башке отоварила? Как есть отмороженная.

Пережитое волнение дало себя знать: я хлопала глазами, плохо соображая и понятия не имея, как следует расценить ее слова, но в душе уже зрела обида. Мало того что мне «спасибо» не сказала, так я еще и отмороженная.

— Задолбала ты меня своими приключениями! — рявкнула я.

Ольга пнула ногой поверженного врага и вздохнула.

— Достань у него из кармана ключ от наручников.

Понемногу я приходила в себя, но не настолько, чтобы выполнить ее просьбу. Ольга по-прежнему сидела возле батареи, прикованная к ней наручниками. Ее левая рука была свободна. Сообразив, что от меня еще некоторое время не будет толку, она ухватила парня за штанину и подтянула бесчувственное тело к себе. Запустила руку в карман джинсов, извлекла ключ и смогла себя освободить. Резко вскочила и первым делом схватилась за биту.

— Дай сюда...

Я разжала занемевшие пальцы, выпуская орудие, и оно оказалось в руках Ольги. Опершись на биту, она с сомнением разглядывала мужчину. Я плюхнулась на стул, пытаясь понять: как же это меня опять угораздило сотворить нечто совершенно невероятное? Треснуть человека тяжелым предметом по голове... это точно за гранью моего понимания. Тут меня вроде бы подбросило, и я закричала, обращаясь к Ольге:

— Все, с меня хватит, я ухожу...

— Очень по-дружески, — хмыкнула она. — Грохнуть парня и смыться, а мне теперь голову ломай, что делать.

— Я его убила? — в ужасе пробормотала я, вновь плюхаясь на стул.

— Это я образно, — вздохнула она. — Живой. Котелок у него крепкий. Убери эту гадость...

— Куда я его уберу?

— Да не его, а биту... — Она нахмурилась, разглядывая мою физиономию и сообразив, что толку от меня сейчас немного, отправилась в прихожую, матерясь себе под нос. — Еще и дверь оставила открытой, не хватает всех соседей собрать, — донеслось оттуда ее ворчание.

— Там еще пакет в подъезде, — вспомнила я.

Дверь хлопнула, и Ольга появилась в кухне с пакетом в руках, положила его на барную стойку и присела на корточки рядом с мужчиной.

— Чего-то он долго в себя не приходит. И что у тебя за мания влезать в неприятности?

Это явилось последней каплей, я отчаянно зарыдала, впервые по-настоящему, оценив все последствия своих дурацких поступков.

— Хорош реветь-то, — махнула рукой Ольга. — Был бы толк... Я в аптечке нашатырь видела, принеси. Надо приводить изверга в чувство. — Она посмотрела на меня с сомнением и сама отправилась в ванную за нашатырем.

— Кто это? — заикаясь, спросила я, когда она вернулась.

— Башка. Лучше б ты меня битой огрела. Осерчает Коленька, он и так псих, каких поискать, а уж теперь...

— Может, не стоит его в чувство приводить? Сбежим, пока он не очнулся?

— Куда бежать-то?

Она перевернула мужчину на спину, и я увидела его лицо. Ничего особо злодейского в нем не было, хотя приятным тоже не назовешь. Рыжеватые волосы падали на лоб. Нос с горбинкой и пухлые губы.

— Чего он хотел от тебя? — задала я вопрос, наблюдая за тем, как Ольга возится с пузырьком, пытаясь открыть крышку, которая все никак не поддавалась.

— Ясно чего: интересовался, куда Игорек пропал. Утюгом грозился, гад. Но по башке его бить не стоило.

— А что я должна была делать? — возмутилась я.

— Ну, не знаю... постращать полицией...

Пузырек она наконец открыла и сунула Коленьке под нос. Он сморщился и завозился на полу. Я облегченно вздохнула, но длилось облегчение недолго. Сейчас этот тип придет в себя и... представлять, что будет дальше, не хотелось. Я заревела еще горше и на минуту отвлеклась от созерцания его физиономии. Минуты хватило, чтобы Коля очнулся. Услышав невнятное бормотание, я убрала руки от лица и увидела, как он трясет головой с очумелым видом, сидя у моих ног.

— Слава богу, — расплылась Ольга в улыбке. — Я уж беспокоиться начала. Водички попьешь? А может, водочки?

Коля выдал замысловатое ругательство и пощупал затылок. Перевел взгляд с Ольги на меня и спросил:

— Это кто?

— Подруга моя, — охотно ответила Ольга.

— А чего ревет?

— Тебя жалеет. Видно, приглянулся ты ей.

— Это она мне по башке двинула?

— Что ты, Коля, куда ей. Легонечко тебя толкнула, а ты затылочком о стол навернулся.

— Я тебе, блин, навернусь, — прорычал он, с трудом поднимаясь.

— А кто мне утюгом грозил?

— Припугнуть хотел малость. Чтоб ты дуру из себя не строила.

— Так откуда девчонке знать, что ты шутки шутил? Я и то решила: пришел мой смертный час.

— А вот это ты верно заметила, — зловеще произнес Коля.

— Давай по-хорошему, — заныла Ольга. — Я обещаю помалкивать, что ты на полу лежал без чувств и сознания, а ты от меня отстанешь.

— Водки налей, — буркнул Коля, пододвинув стул и устраиваясь на нем.

— Все, что пожелаешь, голуба моя...

Ольга метнулась к барной стойке, потом к холодильнику, молниеносно организовав выпивку с закуской. Разлила водку в рюмки, подперла щеку кулаком, с умилением наблюдая за недавним мучителем. Тот выпил и стал закусывать капустой.

— Вот и ладненько, — кивнула Ольга. — Хорошо пошла?

— Где Гордеев? — выпив еще водки, спросил Коля.

— Да что за напасть, — всплеснула руками Ольга. — Я тебе битый час толкую: не знаю. Муженек пристал, точно репей, теперь вот ты... Я Игорешу с четверга не видела, с того самого вечера, когда он бузу в клубе устроил, сцепившись с этими отморозками из Москвы. Вот тебе крест. — Она истово перекрестилась и затихла, выжидающе глядя на Башку. Тот криво усмехнулся:

— А чего тогда прячешься?

— Валерка приказал сидеть тихо и не высовываться, пока он Игорька ищет. Я же тебе объясняла: перепугало его исчезновение дорогого друга. Игорь как в воду канул. Ясное дело, отец решит: я должна знать, где он. Так и вышло. А я знать не знаю.

— Может, муженек твой знает?

— Брось. Валерка не ревнивый, о чем тебе хорошо известно. Он хотел не спеша во всем разобраться, пока заинтересованные лица считают, что мы с Игорьком где-то прохлаждаемся.

— Разобрался? — с усмешкой спросил Коля.

— Думаю, он в злодействе тех самых москвичей заподозрил. Я, признаться, тоже. Продули они в тот вечер немало, а отыграться им Игорек не дал, да еще этому чернявому морду набил.

— Они в ту же ночь уехали.

— Может, вернулись. Игоречка в городе каждая собака знает, найти его нетрудно. Хотя... до девок он падкий, мог загулять с какой-нибудь. Даст бог, объявится.

— А если не объявится?

— Будем искать. Объединим усилия...

— Значит, Валерка велел тебе здесь сидеть?

— Ага. Должно быть, тебя боялся. А ты вот, шустрый какой, нашел меня.

— Валерка твой дурак, если решил, что о его любовном гнездышке никто не знает.

— И я того же мнения. Как есть дурак. Говорила ему: что толку прятаться? Но с мужем не поспоришь, опять же, он обо мне беспокоился. Ты ведь на расправу скор.

— А эта красотка что здесь делает? — кивнул он на меня. Я-то надеялась, обо мне забыли, но не тут-то было.

— Скучно мне одной в четырех стенах, вот и зазвала ее в гости. Вдвоем-то веселей. Ты на девчонку зла не держи, с перепугу чего не сделаешь. В наших делах она ни ухом ни рылом, приехала издалека. С местными-то мне Валерка встречаться запретил, чтоб языком не мели, вот я ей и позвонила. Скажи-ка лучше, когда, по твоему мнению, Игорек исчез?

— Выходит, что в прошлую субботу или пятницу. Отец в четверг был в Москве, вернулся в пятницу к обеду. Звонил сыну еще по дороге, тот на звонки не отвечал. С субботы телефон отключен и парня никто не видел. Неудивительно, что мой босс начал беспокоиться.

— Можно подумать, что раньше такого не случалось, — хмыкнула Ольга.

— Раньше я ехал в ваш притон и находил его там или еще в каком-нибудь паршивом месте, которых тьма в нашем городе, — ответило Коля сурово, а Ольга обиделась.

— У нас приличное заведение.

— Да? А наркотой Игоря кто снабжал?

— Спятил, какая наркота?

— Ты знаешь, как Гордеев-старший относится к этой дряни. А его сынок... короче, у папаши есть повод считать вас распоследними отбросами.

— Вот спасибо. Когда Игорек у нас появился, он был конченым наркошей. И мы здесь ни при чем. Я не знаю, где его носит, и баста. Ничего другого ты от меня не услышишь, хоть режь на куски... это в переносном смысле, — покосившись на Колю, поспешно добавила Ольга.

— Ладно, хрен с тобой, — сказал он, поднимаясь. — Если выяснится, что ты мне голову морочила, я тебя на собачий корм пущу. Поняла?

— Поняла, поняла, — проворчала Ольга. — Что за мужики пошли, никакого уважения к женской красоте.

— Такого добра как грязи, — съязвил Коля.

— Совести у тебя нет, — покачала головой Ольга в великой печали.

— Нет, — согласился Коля. — Я ее на бабки обменял. Дешево обошлось. А подружка у тебя ничего, — подмигнул он, весьма некстати вспомнив обо мне.

— Ага, — кивнула Ольга. — Всегда найдет во что влезть...

«Вот уж правда...» — горестно подумала я. Коля направился к выходу, Ольга пошла его провожать. Хоть и простились они мирно, но спокойнее на душе от этого не стало.

В кухню она не возвращалась довольно долго, и я пошла взглянуть, куда она запропастилась. Ольга оказалась в туалете, я прижалась ухом к двери и смогла услышать, как она с кем-то разговаривает, наверное, по телефону, хотя, может, сама с собой. Слов не разобрать, и это слегка огорчило. Когда она наконец возникла на пороге, во мне созрела уверенность, что нам пора прощаться. Я быстро побросала вещи в дорожную сумку, Ольга, сложив на груди руки, наблюдала за этим с кривой усмешкой.

— Ты опять за свое? — спросила недовольно.

— Ваш город не является благоприятным местом для моего проживания, — заявила я, обходя ее и оглядываясь, не забыла ли чего.

— Донесу эту скорбную весть до нашего мэра, — кивнула она. — Я буду по тебе скучать.

— Вряд ли. У вас тут не соскучишься.

— Оставайся, — заныла она. — Все ведь обошлось.

— Это сегодня. А завтра?

Мне ничто не мешало покинуть квартиру, а я все еще топталась в прихожей. Странное дело, но я чувствовала себя едва ли не предателем. Больших усилий стоило сделать решающий шаг, я точно искала повод остаться. К счастью, его не нашлось.

— Давай хоть обнимемся на прощание, — сказала Ольга, и мы в самом деле обнялись. — Спасибо тебе за все, — с чувством добавила она, похлопав меня по спине. — Ты еще не ушла, а мне уже одиноко.

— Тебе здесь сидеть необязательно, раз уж теперь Гордееву доподлинно известно, что с Игорьком ты никуда не уехала. Возвращайся к мужу...

— Может, подождешь, пока я шмотки соберу? Пойдем вместе...

— Ну, уж нет, — заподозрила я неладное и тут же подумала о паспорте. Заглянула в сумку и убедилась, что паспорта там нет. Особого удивления это не вызвало. Ольга с интересом наблюдала за моим копошением, но интерес увял, как только я отложила сумку в сторону и ухватилась за бейсбольную биту, которая заняла свое место возле входной двери. — Паспорт отдай, — сказала я и слегка замахнулась, чтобы сделать свои слова максимально доступными для понимания.

— А... паспорт, — кивнула Ольга и извлекла его из ящика тумбочки, стоявшей в прихожей. — Я просто рассчитывала увидеть тебя еще раз, — с застенчивой улыбкой, которая ей шла так же, как мне костюм хоккеиста, сказала она.

Я сунула паспорт в карман, открыла входную дверь и, только оказавшись на лестничной клетке, вернула биту на место.

— Позвони мне, ладно, — попросила Ольга, шмыгнула носом и помахала на прощание.

Я захлопнула дверь и бегом спустилась по лестнице. На улице еще раз проверила паспорт. Потом вспомнила о деньгах и опять полезла в сумку. Деньги лежали нетронутыми, это вызвало вздох облегчения.

Быстрым шагом я двинулась в сторону остановки такси, спеша увеличить расстояние между мной и Ольгой. Первой мыслью было: немедленно ехать на вокзал. Купить билет на ближайший автобус... Но, наконец заметив свободное такси, я поняла: с отъездом придется повременить. Необходимо встретиться с подругой Генриетты, сейчас это было для меня очень важно. Хотя объяснить почему — непросто. На самом деле, какая теперь разница, кем являлась Генриетта, чем занималась в этом городе и что за жизнь была у нее? Генриетта осталась в прошлом. А мне надо думать о будущем. Но чужая жизнь не давала покоя. «Я поговорю с подругой и сразу же уеду», — твердила я себе. На ее звонок рассчитывать уже не приходится, но завтра она, возможно, появится в кафе. Вряд ли что-то скверное произойдет за это время.

— Посоветуйте недорогую гостиницу, — сказала я водителю такси.

Он пустился в пространные объяснения, но с места все-таки тронулся, и через двадцать минут мы тормозили возле здания из красного кирпича с вывеской «Гостиница «Восход».

Я расплатилась и направилась к дверям, которые вдруг сами по себе открылись, на улицу вышла девушка в черном платье с блестками и закурила, заняв позицию возле урны.

— Вам комнату? — задала она вопрос, как только я потянулась к дверной ручке.

— Да.

— Я мигом, — она подмигнула, а я вошла в холл.

Судя по царившей здесь атмосфере, гостинице больше подошло бы название «Закат». Облезлый диван, стены, обшитые вагонкой, и стертый линолеум на полу. Билл Гейтс в отеле гость нечастый. Я уже собралась поискать место получше, но тут вернулась девушка. Комната стоила дешево, а оказалась вполне приличной. Еще одно несомненное достоинство: прямо напротив гостиницы троллейбусная остановка. Двадцать минут, и ты в центре.

Забросив сумку в шкаф, я легла на кровать с намерением составить что-то вроде плана действий на следующий день. Почти сразу зазвонил мобильный. Звонила, конечно, Ольга.

— Ты где? — спросила она.

— На вокзале.

— Значит, решила к предкам вернуться?

— А ты чем занята?

— Жду Валерку. Обещал забрать меня отсюда. Знаешь, мне кажется, мы с тобой успели сродниться.

— Ага.

— Квартира у нас большая, и комната для тебя найдется...

— Посадку объявляют. Всего хорошего.

— Позвони, чтобы знать, как доехала.

— Непременно.

Я отбросила телефон в сторону и принялась разглядывать потолок. Может, стоило остаться с Ольгой? «Это просто трусость, — выговаривала я себе. — Боязнь одиночества». Вдруг явились непрошеные мысли о брате, которого больше нет, а еще о муже. Поверил он в мою внезапную кончину или пытается меня отыскать? Моя предполагаемая смерть вряд ли его огорчила, бегство должно было задеть куда больше. Уверена, огорчение или злость мало сказались на обычном ритме его жизни. Чересчур ничтожное место я в ней занимала. Хотя, бывает, хозяева очень печалятся, если любимое домашнее животное вдруг исчезнет. «Это если любимое, — усмехнулась я. — Явно не мой случай». Очень захотелось оказаться в его доме, предварительно раздобыв шапку-невидимку. Жаль, что бывают они лишь в сказках. Бродить за ним тенью, ничем не выдав своего присутствия... Дурацкие фантазии. Но одним глазком взглянуть на него хотелось, чтобы знать: чего следует опасаться. А может, он и не собирается меня искать, даже если уверен, что я жива-здорова. Ждет, что очень скоро я вернусь сама? Говорят, преступники, отсидевшие много лет в тюрьме, на воле чувствуют себя потерянными. Никчемное создание вроде меня на поступки не способно, и если я сбегу, это будет бегством в другую комнату. Очередным нелепым фарсом. Но на этот раз он ошибается. Я не вернусь. Я дала себе слово, и я его сдержу.

Но, несмотря на твердость, с которой я мысленно все это произносила, тоска не отступала, и стало ясно: задержись я в номере еще ненадолго, все закончится горючими слезами. Хороший повод пожалеть об Ольгином отсутствии. У нее такая насыщенная жизнь, что рядом с ней на свою просто времени не хватает.

Во вторник с самого утра я изнывала от нетерпения, так хотелось поскорее отправиться в кафе. О том, что подруга Генриетты может там не появиться, даже думать себе запрещала. Вечеринка начиналась в семь, за полчаса я уже была на месте, ни разу не вспомнив о такой простой вещи, как пригласительный билет. У меня его, конечно, не было, зато у дверей «Белого кота», украшенных разноцветными воздушными шарами, замер тип размером со шкаф, так что число непрошеных гостей сведено к минимуму. Он еще даже ни о чем не спросил, а я уже запаниковала.

— Я... — начала я, слегка заикаясь, а «шкаф» вдруг улыбнулся и сказал:

— Проходите.

Обалдев от счастья, я прошмыгнула в кафе, перевела дух и огляделась. Народу оказалось предостаточно, за барной стойкой мужчина лет сорока смешивал коктейли, перекидываясь шутками с гостями. Как выяснилось, это был сам хозяин. По случаю праздника он вырядился в умопомрачительный голубой пиджак с блестками и клоунский колпак. Всем желающим раздавали такие же колпаки на входе, а также шарики и пластиковые сердца, которые следовало нацепить на грудь. Гремела музыка, народ все прибывал, и вскоре в кафе передвигаться можно было с большим трудом. Гости толпились возле стойки, где колдовал над напитками хозяин. Ошалевшие официанты бочком протискивались сквозь толпу, а я испугалась, что в этой суматохе ни за что не найду подругу Генриетты. С бокалом пива в руках я замерла возле входа в зал и пристально вглядывалась в лица гостей. Никого похожего. Прошел час, потом второй, надежды таяли. Любители караоке, по большей части лишенные слуха с рождения, задорно голосили «Хеппи бёсдей...». Мимо меня прошла знакомая официантка и спросила, пытаясь перекричать невероятный шум:

— Нашли девушку?

— Нет, — покачала я головой.

— Она здесь, я ее видела. Да вот же она, рядом с Викторычем, — ткнула Ирина пальцем в сторону стойки.

В этот момент рядом с хозяином кафе появилась молодая женщина в цветастом платье и кепке в красно-белую клетку, надвинутой на самые глаза, из-за этой кепки я ее и не узнала.

Музыка смолкла, и во внезапной тишине прозвучал голос Викторовича:

— Минуточку внимания. Сегодня с нами наша первая посетительница. Представьтесь, пожалуйста.

— Наталья Самсонова, — кокетливо ответила женщина. — Еще недавно была Кириллова.

— Для красавицы Натальи наш первый приз.

В зал под громкие аплодисменты и веселое улюлюканье внесли огромную бутылку шампанского. Ее торжественно передали Наталье, девушка с трудом могла ее удержать, на помощь ей пришел молодой мужчина.

— Это мой муж! — крикнула Наташа, заливаясь счастливым смехом и повиснув у него на плече.

— Спасибо, что сегодня вы с нами! — прокричал хозяин. — А сейчас наши конкурсы. Предлагаем поучаствовать, у нас отличные призы. Всем удачи!

Пока я пробиралась к стойке, объявили первый конкурс. Наташа живо откликнулась на предложение хозяина кафе, ее муж тоже, бутылку шампанского они отдали на хранение официантам.

Один конкурс сменял другой, и во всех активистка Наталья спешила поучаствовать, ничего не выиграла, но осталась довольна. Я старалась держаться поближе к ней, наконец улучила момент, когда они с мужем устроились за столом с намерением выпить пива, и обратилась к девушке:

— Здравствуйте, это я просила вас позвонить.

— Что? — не поняла она.

— Официантка передала вам номер телефона.

— Ах, да... А в чем дело?

Разговаривать в таком шуме было невозможно, но я боялась, что другого случая не будет.

— Я ищу вашу подругу, с которой вы на фотографии.

— Надю? — удивилась Наталья.

— Ее зовут Надя? — растерянно переспросила я.

— Надя Захарова.

— Вы уверены?

— Конечно, уверена. Мы с ней с детского сада дружили.

— А где она сейчас?

— Ее нет.

— Что значит нет?

— Слушайте, у меня ни малейшего желания говорить об этом, — нахмурилась Наталья.

— Чего ты пристала? — вскинулся ее муж. — Не мешай людям отдыхать.

— Простите, но мне очень важно...

— Тебе сказали... — вновь заговорил супруг, но Наталья его перебила:

— Ладно, Денис, все нормально... Идем, — кивнула она мне.

Мы протолкались к выходу. В холле тоже оказалось полно людей, пришлось выбираться на улицу. После шума, от которого закладывало уши, здесь казалось нереально тихо.

— Куришь? — спросила Наталья, достав из сумки пачку сигарет.

Я не курила, но ответила утвердительно.

— Ты кто такая? — щелкнув зажигалкой, спросила она.

— Я приехала из другого города, случайно зашла в это кафе и увидела фотографию. Надя очень похожа на мою подругу, мы вместе учились, потом потеряли друг друга.

— Ты обозналась. Всех Надиных подруг я хорошо знала.

— Вы не сказали, что с ней случилось.

— Зачем тебе, это ведь не твоя подруга.

— Мне важно убедиться...

— Надя погибла десять лет назад, то есть исчезла.

— Исчезла? — переспросила я, чувствуя, как сердце скачет в безумном ритме, очень боясь, что Наталья не станет отвечать.

— История вышла скверная, — прикуривая одну сигарету от другой, сказала она. — А ты чего не куришь? Короче, Надя училась в институте, на дошкольном, денег, конечно, не хватало, и она устроилась няней в одну семью, сидела с ребенком вечерами, когда родители куда-нибудь уходили. Девочку похитили, семья была богатой. В тот вечер Надя как раз была с ней. За ребенка потребовали выкуп, отец заплатил. Но ребенка ему не вернули. Ни девочку, ни Надю больше никто не видел. Вот и все.

— Вы считаете, они погибли?

— Я думаю, похитители не собирались оставлять их в живых. Трехлетний ребенок вряд ли что мог рассказать, а вот Надя... Они бы не стали рисковать. Понимаешь?

— Кто-нибудь из родственников Нади здесь остался?

— Отец. Мать умерла.

— Вы знаете, где его найти?

— Не пойму я, чего ты хочешь?.. — разозлилась Наталья.

— Не так давно я видела женщину, как две капли воды похожую на вашу подругу.

— Да с чего ты взяла, что это Надя? Фотография в кафе сделана десять лет назад. Очень я похожа на ту Наташу, что на фотографии?

— Похожи...

— Спасибо, конечно, — усмехнулась девушка. — Отец Нади живет в пригороде. Трубное. У местных спросишь, где хутор, они покажут. Сомневаюсь, что он станет с тобой говорить. После того, что случилось, он малость умом тронулся. Да я даже не уверена, что он еще жив. Первое время звонила ему, а потом... сама знаешь, как бывает. Испортила ты мне вечер, подруга, — сказала она с досадой, отбросила сигарету и направилась к дверям.

Возвращаться в кафе не имело смысла. Я шла по улице, пытаясь унять волнение и привести мысли в порядок. Моя Генриетта оказалась вовсе не Генриеттой, а Надеждой Захаровой, исчезнувшей десять лет назад. Как это возможно? Самое простое объяснение: я действительно обозналась. Фотографии десять лет, за это время человек способен измениться... Но ведь не до такой степени, что его невозможно узнать. По паспорту Генриетте тридцать лет, но выглядела она моложе, я не дала бы ей больше двадцати семи. То же лицо, что и на фотографии. Вдруг у нее была сестра? Но ни о чем подобном Наталья не говорила, из родственников назвала лишь отца. Надо обязательно с ним встретиться.

Предположим, исчезнувшая Надя и есть Генриетта. Что заставило ее сменить имя? И вновь ответ очевиден: за девочку требовали выкуп, деньги получили, но ребенка так и не вернули. Если за эти годы девочку не нашли, ее, скорее всего, уже нет в живых. Трехлетний ребенок... Кем надо быть, чтобы пойти на такое? Генриетта в тот день находилась с девочкой, и если осталась жива, значит... она вовсе не жертва, и именно это заставило ее сменить имя и фамилию. Так вот какую тайну скрывала Генриетта... Десять лет она не давала ей покоя. И в конце концов подтолкнула шагнуть с моста. Угрызения совести? «Я больше не могу», — сказала она мне по телефону. О господи... И теперь я с ее паспортом собираюсь начать новую жизнь. С паспортом женщины, которую, возможно, ищут до сих пор? У меня возникло непреодолимое желание от него избавиться. Я уже открыла сумку и тут подумала об Ольге. Она видела фотографию. Что ее на самом деле поразило: то, что я выдаю себя за другого человека, или... или она узнала лицо на фотографии? Возможно такое? Маловероятно. Прошло десять лет, предположим, о похищении в городе знали многие и фотография Генриетты, то есть Надежды, попала в газеты. Но десять лет — это срок. Бог с ней, с Ольгой, вернемся к главному. Я действительно готова поверить, что Генриетта убийца? Моя тихая, нежная, всегда печальная подруга? Нет, и еще раз нет. Как я могу быть столь категоричной, если, в сущности, ничего о ней не знаю? Что могло ее заставить пойти на такое? Деньги? А если все было иначе? Она не причастна к похищению ребенка, ей удалось сбежать от бандитов, но она боялась обвинений и все эти годы скрывалась? Этот вариант представлялся мне куда более вероятным. Как она смогла раздобыть паспорт? А как я его раздобыла? Допустим, она его украла. Но в паспорте ее фотография. То, что она чего-то боится, было ясно с первого дня нашего знакомства. А я, занятая собой, даже не пыталась... Она скрывалась от похитителей и боялась полиции. Что же делать? Идти в ближайший полицейский участок и все рассказать? И вернуться к своей прежней жизни? Почему обязательно вернуться? Я разведусь с мужем и стану свободной. Чего ж ты этого раньше не сделала? Как только ты его увидишь, снова почувствуешь себя кроликом, и вся твоя решимость испарится. Уж он-то позаботится об этом.

Вернувшись в номер, я села возле окна, уже не пытаясь избавиться от тягостных мыслей. И в темном стекле мне мерещилось лицо Генриетты с печальными глазами, которые словно молили о чем-то.

— Я тебе верю, — пробормотала я. — Я разберусь в этой истории.

Теперь я считала, что обязана сделать это. Ради нее и ради себя.

Уснула я только под утро. Разбудила меня горничная, открыла дверь своим ключом и, обнаружив меня в постели, начала извиняться. Я взглянула на часы, половина одиннадцатого. Солнечные лучи тысячью бликов играли на тюлевых занавесках. Но настроения это не улучшило. Вчерашняя решимость вновь сменилась гнетущей тоской.

Я отправилась в душ, холодная вода придала бодрости, голова больше не казалась такой тяжелой, а мир за окном отвратительным. Позавтракав в кафе на первом этаже, я попросила девушку-администратора вызвать такси. Ждать пришлось минут пятнадцать, все это время я прогуливалась возле дверей гостиницы, пытаясь составить подобие плана.

Наконец появилась машина. За рулем сидел молодой парень, улыбнулся и спросил:

— Куда прикажете?

— Мне нужно в Трубное, это где-то в пригороде.

— Знаю. И что такой красивой девушке понадобилось в этом гиблом месте?

— Почему «гиблом»?

— Вы приезжая? — усмехнулся он, я кивнула, а он добавил: — Сами увидите.

Человеком он оказался словоохотливым и всю дорогу до Трубного говорил практически беспрестанно.

— Вечером я бы туда ни за что не поехал. Шпана на шпане и шпаной погоняет. У вас там родственники?

— Дальние. Я даже точного адреса не знаю. Какой-то хутор, велели спросить у местных.

— Спросим, — кивнул водитель. — Меня Сергей зовут, а вас?

— Генриетта.

— Редкое имя. Если хотите, я вас там подожду.

— Боюсь, придется задержаться.

— А сами откуда?

В другое время его навязчивость вряд ли бы понравилась, а сейчас я была рада отвлечься от своих мыслей и принялась врать, правда, без особого вдохновения.

Город остался позади, дорога шла через лес, вскоре появился указатель «Трубное».

— Странное название, — заметила я.

— Это еще что, дальше по дороге Кощеево. Славная такая деревушка.

Поселок с виду казался ничем не примечательным — две пятиэтажки, магазин, фабрика, судя по всему, заброшенная, трехэтажные дома из серого кирпича, дальше частный сектор. Все вполне пристойно, на «гиблое» место ничто не указывало.

Возле продуктового магазина Сергей притормозил, оттуда как раз возникла компания подростков.

— Где тут у вас хутор? — спросил он.

— Прямо, — махнул рукой один из ребят.

Улица, застроенная деревенскими домами, закончилась, дальше садоводческое товарищество, о чем сообщала вывеска на воротах. И никакого хутора. Я вертела головой в поисках прохожих, но улица была пуста. Мы уже хотели развернуться, когда я заметила женщину в палисаднике соседнего дома, она пересаживала цветы.

— Ну вот, — удовлетворенно кивнул Сергей. — Хоть одна живая душа.

Он вышел из машины, и я вместе с ним. Заметив нас, женщина выпрямилась и спросила:

— Чего ищете, молодые люди?

— Хутор, — ответил Сергей.

— Если по тропинке, то отсюда минут пять ходу. А на машине объезжать придется. Вдоль забора до самого конца. А вы к кому?

— К Захарову, — сказала я.

— Надо же... к нему столько лет никто не ездит. Может и не пустить.

— Почему?

— Живет точно рак-отшельник. В магазин выбирается раз в месяц. А вы ему кто?

— Меня просили кое-что передать, — ответила я туманно, поспешно возвращаясь к машине.

Забор садового товарищества казался нескончаемым; наконец дорога вывела нас к дому, который фактически находился в лесу, так что название «хутор» это место получило не зря.

Когда-то дом, должно быть, выглядел внушительно: одноэтажный, но окна расположены высоко над землей. Широкое крыльцо, двустворчатая дверь. Пристройка, напоминавшая башенку, с крышей в виде купола. Теперь дом казался заброшенным. Грязные стекла, ступени крыльца прогнили, давно не крашенные дощатые стены потемнели от времени. Заросли крапивы и едва заметная тропинка, которая вела к крыльцу.

— Может, вас все-таки подождать? — спросил Сергей, с сомнением взглянув на жилище.

Я протянула ему деньги.

— Если через пятнадцать минут я не вернусь — уезжайте. — И направилась по тропинке, тревожно оглядываясь.

Беспокойство возникло внезапно, стоило мне увидеть этот дом. Было в нем что-то до того мрачное... В окне едва заметно шевельнулась тюлевая занавеска, я была уверена, оттуда кто-то наблюдает за мной. Поднялась на крыльцо и надавила кнопку дверного звонка. Открывать мне не спешили. Я выждала время и позвонила еще раз, потом еще.

В доме, несомненно, кто-то был, вряд ли движение занавески всего лишь обман зрения. Я принялась колотить в дверь, хоть и не было в этом особой нужды, раз уж на звонок не обращают внимания, и позвала громко:

— Откройте, пожалуйста.

Шагов я не услышала. Но одна из створок вдруг приоткрылась. Совсем чуть-чуть.

— Что вам нужно? — спросил хриплый мужской голос.

Хозяина дома я видеть не могла, только на мгновение мелькнул его силуэт в узкой щели между створками двери. Прихожая за его спиной тонула в темноте, и сам он словно был тенью. Очки в роговой оправе, вот, собственно, и все, что удалось разглядеть. Я вскинула голову, надеясь встретиться с ним взглядом, он поспешно переместился вправо, и теперь я видела лишь плечо. Фланелевая рубашка в клетку, то ли посеревшая от грязи, то ли потерявшая от частых стирок свой первоначальный цвет.

— Простите, ваша фамилия Захаров? — спросила я.

— Что вам нужно? — повторил мужчина нетерпеливо.

— Я хотела поговорить о вашей дочери. Это очень важно...

— Убирайтесь, — отрезал он и закрыл дверь. А я вновь заколотила по ней кулаком, крикнув в отчаянье:

— Послушайте, я видела ее всего несколько дней назад.

— Моя дочь погибла, — прохрипел он из-за двери. — Убирайтесь немедленно, иначе я вызову милицию.

Я услышала его шаги, тяжелые, удаляющиеся, он скрылся где-то в глубине дома. Но еще несколько минут я стояла, прислушиваясь, в надежде, что он вернется, что мои слова произведут впечатление. Но этого не произошло. За дверью было тихо, я в досаде стукнула по ней еще раз и побрела к машине, то и дело оглядываясь. Возможно, хозяин дома наблюдал за мной, стоя у окна, но ничто на это не указывало.

— Мужик, похоже, совсем одичал, — заметил водитель сочувственно. Теперь я была рада, что он меня дождался. А еще хотелось поскорее убраться отсюда, место по-прежнему вызывало необъяснимое беспокойство.

— Странный тип, — сказала я, садясь в машину. — Я думала, он поговорит со мной, хотя бы через дверь.

— Старики боятся пускать к себе в дом незнакомых людей. Наверное, это правильно. Тем более в таком районе. Вам надо было позвонить, предупредить о своем приезде.

— Я звонила, — соврала я, удивляясь, зачем это делаю.

— Может, он уже забыл? Такое случается. Позвоните еще раз. И не расстраивайтесь. — Он подмигнул мне, желая подбодрить, а я в ответ кивнула. — Возвращаемся в город? — спросил Сергей.

— Да, в гостиницу...

Мы как раз проезжали мимо дома женщины, которая незадолго до этого разговаривала с нами. Увидев ее в палисаднике, я попросила Сергея остановить машину. На этот раз я направилась к ней одна, женщина при моем приближении выпрямилась, ухватившись за ограждение, и спросила:

— Что, не пустил он вас?

— Не пустил, — вздохнула я.

— Неудивительно. Я же сказала, живет точно рак-отшельник. Ни с кем не разговаривает, сам ни к кому не ходит и у себя гостей не ждет. Я, бывает, ему звоню, чтоб хоть знать, что еще жив. А то ведь помрет, и... — Она досадливо махнула рукой.

— И давно он так? — спросила я, опершись на палисадник.

— Давно. Как один остался, так и начал людей сторониться. Вроде считал всех виноватыми, хотя в чем тут наша вина... Даже на похороны никого не пригласил.

— На похороны дочери? — подсказала я.

— Жены. Дочку так и не нашли, теперь ясно, что ее давно нет... Уж если б выжила, то, наверное, объявилась.

— Вы имеете в виду похищение? — очень рассчитывая на словоохотливость женщины, задала я вопрос.

— Убили ее, — махнула рукой женщина. — Ясное дело... на что только люди не способны из-за денег. Ребенка не пожалели, мерзавцы.

— А вы Надю хорошо знали?

— На моих глазах росла. Хорошая девочка, добрая, вежливая, за матерью ухаживала, когда та заболела. На себе ее таскала... Василий-то, отец, на работе, а на ней мать и весь дом.

— А что с матерью было?

— Инсульт. Парализовало ее, но Надя смогла ее выходить. Она последний год сама передвигалась, кое-что по дому могла делать. А когда с Надей случилось... В общем, не пережила. Вот Василий умом и тронулся. Дочь пропала, жена померла... А он из тех мужиков, для кого семья — самое что ни на есть главное. Иной раз думаю: запил бы или бабу какую завел, все легче...

— Вы простите, что я пристаю с расспросами, — пролепетала я, симулируя смущение. — Но я почти ничего не знаю о том, что с Надей случилось.

— Я и сама-то толком ничего не знаю. Всякое болтали... Да и давно это было... Чего и помнила, то забыла. Надя в институт поступила, выхлопотали ей место в общежитии. Это мы сейчас в городской черте, а тогда был у нас поселок. Автобусы ходили, хорошо если дважды в день, а зимой и вовсе могли не приехать, на маршрутке дорого, да и опасно у нас тут вечерами ходить, шпаны и тогда полно было. Лариса, это Надина мать, вроде шла на поправку, вот Василий и настоял, чтоб дочь в городе жила. Приезжала только на выходные. Очень ему хотелось, чтобы Надя образование получила, он сам-то из бывших военных, здесь у нас лесником работал. А Лариса на фабрике ткачихой, пока инвалидность не дали. Денег, сами понимаете, негусто, Василий мужик честный, не то что его предшественник, у того лес «КамАЗами» вывозили... Ларисе на лекарства много уходило, в общем, Надя подрабатывала нянькой. Вот ее вместе с ребенком бандиты и забрали. Должно быть, убили да закопали где-нибудь, обеих так и не нашли. Я как сейчас помню, приехали сюда на милицейской машине, Василия дома не было, одна Лариса. Вышла на крыльцо, милиционер стал ей что-то говорить, она так на крыльце и рухнула. Когда Василий домой прибежал, Лариса уже померла. А о дочке больше ни слуху ни духу.

— Ужасная история.

— Из милиции к нему еще долго ездили, нервы трепали. В поселке болтали всякое... вот он и стал людей сторониться.

— А что болтали? — не удержалась я.

— Уж теперь и не помню, — отмахнулась женщина. — У нас ведь такой народ: нет бы посочувствовать... Еще и навыдумывают черт-те чего...

Чего такого навыдумывали сельчане, по понятной причине было мне очень интересно, но настаивать я не решилась. Однако еще один вопрос задала:

— Надя, я знаю, дружила с Наташей Кирилловой, она в поселке живет?

— Раньше моими соседями были, — кивнула она на дом, обшитый сайдингом фиолетового цвета. — Дом давно уже продали, в городе квартиру купили.

— Адрес, случайно, не знаете?

— Адрес — нет. Была я у них лет пять назад, где-то в Южном, остановка рядом с кинотеатром, а дальше вниз третий дом... или второй... третий, — кивнула женщина. — Телефон могу дать, если надо.

— Буду вам очень благодарна. Может, мы приедем сюда с Наташей, и хозяин дверь откроет.

— Сомневаюсь. Наташку он видеть не хотел.

— Почему?

— Вот уж не знаю... Сейчас номер найду.

Женщина неторопливо проследовала в дом, минут через пять одно из окон, выходящих в палисадник, распахнулось, и я увидела ее с записной книжкой в руках.

— Записать есть где? — спросила женщина. Я поспешно достала мобильный, а она продиктовала номер домашнего телефона.

— Спасибо вам большое, — сказала я, женщина кивнула и закрыла окно, а я вернулась к машине.

— В Южное поедем? — спросил Сергей, когда мы покинули поселок: мой разговор с соседкой он, видимо, слышал.

— Нет, — ответила я. — Сначала позвоню. Чего доброго, опять дверь не откроют...

— А чего тебе от старика надо, я не понял?

— Посылку передать.

— Ну, так оставила бы на крыльце...

— И что я скажу его родственникам?

— Скажешь, что он чокнутый.

— По-моему, посылку разумнее вернуть, и пусть сами разбираются.

— Тоже верно, — согласился он.

Теперь его болтовня раздражала, мне хотелось поразмышлять над услышанным, а чужая назойливость мешала сосредоточиться. Наконец показалась гостиница, я протянула Сергею деньги, он стал отсчитывать сдачу, посмотрел на меня с сомнением и предложил:

— Может, вечером встретимся, я до восьми работаю?

— Вечером я у родственников, — ответила я и выпорхнула из машины, сказав: — Сдачи не надо.

Я намеревалась сразу же подняться в номер, чтобы в тишине все обдумать и решить, что делать дальше, но девушка-администратор окликнула меня, когда я направилась к лестнице. Пришлось вернуться к стойке.

— Тебя мужик спрашивал, — с видом матерой заговорщицы шепнула она.

— Какой мужик? — испугалась я.

— Откуда мне знать? Пришел часа два назад, у вас, говорит, девушка остановилась. Красавица... Из девушек у нас только ты.

— А что ему нужно, не сказал?

— Не-а. Я говорю, справок не даем, а этот тип так зыркнул, я аж присела. Ну и друзья у тебя...

— Нет у меня здесь никаких друзей, — буркнула я, теряясь в догадках, кому вдруг понадобилась. А главное, как неизвестный тип узнал, где меня искать? Первым на ум пришел муж, и внутренности мгновенно свело от страха. Конечно, это он. Каким-то образом узнал о паспорте Генриетты, проверил все гостиницы...

— Эй, ты чего? — позвала девушка. — Побледнела вся...

— Вчера псих один в кафе пристал, — соврала я, пытаясь решить, что делать.

— Вон он опять подъехал, — вдруг заявила девушка, ткнув пальцем в окно. Черный джип тормозил возле дверей, ничего общего с машиной мужа, но это не успокоило.

— Здесь есть еще выход? — схватив девушку за руку, спросила я.

— Через кухню можно... давай провожу.

Мы припустились в коридор, который вел в кухню, слыша, как за спиной хлопнула входная дверь.

— Скажи, что я у себя, но беспокоить не велела, — попросила я девушку.

— Сказать-то я скажу, — проворчала она. — Но нам тут неприятности ни к чему...

— Говорю, какой-то псих привязался.

Мы прошмыгнули через кухню, в этот час совершенно пустую, и оказались перед железной дверью.

— Выйдешь в переулок, — шептала девушка, отпирая дверь своим ключом. — Дуй все время прямо, и окажешься возле Дома культуры. Там автобусная остановка и стоянка такси. Номер у тебя оплачен до завтра, в двенадцать либо продляй, либо комнату освобождай.

Я кивнула и вышла на улицу. Первые несколько шагов дались с большим трудом. Переулок узкий и совершенно пустой, слева гаражи, справа тянулся бесконечный забор. Мне казалось, кто-то наблюдает за мной, стало так страшно, что я подумала: может, лучше вернуться? Но вместо этого бросилась вперед, не разбирая дороги. И, только завидев Дом культуры, замедлила бег и вздохнула с некоторым облегчением.

Пройдя еще немного, я зашла в кафе, совсем маленькое, меню здесь умещалось на одном листке бумаги, а блюда приносили в пластиковой посуде. Я выпила кофе без вкуса и запаха, запихнула в себя бутерброд с колбасой и понемногу успокоилась. Не настолько, чтобы жизнь показалась вполне сносной, но по крайней мере зубами не клацала и с диким видом не озиралась. Потом попросила чай, который оказался ничуть не лучше кофе, и принялась гадать, кто меня искал. Совсем необязательно, что это непременно муж. Теперь подобное представлялось скорее маловероятным. Тогда кто? К сожалению, я успела обзавестись знакомствами. Например, тот же Коля Башка. Ольга утверждала, что он опасный псих, а я его по голове огрела. Угроз в свой адрес от него я не слышала, но это ничего не меняет. Вдруг он решил со мной поквитаться. Но откуда он узнал, где меня следует искать? Администратор сказала, что моей фамилии он не назвал, узнать ее, кстати, он мог только у Ольги. Но это не помешало ему найти гостиницу. Что-то тут не так...

Я подперла рукой щеку и еще раз прикинула возможных кандидатов. Вова с Юрой? Им-то зачем меня искать? Ольга сейчас с мужем, а два ее бывших конвоира о моем существовании вряд ли догадываются, если обо мне им не сообщила все та же Ольга... или ее муж. Вот у него ко мне вполне могли возникнуть вопросы. Я помогла Ольге сбежать, и он предположил, что о трупе мне известно. Ольге я сказала, что покинула город, а сама здесь болтаюсь. Вряд ли Валерке это понравилось. Но как он узнал, что я здесь? Гадай сколько угодно, основной проблемы это не решит: кто бы ни был неизвестный, а встречаться мне с ним ни к чему.

«Бежать отсюда надо», — решила я. Кстати сказать, я собиралась сделать это еще сегодня утром. Но вместо этого отправилась в Трубное. Возвращаться в гостиницу нет необходимости, деньги и паспорт со мной, через полчаса я буду на вокзале... Уже в тот момент я знала, что никуда не уеду, хотя и не могла найти этому разумного объяснения. Да, я хочу понять, что произошло десять лет назад, я даже готова рискнуть и остаться здесь на некоторое время. Но почему это для меня так важно? Обязательства перед Генриеттой, которые я добровольно на себя взвалила? С отцом Генриетты поговорить не удалось, остается слабая надежда на встречу с Наташей. Если я скажу ей, что видела ее подругу живой и здоровой, она не откажется со мной поговорить. Помнится, я ей это уже говорила, и мои слова вызвали у девушки большое сомнение. Она убеждена, что Генриетты, то есть Нади, нет в живых. Соседка сказала о неких слухах в поселке... жаль, что не удалось выяснить, что это за слухи. Надю считали причастной к похищению ребенка? Значит, были обстоятельства, породившие подобные слухи. Отец Нади не хотел видеть Наташу, считая ее в чем-то виноватой? Мне непременно надо встретиться с ней еще раз. А если она сообщит обо мне в полицию? Дело давно закрыто... Или нет? В юридических тонкостях я не разбиралась и знать не знала, сколько лет может длиться следствие по таким делам. И как я буду объясняться в полиции? А если отец Надежды имел основания винить Наташу в исчезновении дочери? То есть если девушка была связана с похитителями? Мысль на первый взгляд фантастическая: следователей непременно бы заинтересовала подруга исчезнувшей Надежды, однако, если допустить подобное... Тогда появление джипа у дверей гостиницы легко объяснимо. Вчера мы встретились в кафе, а сегодня меня уже разыскивают. Кто-то не хочет, чтобы та давняя история выплыла наружу. Так это или нет, но с Наташей придется поговорить еще раз.

Соседка назвала Надю доброй, вежливой девочкой, да и мне невозможно поверить, что Генриетта причастна к убийству ребенка. Впрочем, заподозрить в этом Наташу так же трудно. Я видела, что воспоминания о подруге причиняли ей боль. Допустим, она помогла похитителям, а теперь сожалеет об этом. Если и помогла, то, скорее всего, не ведая об этом. Кто-то из близких ей людей мог обратиться с вопросами, в какое время отсутствуют родители девочки, и прочее в том же духе... Но если эта мысль пришла в голову мне, значит, просто обязана была посетить следователя. А кто сказал, что Наташу не подозревали? Очень возможно, так и было. Но подозрения подозрениями и остались. Серьезный аргумент против: если Наташа что-то знала, похитители не оставили бы ее в живых, они ведь даже ребенка не пожалели.

Я достала мобильный и набрала номер, который мне продиктовала соседка. Три гудка и женский голос:

— Слушаю.

— Простите, я могу поговорить с Наташей? — пытаясь скрыть волнение, задала я вопрос.

— С Наташей? А кто ее спрашивает?

— Бывшая коллега, хотела встретиться с ней по поводу работы...

— Наташа живет у мужа.

— Я могу ей позвонить? Мобильный у нее, наверное, сменился.

— Да, у нее другой оператор. Записывайте, только сейчас ей звонить бесполезно. Они сегодня с Денисом улетели в Стамбул на четыре дня. Она мне только что СМС прислала, приземлились благополучно. Телефон уже отключен, чтоб звонками с работы не досаждали.

— Когда они вернутся?

— В субботу.

— Спасибо.

Номер она мне продиктовала, в голосе ни малейшего беспокойства. А почему женщина должна беспокоиться? Звонит бывшая коллега... Отъезд Наташи вряд ли связан с нашей встречей, хотя сейчас все выглядит подозрительным. Виза в Турцию не нужна, и все же маловероятно... Денис показался мне неприятным человеком... «Опять ты за свое, — одернула я себя. — Не выдумывай детектив на пустом месте. Я дождусь ее возвращения и попробую поговорить еще раз».

Оставалось решить, что делать до субботы: уехать из города? Разумно, учитывая внезапное внимание к моей особе. А если попытаться побольше узнать о похищении? Каким образом? С отцом Нади поговорить не получилось, соседка мало что помнит... Родители девочки... возможно, они все еще живут здесь. Даже если и так, что я им скажу, как объясню свой интерес? К тому же я даже фамилии ребенка не знаю. Предположим, фамилия — не самая большая проблема. А вот фантазию придется напрячь: если я сообщу им о Генриетте, мигом окажусь в кабинете следователя.

И это при том, что стопроцентной уверенности у меня нет и Генриетта может вовсе не быть исчезнувшей Надей.

«Сыщик доморощенный, — мысленно обругала я себя. — Ты сбежала от мужа, чтобы копаться в чужих тайнах? Если я теперь Генриетта, то обязана знать, что тогда произошло», — сурово возразила я самой себе, расплатилась и пошла к выходу.

До самого вечера я болталась по улицам, которые теперь неплохо знала. Надо было решать, возвращаться в гостиницу или нет. Возвращаться я боялась. Гостиниц в городе много, можно легко устроиться, но и любая другая гостиница безопасной не казалась. Если меня нашли в одной, что помешает проверить остальные? Одну ночь можно провести на вокзале, а там посмотрим.

Я в самом деле отправилась на вокзал, и первыми, кого увидела, заглянув в зал ожидания, оказались полицейские, проверявшие документы у двоих мужчин, помятых и явно страдавших с перепоя. Выгляжу я куда привлекательней, но ближе к утру, когда народу на вокзале окажется совсем немного, на меня непременно обратят внимание. От встреч с патрулем я ничего хорошего не ждала и припустилась оттуда со всех ног.

На улице зажглись фонари, дело близилось к ночи, а я все бродила по улицам и уже подумывала направиться в ближайшую гостиницу, когда вдруг вспомнила о доме, где мы прятались с Ольгой. Он был в паре троллейбусных остановок от того места, где я находилась. Ольга считала дом надежным убежищем, то есть никто, по ее мнению, о нем не знал. Не считая ее мужа, как выяснилось. Вряд ли кому-то придет в голову искать меня там. Если в дом вдруг заявится Валера, я могу сказать, что Ольга разрешила мне остановиться там на время. В конце концов, ее слова «запоминай, где ключ лежит, авось пригодится» при желании расценить можно именно так. Если явится сама Ольга... что ж, придется мне это пережить, хотя я и предпочла бы держаться от нее подальше.

Не раздумывая, я направилась к дому. Ключ нашла без труда. Свет в комнатах включать не стала, только в коридоре, чтобы светящиеся окна не заметили с улицы. В банке в навесном шкафчике нашелся чай, я вскипятила воду и устроилась на крыльце с чашкой в руках. В темном небе звезд не видно, свет уличных фонарей едва пробивался сюда, и я чувствовала себя дачницей. Тепло, уютно, а главное, безопасно. Но стоило мне лечь в постель, как приподнятое настроение мгновенно сменилось беспокойством. Дом казался слишком большим, хотя, само собой, в размерах за это время не увеличился. Большим и пугающе пустынным.

Я плотно закрыла дверь в комнату, жалея, что на двери нет задвижки. И тут же вспомнила Ольгины слова о привидениях. Глупость, однако мысль о них беспокоила. Дом стоит необитаемый... Ольга здесь иногда бывает. Ей привидения не досаждают, с какой стати им вдруг мною заинтересоваться. Сколько бы я ни твердила: «Все это глупости», но беспокойство росло. Я включила допотопную настольную лампу, обнаруженную в шкафу еще в прошлый визит, поставила ее на пол. Страх потихоньку подкрадывался, сменяя беспокойство, а заснуть при свете оказалось совсем непросто.

Ворочаясь с боку на бок, я уже не считала хорошей идеей явиться сюда. Мне мерещились шорохи, скрипы и прочее в том же духе, но беготня по улицам свое дело сделала, и я уснула. Сон был недолгим, тревожным, а проснулась я от звука шагов. Скорее всего, мне приснилось, что я их слышу, сон и явь причудливо перемешались. Я подняла голову, испуганно прислушиваясь. Лампа под металлическим колпаком освещала часть комнаты, углы тонули в темноте. Вздохнув в досаде, я взглянула на часы. Половина второго. До рассвета еще далеко. Чего это я о рассвете подумала? В доме я одна, в прошлый раз даже возни мышей за стенами не припомню... Шаги над моей головой... там чердак... А если кто-то в дом забрался? Вору следовало бы заглянуть в комнаты. Я легла на спину, натянув одеяло до подбородка, и уставилась в потолок. У меня глюки или вправду кто-то ходит? Прошло минут двадцать, и за это время я смогла довести себя до легкой паники. Мне то чудились шаги, то чей-то едва слышный смех, то скрип двери...

Оставаться в доме было невозможно, и никакие доводы разума уже не действовали. Но куда бежать ночью? В гостиницу? А если там меня ждут? Я вскочила, быстро свернула одеяло вместе с подушкой и припустилась на улицу, прижимая их к груди. Свет в коридоре так и горел, но моих страхов это вовсе не уменьшило. Я готова была поклясться: кто-то смотрит мне в спину. И, только оказавшись на улице и закрыв за собой дверь, я смогла перевести дух. Входную дверь заперла на ключ, мне казалось, опасность исходит из дома, а вовсе не с улицы. Рядом с крыльцом расстелила одеяло, соорудив подобие спального мешка, сунула подушку под голову и глаза закрыла. Рядом то и дело проезжали машины, но это только успокаивало, и очень скоро я уснула.

Пробуждение оказалось не из приятных. Что-то ползло по моему лицу. Проведя рукой по щеке, я обнаружила паучка и улыбнулась. Было раннее утро, где-то просигналила машина, а я потянулась и еще немного полежала с закрытыми глазами.

Через несколько минут я уже пила чай, устроившись на крыльце. Ночные страхи казались глупыми и вызывали недоумение. Это же надо придумать: привидение... Странно, что я их только слышала, моей фантазии вполне хватило бы вообразить какого-нибудь монстра или девицу в прозрачном балахоне с лицом утопленницы.

Однако, вернувшись в дом, я поняла, что до конца от своих страхов избавиться так и не сумела. Ощущение, что кто-то смотрит мне в спину, вернулось почти сразу, стоило войти в комнату. Я даже подумала: если повернуться резко, быстро, я непременно увижу... кого? Того, кто затаился в доме...

Я терпеть не могла триллеры и уж точно не собиралась в них участвовать. Еще нет и семи, покидать дом слишком рано, ни кафе, ни магазины не работают... Чтобы избавить себя от глупых страхов, я не спеша прошлась по дому. Само собой, ничего подозрительного в нем не было. В конце коридора я обнаружила люк в потолке, а в кладовке стремянку, деревянную, без двух нижних перекладин. Вытащила ее в коридор, прислонила к стене и начала подниматься.

Люком редко пользовались, я едва смогла его открыть. Сверху потянуло чем-то кислым, пыль поднялась светлым облачком, а я, ухватившись за края люка, взгромоздилась на последнюю перекладину и заглянула на чердак. Солнечный свет робко проникал в единственное круглое оконце. Чердак был пуст, если не считать облезлой этажерки, стоявшей у стены напротив. На ней были свалены газеты и журналы. Луковая шелуха на полу и осиное гнездо за моей спиной. Вот и все. Можно было спускаться и возвращать стремянку на место. Но вместо этого я выбралась на чердак. Прошла к окну, полюбовалась домами напротив.

Я двигалась почти бесшумно, мусор под ногами скрадывал звук шагов. «Привидению пришлось изрядно попотеть, чтобы я его услышала», — с усмешкой подумала я. На пачке журналов лежал толстый слой пыли. Я выдернула журнал откуда-то из середины и все равно расчихалась. Журнал был двадцатилетней давности. Присев на корточки, я принялась его листать. Советы хозяйкам, модные тенденции... такие платья носила моя мама... Я достала еще несколько журналов, а потом мое внимание привлекла газета, лежавшая на нижней полке, пожелтевшая, с загнутыми краями. Она была наполовину развернута, словно кто-то читал ее здесь, да так и бросил. Разложив ее на полу, я быстро просмотрела первую страницу. Местное издание десятилетней давности. Было забавно читать о новостях, некогда будораживших умы, а сейчас совершенно забытых. Вот что остается от нашей жизни: ворох пожелтевшей бумаги с давно устаревшими новостями.

Я перевернула страницу и вскрикнула от неожиданности. Передо мной была фотография Генриетты, рядом еще одна фотография: маленькая девочка с косичками. И крупные буквы: «Разыскиваются». Ниже статья с заголовком: «У бизнесмена похитили дочь?»: «Двадцать пятого мая пропала трехлетняя Юля Серикова и ее няня, двадцатилетняя Надежда Захарова. Просьба ко всем, кто их видел...» Я дважды перечитала статью. Мать девочки в момент похищения находилась в больнице, отец Юли отправился ее навестить, ребенка оставил с приходящей няней, которая работала у них несколько месяцев. У девочки поднялась температура, по этой причине отец и не взял ее с собой. Вернувшись через два часа, он обнаружил, что входная дверь не заперта, а в квартире никого нет. Мужчина попытался дозвониться до няни, но ее мобильный был отключен. Не оказалось ее и в общежитии, где девушка проживала, ни в доме родителей, куда перепуганный отец позвонил. Соседи Сериковых в тот вечер ничего подозрительного не заметили, никто из них ни Юлю, ни ее няню не видел. Куда девушка могла отправиться с больным ребенком и где находится сейчас? Вот, собственно, все, что я узнала из статьи.

Я достала всю пачку газет и быстро начала их просматривать. Уже в первой нашла то, что искала. Газета была от второго июня, заголовок лаконичен «Похищение». Отец пропавшего ребенка — крупный бизнесмен. За девочку требовали выкуп (знак вопроса). По нашим сведениям, сообщал журналист, господин Сериков обратился в милицию только двадцать восьмого мая, через три дня после похищения. Что заставило его молчать эти три дня? Несчастный отец пытался договориться с похитителями? Вопросов было куда больше, чем ответов. Еще одна газета и еще статья: «Вся правда о нашумевшем деле». Сериков признал, что за дочь требовали выкуп. Двадцать седьмого он оставил деньги в условленном месте, как приказали похитители, но ребенка ему не вернули. Только после этого он обратился в милицию. На след девочки и ее няни так и не удалось выйти. За любые сведения о ребенке обещана награда...

На той же странице броский заголовок: «Моя дочь ни в чем не виновата», — заявляет убитый горем отец». Интервью с отцом Генриетты, то есть Надежды. Он возмущен попыткой некоторых лиц из правоохранительных органов обвинить его дочь Надежду в причастности к похищению ребенка. Все, кто знал Надю, отзываются о ней как о добром, исключительно порядочном человеке... Родители Юли не в силах поверить, что она могла причинить зло их ребенку... Мать Надежды Захаровой скончалась, не перенеся тяжелого удара, обрушившегося на семью. На фотографии Генриетта в легком платье стоит в обнимку с мужчиной средних лет, внизу подпись: «Еще совсем недавно счастливые отец и дочь». «У следствия появился подозреваемый... Близкий друг Надежды Захаровой арестован?» И через два абзаца: «Установить его причастность до сих пор не удалось. Все, кто попал в поле зрения правоохранительных органов в связи с этим громким преступлением, тщательно проверяются. Прокуратура вынуждена признать: подозреваемых нет. Узнаем ли мы что-нибудь о судьбе исчезнувших Юли и Надежды?»

Крыша успела нагреться, пока я рылась в газетах. Я вытерла потный лоб, но вряд ли причиной была духота на чердаке. Теперь сомнений у меня не осталось: моя Генриетта и есть бесследно исчезнувшая Надежда Захарова. Наталья сказала, что похитители получили деньги, о том же самом говорилось и в статье. Но почему они не вернули ребенка? Неужели с самого начала не собирались этого делать? Но если Генриетта участвовала в похищении, как согласилась на такое? На что она надеялась, в конце концов? Она же знала, что никогда не сможет вернуться к своим родителям. Бросила больную мать? Добрая, исключительно порядочная девушка?

Я положила газеты на прежнее место. Подумала и одну оставила себе. В статьях говорилось о близком друге Генриетты-Надежды, но имя его не названо. Если бы я могла с ним встретиться... Зато теперь я знаю имя отца девочки. Сериков Геннадий Алексеевич, известный в городе бизнесмен. Разыскать его будет нетрудно... если он все еще живет здесь.

Сложив газету, я спустилась вниз, закрыла люк и вернула стремянку на место. Бродило привидение этой ночью или это лишь мои глюки, но им стоит сказать спасибо. Теперь ждать возвращения Натальи не придется. Вот только что я скажу отцу Юли, если смогу его разыскать? Над этим стоило подумать. Проклятый паспорт... Без него мне нигде не устроиться, а называть себя Генриеттой мне теперь совсем не хочется. Хотя ее виновность по-прежнему вызывала у меня сомнения.

Я решила вернуться в гостиницу. Ждет меня там кто-то или нет, в тот момент не особенно заботило. Если все в порядке, продлю номер, если мною опять кто-то интересовался, попытаюсь снять квартиру на пару недель. Что будет после этого, я не загадывала. Сейчас куда важнее было другое.

На маршрутке я доехала до нужной остановки и быстрым шагом направилась к гостинице. До нее оставалось метров пятьсот, когда я заметила припаркованный возле тротуара черный джип. Таких джипов в городе пруд пруди, но он мне не понравился. Я развернулась, намереваясь скрыться за ближайшим углом, и едва не столкнулась с мужчиной, который из-за этого самого угла и вывернул.

— Извините, — пискнула я, не поднимая глаз, и тут же почувствовала руку на своем локте. Держали меня крепко. Еще даже не испугавшись по-настоящему, я вскинула голову и глухо простонала. Передо мной стоял Башка и скалил зубы. Черную футболку он сменил на оранжевую, бейсболка надвинута на самые глаза. Ухмылка не сулила ничего хорошего.

— Какая встреча, — пропел он, а я попыталась освободить свой локоть. Безуспешно.

— Отпустите меня, — сказала сурово, шаря взглядом в поисках заинтересованных прохожих. Их, как назло, не оказалось. — Отпустите, не то так заору...

— А чего орать-то? — удивился он. — Давай лучше поболтаем.

— О чем? — нахмурилась я.

— О жизни. Идем в машину.

— Нашел дуру. Никуда я не пойду.

— Зря. Устроились бы с удобствами. Давай хоть на скамейку присядем. — Он кивнул в сторону остановки, где была скамья.

Решив, что это не особенно опасно, я согласилась.

— Это вы меня искали? — спросила, шагая рядом. Моего локтя он не выпустил, и это беспокоило.

— Я, я... — раздвинул он рот до ушей.

— Зачем?

— Догадайся.

— Если вы из-за... ну, из-за того, что я вас ударила, — скороговоркой выпалила я, — так вы сами виноваты. Не надо было грозить утюгом моей подруге.

— Да я не в обиде.

— Правда? — Само собой, я ему не поверила и радоваться не спешила, а вот извиниться, пожалуй, стоило. — Мне жаль, что так вышло. Простите меня, пожалуйста. Это я с перепугу...

— Чем скорее ты забудешь об этом, тем будет лучше для нас обоих.

Мы устроились на скамье рядом с бабулей, державшей на коленях большую хозяйственную сумку, мой локоть Николай все-таки выпустил из цепких рук, и я подумала: может, все не так скверно?

— Уже забыла.

— Умница. Откуда ты свалилась на мою голову?

Я назвала город, не видя в этом ничего для себя опасного.

— Вот как... Значит, с Ольгой вы подруги? И давно?

— Давно ли мы дружим? — переспросила я. Николай кивнул. — Не особенно. И, честно скажу, после того, что произошло, дружить мне с ней уже не хочется. Я не люблю неприятности.

— Я вообще-то тоже. Ольга сказала, ты из города уехала?

— Это чтобы с ней не встречаться.

— Ага. А на самом деле...

— А на самом деле я здесь.

— Я заметил, — сказал он серьезно. — И что тебя тут держит?

— Ничего особенного, — пожала я плечами. Внезапно меня посетила очередная гениальная идея. — Вы случайно не знаете человека по фамилии Сериков? Сериков Геннадий Алексеевич? — спросила я. — Он бизнесмен.

— Сериков? — нахмурился Николай, внимательно меня разглядывая. — Зачем он тебе?

— Знаете или нет?

— Или нет. Но могу узнать.

— Я была бы вам очень признательна.

— Диктуй номер своего мобильного. Узнаю — позвоню.

Может, Ольга зря на человека наговаривала? И вовсе он не псих... Ага, а кто утюгом грозился? Конечно, псих, но маскируется.

— Телефон, говорю, диктуй! — гаркнул он, а я едва не подпрыгнула и с перепугу номер продиктовала. Он позвонил, мой мобильный ожил, а Коля удовлетворенно кивнул. — Услуга за услугу: ты знаешь, где Игорек?

— Конечно, нет, — обиделась я. — И не вздумайте мне утюгом грозить.

— Но ведь Ольга тебе что-то рассказала?

— Она сама его ищет. И ее муж. По крайней мере, они постоянно гадают, где он может быть. По-моему, Ольга в него влюблена. Лучше бы она своего мужа любила, хлопот было бы меньше.

— Золотые слова, — покивал Коля. — А в пятницу она с Игорьком разве не встречалась?

— В пятницу меня здесь еще не было. И Ольга, к вашему сведению, не особенно со мной откровенничает.

— Чего-то не пойму я вашей дружбы, — загрустил он. — Не откровенничает, к тому же она тебя лет на десять старше...

— Ну и что? Мы не очень близкие подруги, если честно. Можно я пойду? Мне в туалет надо.

— Иди, — кивнул он, я, признаться, решила, что ослышалась. Поднялась и шагнула в сторону, он никак на это не отреагировал.

— До свиданья, — сказала я.

— Двигай. Кстати, в гостинице тебя подруга дожидается.

На последнее замечание я даже внимания не обратила, так радовалась внезапной благосклонности судьбы. Ходко припустилась через дорогу, пару раз обернулась. Николай продолжал сидеть на скамейке и о чем-то увлеченно расспрашивал бабулю. И как все это понимать? Он меня вчера искал, чтобы задать эти дурацкие вопросы? Следует его бояться или нет?

Ломая голову над странным поведением Коли, я вошла в гостиницу и в холле обнаружила Ольгу.

На ней было ярко-красное платье в белый горох, с воланами на рукавах и подоле. На любой другой подобный наряд выглядел бы по-дурацки, но Ольге шел необыкновенно, хоть она и походила в нем на звезду фламенко.

— Здорово, Гертруда, — заголосила она.

— А где парик? — задала я вопрос, подходя ближе.

— На фига он мне?

— Рада, что ты в своем обличье и больше ни от кого не прячешься.

— Где тебя носит? — спросила Ольга с некоторой обидой.

— Не твое дело.

— Ясно. Между прочим, врать нехорошо. Ты ведь сказала, что из города смылась?

— Не было желания с тобой встречаться. И сейчас нет. Откуда ты узнала, где меня искать?

— Николка шепнул. Думала, врет, а ты и вправду тут. Переезжай ко мне, на гостинице сэкономишь.

— Здесь дешево. Ты не могла бы забыть обо мне? Навсегда?

— По-твоему, я свинья неблагодарная? — улыбнулась Ольга, но ответной улыбки не дождалась, вздохнула и сказала, понижая голос: — Помоги мне.

— Опять? — возмутилась я.

— На этот раз по башке бить никого не надо, — порадовала она. — Я ведь рассказывала тебе о своей большой любви?

— Еще бы.

— Ну, вот. Он приезжает.

— Куда приезжает?

— Сюда. Не в эту гостиницу, понятное дело, а в наш город.

— Поздравляю. А я здесь при чем?

— Выслушай меня спокойно, — попросила Ольга. Голос ее был слаще меда. — На его имя заказан номер в гостинице «Заря». У меня там подруга работает. Как только номер забронировали, она мне сразу позвонила. Гостиница лучшая в городе, в другой, само собой, он останавливаться бы не стал. Должно быть, по делам приехал. Ясно, что не ко мне. А увидеть его хочется нестерпимо. Однако просто закатиться туда я не могу, девичья гордость не позволяет. Мы могли бы засесть в баре и дождаться, когда он появится. Тогда встретимся мы вроде бы случайно. Соображаешь?

— Не очень, — ответила я. — Сиди в баре на здоровье, зачем тебе я?

— Одной сидеть в баре неприлично.

Я фыркнула и отвернулась, демонстрируя свое отношение к словам Ольги. Она из тех, кому на приличия наплевать, значит, опять мне голову морочит.

— Не будь дурой, — разозлилась она. — С тем же успехом я могу подойти к нему в холле или в номер заглянуть. Встреча должна выглядеть случайной, мы сидим, пьем кофе, и тут он... Бар на первом этаже, как раз напротив ресепшн. Улавливаешь? Я делаю круглые глаза... А дальше по обстоятельствам. Ни с кем из своих знакомых я там встречаться не могу, сразу же Валерке донесут. До остальных мужиков ему дела нет, но моя единственная любовь очень его печалит. Тут, знаешь ли, ревность особого рода. Он очень бы хотел быть таким, как моя любовь, да кишка тонка. Теперь все ясно?

— А когда он приезжает, тебе известно? — спросила я. Надо признать, взглянуть на Ольгину большую любовь очень хотелось, ее рассказы даром не прошли и продолжали будоражить воображение.

— Номер забронирован на двое суток начиная с сегодняшнего дня. Как только заселится, подруга позвонит.

— И когда мы засядем в баре?

— Завтра с утра. Зашли две подружки выпить кофейку...

— Отчего же не сегодня вечером?

— Вечером мне надо быть в клубе. Дел невпроворот, Валерка злится, у него головной боли без того хватает. К тому же придется объяснять, где меня носит. И встреча утром выглядит куда естественнее. А то что ж получается: приехал человек и сразу на меня наткнулся. Как считаешь?

— Вот уж не знаю. Как успехи мужа? Удалось что-нибудь узнать? — спросила я, имея в виду убийство.

— Молчит и мне в его дела соваться не рекомендует. Учитывая, что один раз я ему малость подгадила, приходится проявлять послушание.

— Разумно.

— Ну, так что? Могу я на тебя рассчитывать?

— Можешь, — немного поразмышляв для солидности, кивнула я.

— Спасибо. Знала, что не откажешь, ты ж добрая... А давай вечером встретимся в клубе? Ужин и выпивка за мой счет. Придешь?

— Не уверена.

Ольга обиженно нахмурилась.

— Чего плохого в том, что я хочу тебя отблагодарить?

— Ладно, созвонимся к вечеру, — кивнула я.

— Пойдем выпьем кофе, — воодушевилась она.

Вместо того чтобы категорически отказаться, я со вздохом согласилась. Бар в гостинице еще не работал, и мы отправились в кафе неподалеку, где и выпили по чашке кофе. Как я и подозревала, Ольга попыталась выяснить, чем я занимаюсь в приятном одиночестве. Я неутомимо задавала свои вопросы, касались они в основном убийства Гордеева. Ольга то ли знать не знала, чем занимается ее муженек, то ли по моему примеру предпочитала о своих делах помалкивать. В общем, беседа наша сплошь состояла из вопросов, на которые никто и не думал отвечать.

Утомившись моей несговорчивостью, Ольга взглянула на часы, должно быть, собираясь меня покинуть, и тут у меня зазвонил мобильный. С некоторым сомнением я ответила и очень удивилась, услышав голос Коленьки.

— Нашел я твоего Серикова, — сказал он, я покосилась на Ольгу, гадая, слышит она его слова или нет, и на всякий случай решила отойти подальше, буркнув:

— Извини. Это я не вам, — добавила поспешно, на этот раз обращаясь к Коле, и быстрым шагом достигла холла, где могла не бояться, что Ольга нас услышит.

— У него фабрика в пригороде, улица Семашко, дом один «а». Домашний адрес нужен? Но это займет время.

— А что за фабрика?

— Хрен знает. Вроде двери на заказ делают.

— А это точно он?

— Другого бизнесмена Серикова у нас нет.

— Спасибо, — промямлила я и вернулась в зал.

Ольга со скучающим видом просматривала газету, и, только подойдя ближе к столу, я поняла, что ее она достала из моей сумки. У меня возникло непреодолимое желание шваркнуть ее по голове тяжелым предметом, хотя злиться прежде всего следовало на себя: прекрасно зная ее привычки, оставлять сумку без присмотра не стоило. Я собралась высказаться на этот счет, но Ольга меня опередила.

— Где ты взяла это старье? — спросила она с недоумением, а я порадовалась, что ее знакомство с газетой ограничилось первой полосой, по крайней мере не похоже, что она успела просмотреть ее целиком.

— Тебе надо лечиться от клептомании, — сказала я, забирая газету, сложила ее и сунула в сумку, не забыв проверить, на месте ли паспорт.

— При чем здесь клептомания? — удивилась Ольга.

— Притом. Еще раз посмеешь сунуть нос в мою сумку...

— А кто тебе звонил? — нахмурилась она.

— Я уже жалею, что опять с тобой связалась, — честно сказала я.

Ольга махнула рукой, демонстрируя свое отношение к данному высказыванию, но обычная смешливость вдруг ее покинула, то есть она продолжала ухмыляться, однако взгляд был серьезным, мне чудилось в нем некое беспокойство, хотя тут наверняка не скажешь, может, я просто фантазирую.

Минут через пятнадцать мы покинули кафе, Ольга проводила меня до гостиницы, где стояла ее машина, белая «Мазда».

— До вечера, — сказала она, садясь в машину, а я поднялась в номер, чтобы принять душ. Недавняя Ольгина выходка с газетой теперь беспокоила куда больше. Видела она статью о похищении или нет, но настроение моей подруги заметно изменилось. А может, ее насторожил телефонный звонок? С какой стати? Постепенно на смену этим мыслям пришли другие: стоит попытаться встретиться с Сериковым или разумнее подождать? Для начала неплохо бы решить, что я ему скажу? Всю правду? В этом случае для меня все закончится весьма плачевно. Значит, придется быть осмотрительной. Но если не сообщать о Генриетте, нет уверенности, что Сериков вообще захочет со мной говорить.

И еще одна мысль не давала мне покоя: с какой стати Николай вдруг решил мне помочь? Такие типы должны быть злопамятны. Я его битой по голове, а он мне — дружескую услугу. Может, зря его Ольга психопатом считает? Вряд ли. Ее рассказам я бы не поверила, а вот утюг в его руках видела своими глазами. Выходит, оказывая мне услугу, он преследовал некие цели, мне, к сожалению, неизвестные. Явлюсь я по указанному адресу, а там нет никакой фабрики. И окажусь в ловушке. Я почти смогла убедить себя: так и будет. Вышла из ванной, легла на кровать, но тут же вскочила и принялась нервно бегать. Очень хотелось встретиться с Сериковым, но перспектива оказаться в руках типов вроде Коленьки по-настоящему пугала. Ехать или нет?

Так ничего и не решив, я быстро оделась и спустилась в холл. Сегодня дежурила другая девушка.

— Вызвать такси? — спросила она, видя, что я в большой задумчивости замерла возле стойки.

— Да, — кивнула я. Прокатиться до улицы Семашко мне ничто не мешает, из машины я могу не выходить...

Ехать пришлось довольно долго. Возле огромного торгового центра мы свернули.

— Какой номер дома? — уточнил водитель, я ответила, разглядывая ветхие постройки за окном.

Улицей это назвать было трудно, гаражи и нечто похожее на дачные участки — все вперемешку. Мысль о Колином коварстве казалась теперь более чем вероятной. Водитель притормозил возле панельного дома с цифрой 1 на фасаде, прямо за домом начинался забор из сетки-рабицы.

— Там должна быть фабрика, — сказала я, весьма сомневаясь в ее существовании.

— Вон указатель, — ткнул водитель пальцем куда-то вправо, как раз в тот момент, когда я собиралась просить его отвезти меня назад в гостиницу.

Указатель в самом деле был, надпись на доске «Двери на заказ» и стрелка. Мы проехали еще метров двести и увидели одноэтажное здание, похожее на конюшню. Возле железной двери курили двое мужчин.

— Подождите меня, пожалуйста, — попросила я водителя, приоткрыла дверь и крикнула: — Простите, а где фабрика?

— Двери хотите заказать? — в свою очередь спросил один из мужчин.

— Я ищу Серикова Геннадия Алексеевича.

— Он скоро подъедет.

И что мне делать? Отпускать такси страшно, а ждать водитель вряд ли согласится. Тут появилась еще одна машина, из нее вышли мужчина и две женщины, направились к железным дверям, о чемто разговаривая. Не похоже, что здесь бандитское логово, хотя место самое подходящее. Водитель посмотрел на меня с сомнением, я расплатилась и вышла.

За железной дверью оказался самый обычный офис с выставленными вдоль стены образцами дверей. Приехавшие заказчики разговаривали с менеджером. Дверь в соседнее помещение была открыта, там находился цех. Мои представления о фабрике следовало пересмотреть. Ни тебе проходной, ни охраны... В статье говорилось, что Сериков — крупный бизнесмен. Как-то не похоже... Пока я размышляла над этим, появился еще один мужчина в темно-синей спецовке.

— Вам помочь? — спросил, обращаясь ко мне.

— Я жду Геннадия Алексеевича.

Мужчина кивнул, сел за стол и уткнулся в компьютер, потом, точно опомнившись, предложил:

— Вы присаживайтесь, — он кивнул на стул, и я покорно села.

Входная дверь распахнулась, и я увидела мужчину лет сорока пяти, в руках он держал кожаную папку, прошел мимо, не обратив на меня внимания, и скрылся за дверью напротив, где, должно быть, находился еще кабинет.

— Это Геннадий Алексеевич? — обратилась я к мужчине за компьютером. Он посмотрел с некоторой растерянностью, как видно, успев забыть обо мне, и кивнул.

Я подошла к двери и постучала, пытаясь справиться с волнением.

— Заходите, — сказал мужчина в спецовке: вероятно, стучаться к начальству здесь было не принято.

Кабинет оказался совсем маленьким, хозяин кабинета просматривал бумаги.

— Геннадий Алексеевич?

— Да, — равнодушно отозвался он.

Разволновалась я не на шутку, а еще злилась на себя, потому что понятия не имела, как начать разговор.

— Я бы хотела поговорить с вами.

Он смотрел на меня без особого интереса, скорее с недоумением.

— Слушаю... присаживайтесь, — вспомнив о вежливости, предложил он.

Я устроилась за столом, покопалась в сумке и достала газету, развернула ее дрожащими руками и пододвинула к нему.

— Простите, в этой статье говорится о вас?

Он взглянул на газету, но почти сразу отложил ее в сторону.

— Где вы ее взяли?

— Разве это так важно? Газету я увидела случайно...

— Очень интересно. И что дальше? — Он нахмурился и теперь не отрываясь смотрел на меня. Под его взглядом я почувствовала себя очень неуютно. Надо было на что-то решаться.

— Девушка, о которой говорится в статье, Надежда Захарова... я встретила ее неделю назад.

— Где? — Лицо его оставалась спокойным, только нахмурился он еще больше, голос звучал ровно, как будто его мои слова ничуть не удивили. Я назвала город и добавила:

— Кажется, это была она.

— Кажется? — усмехнулся он.

— Я не могу быть абсолютно уверена, фотография не очень хорошего качества, но... девушка, которую я встретила, и та, что на фото, невероятно похожи.

— Вы рассчитываете на вознаграждение? — помолчав, задал он вопрос, в нем не было иронии или тем более насмешки.

— Нет, — поспешно ответила я. — Девушка меня очень заинтересовала. Она мне показалась странной, а потом, уже здесь, я увидела эту газету.

— Удивительно, что она сохранилась. Я хочу знать, где вы ее нашли.

— Если честно, я ее украла в библиотеке, — соврала я и покраснела, потому что стало ясно: Сериков понял, что я вру.

— Допустим, — кивнул он. — Вас не интересует вознаграждение. Тогда зачем вы пришли?

— Из-за девушки... Мы встречались несколько

раз, она приходила в кафе, я там обычно обедала. А еще я хотела бы помочь вам...

— Найти дочь? — спросил он ровным голосом. — Сомневаюсь, что это возможно. Я так понял, с девушкой, похожей на Надежду, вы знакомы не были?

— Нет, — покачала я головой, проклиная себя за то, что взяла чужой паспорт.

— Фото не лучшего качества, тут вы правы... Я думаю, это не более чем сходство. Прошло десять лет... — Он пожал плечами и отвернулся. — Первое время я хватался за соломинку, но теперь... Маловероятно, что моя дочь... — Он не договорил, кадык нервно дернулся, и стало ясно: спокойствие дается ему с большим трудом.

— Геннадий Алексеевич, я бы очень хотела вам помочь, — пролепетала я, подозревая, что сейчас мне укажут на дверь. Не такой реакции я ждала. Думала, он завалит меня вопросами, а он вроде бы совсем не расположен говорить о той трагедии. Впрочем, чему удивляться? Десять лет прошло. Сколько раз за это время надежда вспыхивала в нем, а потом исчезала, заставляя страдать еще больше. Он свыкся со своей потерей, научился с этим жить. С моей стороны очень жестоко напоминать ему о прошлом.

— Я вам верю, — ответил он и уставился в мои глаза, словно что-то пытаясь в них прочесть. Я опустила голову, не выдержав его взгляда. Если я покажу ему паспорт, он убедится в правоте моих слов, но тогда мне одна дорога — в полицию. Я почти уверена, что Генриетта погибла, следовательно, толку от моего рассказа будет немного, ниточка оборвется, а вот мне придется нелегко. «Показать паспорт я могу и позднее», — трусливо решила я и сказала:

— Вы подозревали Надежду?

— Нет, — вздохнул он. — То есть в какой-то момент, конечно, подозревал. У нее ведь была больная мать, подобные операции тогда делали только за границей, нужны были деньги. Семья самая обычная, и найти необходимую сумму... В общем, вы понимаете. Но мать Надежды умерла через несколько дней после похищения. Сердце не выдержало. Наверное, не следовало сообщать ей...

— В статье говорится, что об исчезновении дочери вы заявили только на третий день. Это правда?

— Правда. Я вернулся из больницы около восьми, ребенок и няня отсутствовали. Мобильный Надежды отключен. Я бросился в общежитие, где она жила, потом позвонил ее родителям. Отца дома не оказалось, я разговаривал с матерью. Женщина не знала, где ее дочь. Я поехал в милицию, по дороге мне позвонили.

— Потребовали выкуп?

— Да... огромные деньги. Разумеется, предупредили, что ребенок погибнет, если я обращусь в милицию. Я объяснил, что, чтобы собрать необходимую сумму, мне понадобится несколько дней, они мне дали сутки. О моих делах похитители были осведомлены очень хорошо.

— Но почему вы сразу не обратились в милицию?

— Они сказали, что убьют ребенка. В тот момент мне было важно вернуть дочь... любой ценой... а милиции я не особенно доверял. Наверное, мое поведение покажется вам глупым, но, когда человек оказывается в такой ситуации, редко кто способен сохранить здравый смысл. Я собрал всю сумму, собрал за несколько часов. Помогли друзья. Я рассуждал так: верну дочь, а потом разберусь... Оставил выкуп в условленном месте. Мне сказали, что ребенка я найду в центральном парке в шесть часов утра. Я ждал до двенадцати, а потом поехал в милицию. Они сделали все, что могли, но свою дочь я больше не видел. Ей было всего три года...

— Вы сказали, похитители оказались хорошо осведомлены о ваших делах...

— Возникла версия, что это кто-то из близких. Одной из подозреваемых стала Надежда, хотя я с самого начала сомневался. Она очень привязалась к Юле, и представить, что она... Даже ради денег, ради больной матери она бы не смогла...

— А если ее тоже обманули? Если она была уверена: ребенка вам вернут живым и здоровым?

— Тогда, скорее всего, ее нет в живых и вы встретили похожую на нее девушку. За эти годы ко мне не раз приходили люди, которые якобы видели ее. Последний случай совсем недавний: два месяца назад позвонила женщина из Трубного, утверждала, что видела Надежду возле родительского дома. Конечно, я отправился к ее отцу. Он выгнал меня. Его можно понять: он, как и я, лишился своего ребенка, а тут еще эти подозрения.

— А если все-таки...

— Это «если» не дает мне покоя уже много лет. Конечно, два месяца назад я опять пошел в полицию и даже нанял частного детектива. После похищения я продал свой бизнес, чтобы расплатиться с друзьями. Но кое-какие деньги у меня все-таки есть... За домом Захарова установили круглосуточное наблюдение, все звонки старика проверили... собственно, никаких подозрительных звонков и не было. Один раз вызывал врача, дважды ему звонили из собеса. Вот и все. Он живет отшельником.

— Вам пришлось продать бизнес. Что, если именно этого похитители и добивались? — сказала я. Сериков криво усмехнулся.

— Любите детективы?

— Не люблю, — отрезала я.

— Эту версию тоже рассматривали. Действительно, был человек, которому не терпелось прибрать к рукам все, что я создал.

— И он получил что хотел?

— В конечном итоге да. Но... доказать его причастность к похищению не удалось. Я ведь уже сказал: всех возможных подозреваемых тщательно проверили... никаких зацепок. У Надежды был друг, он тоже оказался под подозрением. С тем же результатом. Ни-че-го, — произнес он по слогам. — Моя дочь и няня исчезли бесследно. Как будто их и не было никогда.

— Вы сказали, что наняли частного детектива. Отправьте его в мой город. Кафе «Каприз» на набережной, официанты должны помнить девушку, похожую на Надежду, и меня тоже. Там мы встречались.

— Но... вы ведь не были знакомы? — нахмурился он. — Я правильно понял?

— Мы встречались несколько раз. Однажды она подсела за мой столик, но своего имени не назвала. Это была одна из ее странностей. Мы разговаривали, но о себе она ничего не рассказывала. Еще тогда у меня возникло подозрение: у нее есть тайна, которая мучает ее. Звучит мелодраматично, но это так. А потом она исчезла, по крайней мере в кафе я ее больше не встречала. Если бы газета попалась мне на глаза тогда... я бы смогла проследить за ней, выяснить, где она живет. Но я узнала об этой истории позднее, когда оказалась здесь.

— Откуда у вас газета? — все-таки спросил он.

— Нашла на чердаке заброшенного дома, — вздохнула я. — Там была целая кипа газет и журналов, но я из всех натолкнулась на эту. Невероятное совпадение. Вот я и решила, что обязана вам помочь.

— Да, история странная, — глядя на меня с сомнением, произнес он. — Если только...

— Если только я говорю правду? Я говорю правду. Не всю, к сожалению. На это у меня есть причины. Из-за них я пришла к вам, а не в полицию, как следовало бы. Но поверьте, то, о чем я промолчала, к исчезновению вашего ребенка не имеет отношения.

— Я позвоню детективу. Это лучше, чем обращаться в полицию. За эти годы я столько раз... Они не говорят мне это, но я уверен: они считают, что моя дочь мертва. Если ваши слова подтвердят в кафе... Даже не знаю, как я к этому отнесусь... Моя жена все эти годы... Теперь у нас есть сын, ему семь лет, но... она все еще надеется на чудо.

— А вы?

— Я точно знаю: чудес не бывает, — усмехнулся он. — В любом случае, спасибо, что пришли.

— Если мои слова подтвердятся и детектив нащупает след... вот мой номер. Встречаться с полицией мне бы не хотелось, однако, если понадобится, я готова. — Он покачал головой с едва заметной улыбкой, а я спросила: — Что?

— Пытаюсь отгадать, что такого вы могли натворить. Сбежали из дома, прихватив семейные ценности?

— Просто сбежала. И не вернусь, что бы ни случилось.

— Вот как... что ж... все более-менее ясно. Я вам благодарен и... Если вам мое поведение кажется странным... Я просто устал хвататься за соломинку.

— Если я вдруг что-то узнаю... могу я вам позвонить?

— Разумеется. — Он написал номер на листке бумаги и протянул мне.

К торговому центру я шла пешком, надеясь обнаружить там такси или воспользоваться троллейбусом, чтобы добраться до гостиницы, и прокручивала в голове недавний разговор. Собственно, не так много я узнала. Хотя... возможно Генриетта была в родном городе два месяца назад и действительно навещала отца. Он знает, что она жива, поэтому не захотел говорить со мной? Или встретиться с ним она не рискнула, просто желала убедиться, что он жив-здоров. Десять лет не иметь возможности увидеться с близким человеком — не слишком ли велика цена? Но если Генриетта жертва, а не преступница, что мешало ей довериться отцу? Он мог ее обвинить в смерти матери и вычеркнуть из своей жизни. Предпочитает считать дочь погибшей, это лучше, чем считать ее убийцей ребенка. Знает отец или нет, что Генриетта жива, — была жива еще недавно, поправила я себя, — приходится лишь гадать. Можно попробовать встретиться с ним еще раз...

И тут на ум пришла некая странность, на которую мне уже давно следовало бы обратить внимание. Мужчина в Трубном был высокого роста, пытаясь его разглядеть, я вскинула голову. Помню это совершенно отчетливо. А на фотографии в газете отец Генриетты толстяк, ростом сто шестьдесят сантиметров, не более. Они стоят рядом, и Генриетта выше его... Я торопливо достала газету, так и есть, мы с ней приблизительно одного роста, это что же получается? Допустим, он мог похудеть, но вряд ли вырос. Господи, с кем я тогда разговаривала?

Теперь я почти бежала, заметив свободное такси, отчаянно замахала руками, а когда машина остановилась, я, не раздумывая, назвала водителю адрес. Я хотела как можно скорее встретиться с отцом Надежды.

Пока мы ехали на другой конец города, я пыталась найти разумное объяснение той самой странности. Может, за дверью есть несколько ступенек и он стоял на одной из них? Дверь открывалась вовнутрь, так что никаких ступенек нет. У него был в гостях кто-то из родственников? Это куда больше похоже на правду. Меня отфутболили, чтобы я не досаждала старику. По словам соседки, нет никаких родственников. Он держался за приоткрытой дверью словно нарочно, чтобы я не могла его видеть. Тогда мне это не показалось подозрительным. А теперь?

Наконец впереди возник поселок. Водитель ворчливо осведомился, где меня высадить, а я принялась путано объяснять.

— Вы не могли бы меня подождать? — спросила я.

— У меня смена кончилась, — буркнул он. — Я здесь остановлюсь, дальше не развернешься.

Очень не хотелось оставаться одной, но пришлось согласиться. По тропинке, на которую в прошлый раз указала соседка, я направилась к дому. День солнечный, на небе ни облачка, а тут все выглядит таким мрачным...

Я замерла возле забора, разглядывая окна. Стыдно признаться, но я боялась подойти ближе, дом, словно живое существо, недоброе, опасное, источал угрозу. «Фильмы ужасов надо меньше смотреть», — разозлилась я и заставила себя подняться на крыльцо. Надавила кнопку звонка. Один раз, второй, третий. Прислушалась. Все та же жуткая тишина. Хозяин должен быть дома, по словам соседки, он редко покидает свое жилище. А если ему стало плохо? Или он все-таки отправился прогуляться?

— Гостей здесь не ждут? — услышала я за своей спиной и подпрыгнула от неожиданности. Возле забора стоял Коля и ухмылялся.

— Что вы здесь делаете? — испугалась я. Встреч с ним, по понятной причине, я не искала, особенно в таком месте. С другой стороны, он мне помог... Может, не стоит паниковать раньше времени?

Не удостоив меня ответом, Коля не спеша подошел, поднялся на крыльцо и, заставив меня посторониться, подергал дверь. Она была заперта.

— Вы что, следите за мной? — вновь спросила я.

— Догадливая, — кивнул он с усмешкой. — Откуда вдруг такой интерес к дням давно минувшим?

— Что вы имеете в виду? — пролепетала я, на всякий случай отступив на несколько шагов.

— То тебе Сериков понадобился, теперь вот сюда потащилась...

— Я...

— Потом расскажешь. В доме должна быть еще дверь, давай прогуляемся, — предложил он.

Я гадала, стоит идти за ним или правильнее будет бежать, но, когда Коля скрылся за углом, отправилась следом. Вторая дверь выходила в сад, хотя садом заросший крапивой участок с тремя яблонями и провалившимся колодцем назвать можно лишь условно.

Еще только заметив дверь, я поняла, что она не заперта. Деревянная, с облупившейся краской, она чуть поскрипывала. Николай распахнул ее и позвал:

— Хозяева! Есть кто дома?

Не дождавшись ответа, он вошел в просторные сени, сквозь прохудившуюся крышу просвечивало небо.

— Бомжатник, — фыркнул Николай, оглядываясь. — Ты уверена, что здесь кто-то живет?

Лестница в один пролет вывела нас в узкий коридор, тут были две двери, одна распахнута настежь. Я немного осмелела и, теперь держась рядом с Колей, заглянула в комнату. Передо мной была кухня со старенькой мебелью. Стойкий запах сырости, к которому примешивалось еще что-то.

— Тухлятиной пахнет, — заявил Николай, по-хозяйски прогулялся по просторной кухне, приподнял крышку на кастрюле, что стояла на плите, и скривился. — Хозяин давно отсутствует.

«Он сказал — хозяин», — отметила я, выходит, знает, кто здесь живет.

— А дом почему-то не запер. Похвальная вера в честность себе подобных. Хотя воровать тут, похоже, нечего.

— Вдруг ему стало плохо? — предположила я.

Из кухни мы прошли в гостиную с бархатными шторами на окнах, такой же скатертью на столе и резным буфетом. Стекла в буфете давно не мыли, а бархат побит молью. Запустение, царившее в доме, вызывало острую жалость к его хозяину. Вот только где он сам?

В двух следующих комнатах мы его тоже не обнаружили. Одна из них была спальней, кровать у стены разобрана, на тумбочке лежали Библия и очки в черепаховой оправе. На спинке кресла фланелевая рубашка, та самая, которая была тогда на мужчине. Последняя комната, без сомнения, когда-то принадлежала Надежде. Розовые шторы, пушистый плед на кровати, стереосистема, в углу плюшевые игрушки, книжный шкаф и фотографии. Много фотографий. А еще слой пыли на всех вещах. Вряд ли сюда часто заглядывали.

— Руками ничего не хватай! — прикрикнул Николай, видя, как я потянулась к одной из фотографий. На ней Надежда сидела в кресле, держа на руках девочку с косичками — Юлю Серикову. — Никого, — вздохнул Коля, а я напомнила:

— Там еще одна дверь.

Мы вернулись в коридор, дверь, которую я имела в виду, вела в чулан. Николай нашарил выключатель, вспыхнул свет. Какая-то допотопная мебель, коробки, зимняя одежда висела на гвоздях, ее лет двадцать никто не надевал. Запах здесь был нестерпимый, от него першило в горле.

— Блин, — выругался Коля, шагнув к подсервантнику, выкрашенному когда-то темно-синей краской, дверцы его закрывались на крючок. Он распахнул их и вновь выругался, на этот раз куда эмоциональнее, что-то стукнулось об пол, я вытянула шею и тут же заорала, сообразив, что передо мной. Коля чуть отступил в сторону, и я смогла разглядеть ногу с задранной брючиной, черные носки с дырой на пятке. — Не ори! — рявкнул Коля, бросившись ко мне и хватая меня в охапку. — Хотя ори, если так легче, вряд ли кто услышит.

Но теперь орать сил у меня не было, я завороженно смотрела на тело, которое запихнули в подсервантник. Седые волосы и рука с обручальным кольцом.

— Господи... — начала я, но тут же стиснула рот рукой, боясь, что меня вырвет.

— Не вздумай падать в обморок, — предупредил Коля. — Только этого мне не хватало. Отвернись и не дергайся, а я его осмотрю.

Я зажмурилась, борясь с тошнотой, слыша, как он возится возле подсервантника. «Мне надо его увидеть, — подумала я, вовсе не Колю имея в виду. — Конечно, надо, чтобы убедиться». Но открыть глаза было страшно. И все же я заставила себя сделать это.

Труп Коля успел вытащить, и теперь он лежал у его ног. Наклонившись, Николай, что-то насвистывая, его разглядывал. Глубоко вздохнув, я решительно шагнула к нему. Лицо покойника выглядело ужасно, и все-таки определенное сходство с фотографией в газете было. Невысокого роста, полный... Передо мной, без сомнений, был отец Надежды Захаровой.

— Придушили старичка, — сказал Коля. — Весьма характерный след на шее. Хотя, может, он сам удавился, а потом сюда залез от стыда за свой неблаговидный поступок. Эй, — нахмурился он, глядя на меня, и чертыхнулся. — Согласен, зрелище не для нежных девичьих глаз, но таращиться на него тебя никто не просил. Идем.

Он схватил меня за руку и поволок вон из дома. Оказавшись на улице, я едва не повалилась в траву. Коля тряхнул меня и сказал просительно:

— Потерпи. Здесь рядом моя машина.

Мне казалось, что шли мы до нее очень долго. Коля распахнул передо мной дверцу джипа и помог сесть. Достал с заднего сиденья бутылку с водой и сунул мне в руку. Минералка была теплой, а запах все еще преследовал меня. Сделав глоток, я вернула бутылку Коле.

— Нашего покойника ты знаешь? — спросил Николай, устроившись в водительском кресле.

— Это хозяин дома, Захаров. То есть я так думаю... уверена, что он. Вчера я приезжала сюда, разговаривала с ним... вернее, он не пустил меня в дом.

Я разговаривала с другим человеком, тот был высокий, а этот... — Я продолжала говорить, заподозрив, что объясняю все крайне бестолково, однако основную мысль Коля уловил.

— Ты говорила с высоким мужиком в очках и фланелевой рубашке, который не хотел, чтобы ты его видела?

— Да...

— Старика в подсервантник запихнули примерно сутки назад. Выглядит он паршиво, что неудивительно, учитывая жару... Ты была здесь одна?

— Меня водитель ждал, в такси, напротив дома...

— Поздравляю, — хмыкнул Коля. — Очень может быть, благодаря этому факту тебя не сунули в подсервантник с хозяином на пару.

— Ты хочешь сказать... — растерялась я.

— Я хочу сказать, что вчера ты столкнулась с убийцей.

Я таращилась на него во все глаза, чувствуя, что челюсть у меня отвисла и выгляжу я на редкость глупо. Но, несмотря на некую толчею мыслей в моей многострадальной голове, уже готова была согласиться: Коля прав.

— Он придушил старика, а тут и тебя черт принес. Что ему было делать? Ты могла поднять шум... Предположим, он бы беспрепятственно покинул дом, воспользовавшись задней дверью, но ведь его мог кто-то увидеть, его самого или машину, не пешком же он сюда явился. К тому же он не знал, одна ты приехала или нет, и допускал мысль, что кто-то наблюдает за домом. Единственный выход — выдать себя за хозяина.

— Но почему он был уверен, что я его не узнаю?

— Хороший вопрос. Либо он точно знал, что с хозяином ты раньше не встречалась, либо решил рискнуть. Нацепил рубашку старика и его очки... Маскарад удался, ты убралась отсюда, а он спрятал труп, рассчитывая, что найдут его далеко не сразу.

— Соседка сказала: старик почти не выходил из дома, в магазине и то появлялся раз в месяц.

— Вот видишь... дом на отшибе, и на запах еще долго не обратили бы внимания. Теперь вопрос: кому понадобилось его убивать?

— Ты ведь не меня об этом спрашиваешь? — возмутилась я.

— Конечно, тебя, — проворчал Коля. — Кого же еще? Зачем-то тебе понадобилось его навещать.

Ответить на этот вопрос было совсем не просто, особенно в том состоянии, в котором я пребывала. Надо срочно придумать внятную историю для этого типа... А в голове пусто. К тому же совсем недавно Коля поинтересовался, «откуда такой интерес к дням минувшим», и связал старика с Сериковым. Выходит, ему известно о той давней истории. Успел проявить любопытство?

— Наверное, нужно вызвать полицию, — сказала я, надеясь выиграть время.

— Еще чего, — хмыкнул Коля. — У нас взаимная аллергия друг на друга.

— Но мы не можем оставить труп в доме...

— Мы его уже оставили, — напомнил он. — Полежит чуток, ему все равно, а мне неприятности не нужны.

— Но мы ведь ничего плохого не сделали.

— Точно. Но это еще понадобится доказать. Ты не спешишь рассказывать о старике мне, значит, и на вопросы следователя отвечать вряд ли захочешь.

— Мне нечего скрывать, — запальчиво сказала я.

— Да? Ну, так начинай рассказывать.

— Хорошо, — подумав, кивнула я. — Пусть старика найдет кто-то другой.

— Пусть. Но на мои вопросы все равно придется ответить.

— Можно, ты устроишь мне допрос позднее, меня опять тошнит... — Договорить я не успела, Коля схватил меня за шею и так ее сжал, что уже через мгновение я начала задыхаться, а глаза полезли на лоб. Я попыталась перехватить его руку, но это Колю лишь разозлило еще больше. Когда я мысленно простилась с жизнью, он меня вдруг отпустил.

— Мы можем играть в эту игру до бесконечности, — с кривой ухмылкой заявил он. — Посмотрим, кому она скорее надоест.

— Псих, — прохрипела я, распахнула дверь, надеясь выпрыгнуть из машины, но Коля вновь схватил меня, на этот раз за плечо, больно дернул, и я заподозрила, что на всю жизнь останусь инвалидом. Впрочем, если так пойдет дальше, жить мне недолго.

— И вовсе я не псих, — заметил Коля с обидой. — Немного нервный — это да, не люблю, когда мне голову морочат.

Он потянулся к моей сумке, я запаниковала, вспомнив про газету, но изменить уже что-либо была не в силах. Газету он, конечно, достал. Быстро просмотрел и на статью, разумеется, обратил внимание.

— Сиди тихо, — предупредил он и стал читать. Это не заняло много времени. Закончив чтение, Коля задумался, глядя прямо перед собой, вроде бы забыв обо мне. Я сидела не шевелясь, надеясь улучить момент и выскочить из машины, хоть и понимала: выскочить мало, надо еще успеть добежать до ближайшего жилья, а Коля на машине, да и бегает, наверное, не хуже, чем я. Но попробовать стоит. — Н-да, — нахмурился Коля, сворачивая газету. — Я успел подзабыть об этой истории. Скажи на милость, тебе она зачем?

У меня уже была вполне приемлемая версия, которую я готовилась ему поведать, но тут удача отвернулась от меня, причем резко и, очень возможно, навсегда. Коля достал из сумки мой паспорт и решил в него заглянуть.

— О-па, — пропел он и повернулся ко мне в крайнем недоумении. — Деточка, ты не перестаешь меня удивлять. — Он опять сгреб газету и сверил фотографию. — Откуда у тебя этот паспорт да еще с фотографией Захаровой, которую зовут почему-то не Надежда, а Генриетта?

— Я его нашла. Точнее, нашла сумку, в которой был паспорт и немного денег. А потом мне на глаза попалась газета и...

— И ты решила поиграть в сыщика? Я думаю, что смог бы вытрясти из тебя кучу интересных подробностей, но... — Пока он это говорил, я замерла от ужаса, однако «но» вселяло определенные надежды, и я перевела дух. Оказывается, чересчур поспешно. — Сейчас меня куда больше волнует другое... Девка, которую считают погибшей, до недавнего времени жила себе в сибирском городке, судя по регистрации... Ты являешься сюда... И что мы видим? Свеженький труп. Кому-то не по нраву, что ты копаешься в давней истории. То есть тот, кто все это когда-то затеял, находится поблизости и за тобой приглядывает.

«А ведь точно, — мысленно ахнула я, но тут же сникла, потому что в голове вновь все перепуталось. — О своем интересе к похищению Юли Сериковой я никому не рассказывала. Однако встречалась с Наташей, подругой Надежды. Похищение совершил кто-то из близких к Серикову или Захаровой людей, и Наталья могла сообщить ему о моих настойчивых вопросах. Ольга и Валера видели мой паспорт... Маловероятно, что на фотографии они узнали Надежду. Николай, к примеру, точно бы не узнал, если б не газета в моей сумке. Значит, Наташа... или ее муж, он присутствовал при начале нашего разговора. Кому они могли рассказать обо мне? Да кому угодно, просто так, к слову... Но тот, кто совершил преступление десять лет назад, узнал об этом... Но зачем понадобилось убивать Захарова? Ответ очевиден: старику известно, что его дочь жива. Два месяца назад соседи видели женщину, похожую на Надежду. И она собиралась приехать сюда опять, что и подтверждает наличие в сумке билета на поезд. Убийца решил: если Надежда еще не открылась отцу, то может сделать это теперь... Но вместо нее явилась я...» Строить предположения можно сколько угодно, но в одном Николай прав: убийца совсем рядом и сделает все, чтобы и через десять лет никто не напал на его след.

— Чего глаза таращишь? — ткнул меня локтем в бок Коля. — Отзовись...

— Что?

— Я думал, ты язык проглотила. Загадала ты мне, милая, загадку, — хмыкнул он. — Но ничего... оно и к лучшему. Никогда не знаешь, на чем заработаешь. Может, деньги сами идут мне в руки...

— Какие деньги?

— Пока не знаю. Но любую информацию всегда можно выгодно продать. Паспорт я у себя оставлю, — сказал он, сунув его в карман.

— Верни немедленно! — заголосила я.

— Паспорт не твой, и никаких прав ты на него не имеешь. А нам пора отсюда выметаться. Не ровен час кто-то обратит внимание на наши посиделки.

Он завел машину и поехал по лесной дороге, чтобы не заезжать в поселок.

— Верни паспорт, — попросила я.

— Ага, сейчас.

Тут я сообразила, что мы углубляемся в лес, причем в противоположную от города сторону. Минут через десять Коля вновь заглушил двигатель и повернулся ко мне.

— Хорошо, не возвращай, — промямлила я, физиономия у него в тот момент была до того подлой, что я заподозрила: никакой паспорт мне уже не понадобится.

— Помнится, Ольга тебя Генриеттой звала, — сложив на груди руки, произнес Николай. — Хотелось бы взглянуть на твой документик.

— У меня нет документов, — ответила я.

— И в гостинице ты зарегистрировалась по чужому паспорту? Самое время растолковать мне, с какой стати.

Ух, как я проклинала себя за глупость. Какой человек в здравом уме решит жить по чужим документам?

— Я сбежала из дома. Нашла сумку с паспортом и подумала, что некоторое время смогу им пользоваться, — сказала я жалобно, не очень рассчитывая, что он поверит. — Я говорю правду. К родителям я возвращаться не хочу, по крайней мере сейчас, и паспорт был очень кстати. Но когда я нашла газету...

— Случайно?

— Да, случайно... в общем, ты прав, идея заняться частным сыском очень неудачная.

— Значит, Ольге ты тоже голову морочишь или она в курсе твоих выкрутасов?

— Я ей рассказала то же, что и тебе. Пришлось рассказать, она паспорт видела.

— И где вы обрели друг друга?

— В гостинице, рядом с ночным клубом. Я только приехала, а ее там муж держал под домашним арестом. Я помогла ей сбежать.

— Какая у тебя насыщенная жизнь. — Он принялся задавать вопросы, а мне пришлось на них отвечать. Без всякой охоты, но максимально быстро, так что до рукоприкладства не дошло. — К Серикову зачем ходила?

— Хотела расспросить о Генриетте, то есть Надежде.

— Ну, и что он тебе рассказал?

— О том, что он мне рассказал, можно прочитать в газете. Новостью было лишь то, что два месяца назад в Трубном видели похожую на нее женщину.

— Где ты взяла газету?

— Это тебя надо благодарить. Администратор сообщила, мною кто-то интересовался, я испугалась, сбежала из гостиницы, решив, что спрашивал меня ты, потому что здорово злишься, ну... из-за того, что случилось в Ольгиной квартире. Болталась по городу, а потом забрела в заброшенный дом. Там валялись газеты и журналы. Я начала их листать от нечего делать и натолкнулась на статью. Если ты мне не веришь, могу показать этот дом. Там газет еще много валяется.

— Чудеса, — покачал головой Коля. — Это так глупо, что вполне может быть правдой.

— Правда, правда. Поедем, и сам убедишься. Коля, — позвала я. Он поднял брови в большом удивлении, а я с опозданием сообразила: обращаться так к нему не стоило. А как же тогда? По имени-отчеству? Но отчества я не знаю. — Ты будешь убийцу искать, да?

— Я сам сейчас убийцей стану, если ты не заткнешься.

— Я же просто спросила... Мне очень важно знать, что произошло десять лет назад...

— Еще бы, — фыркнул он.

— И я бы могла тебе помочь.

— В обмен на паспорт?

— Просто помочь. А если тебе не нравится, что я назвала тебя Колей, скажи, как я должна к тебе обращаться.

— Так и обращайся. И ради бога, помолчи... Трындец, — покачал он головой. — Сидит соплюха в моей тачке, глаза таращит, и я уже поплыл... Старею, наверное. А что касается поиска убийцы... Боюсь, он сам нас найдет. Не меня, а тебя, конечно. Настроен он серьезно, если старика в расход пустил.

— Ты думаешь, он попытается... — заволновалась я и от этого самого волнения замерла, открыв рот.

— Тебя шлепнуть? — подсказал Коля. — Надеюсь, именно это придет ему в голову.

— Тебе-то что за радость? — разозлилась я.

— Радость, может, и небольшая, зато польза явная. Шучу. Обещаю, что ты падешь смертью храбрых лишь в крайнем случае. Придется за тобой присматривать. А ты, будь добра, слушай пожилого человека и с самодеятельностью завязывай.

— Ты еще молодой...

— Паспорт не дам. Вдруг супостат за ним охотится. Да и зачем он тебе? Еще менты докопаются.

— А когда супостата найдем, вернешь?

— Непременно.

К моей большой радости, он вновь завел машину и на приличной скорости, поднимая столб пыли, покатил куда-то. Радость моя лишь увеличилась, когда впереди появились городские постройки. «Может, ему про труп Игоречка рассказать? — думала я. — В обмен на паспорт?» Ольгу подводить не хотелось. Да и не факт, что обмен состоится. От такого типа жди чего угодно.

— Коля, — опять полезла я к нему, он поднял палец и с дурацкой гримасой сказал:

— Не злоупотребляй.

— Чем?

— Именем. В твоих устах оно звучит божественной музыкой. Я становлюсь мягче масла и могу влететь в ближайший фонарный столб.

— Ты говорил о деньгах... Я просто хотела уточнить... какие деньги ты имел в виду? Найдешь убийцу и получишь премию от Серикова?

— Ага. И благодарность от прокурора. Сдается мне, бабла у твоего Серикова кот наплакал... Давай решать вопросы по мере их возникновения. Кстати, ты можешь рассчитывать на свой процент, если будешь хорошо себя вести. Главное, чтоб не пришлось вручать вознаграждение посмертно. У тебя есть родственники?

— Я все завещаю тебе, — съязвила я, он засмеялся, а я уставилась в окно.

Возле гостиницы мы простились.

— По улицам особо не болтайся и без меня ни к кому с вопросами не лезь.

— Меня беспокоит, что он там лежит, — вздохнула я, имея в виду труп в доме Надежды.

— Лучше б ему там и дальше лежать, — передразнил Коля. — Соседка могла тебя запомнить, мою машину кто-то увидеть... И супостат пусть считает, что о трупе никому не известно. Это подтолкнет его на другие злодейства.

— Очень смешно, — сказала я и вышла из машины.

Не успела я подняться в номер, как зазвонил мобильный.

— Жду тебя в клубе, — ворчливо сказала Ольга, а я рявкнула:

— Какой, к черту, клуб? — и выключила телефон.

Паспорта я лишилась, и перспектива начать новую жизнь теперь проблематична. Ко всему прочему, рядом бродит убийца, который, если верить Коле, непременно начнет на меня охоту. И что делать мне? «Домой возвращаться, вот что», — трусливо подумала я. По крайней мере, от убийц и типов вроде Башки буду избавлена. Я попыталась представить нашу встречу с Бессоновым, и все во мне взбунтовалось. В этот раз я продержалась дольше, но все равно он сможет праздновать победу. Вернусь и потребую развод. О своих деньгах он может не беспокоиться, я на них не претендую. Уеду в другой город... Через полчаса я уже ревела, чувствуя, что совсем запуталась. Я не вернусь, я себе слово дала. Вполне вероятно, паспорт Коля отдаст, но что это изменит? Я не хочу жить под чужим именем. Да это и невозможно, у человека должны быть документы помимо паспорта, например диплом, чтобы на работу устроиться.

Наревевшись вдоволь и ничего не решив, я легла спать. Разбудил меня громкий стук в дверь. Накануне номер я продлила еще на двое суток, и выселять меня не должны. Кто ж тогда так барабанит? Первым на ум пришел Николай. Я бросилась открывать, но опомнилась и для начала решила одеться.

— Гертруда! — рявкнули из-за двери. Голос, без сомнения, принадлежал Ольге, а в памяти всплыло мое вчерашнее обещание. Я распахнула дверь, и Ольга ввалилась в номер. На ней было нежно-голубое платье с огромным вырезом, строгая прическа и минимум косметики. Надо признать, выглядела она великолепно. Принцесса из любимых мною старых фильмов. Рядом с ней я чувствовала себя дурнушкой, тем более что умыться так и не успела, а из одежды на мне были лишь трусы да маечка. — Черт, ты еще не готова, — буркнула она, уперев руки в бока, и образ принцессы начал меркнуть. — Ведь договаривались же...

— Извини, забыла. Приехала твоя большая любовь? — спросила я, отправляясь в закуток, который здесь считался ванной.

— Вчера вечером. Из номера пока не выходил. Завтрак до десяти, но он его в номер закажет. Время есть, однако ты все равно поторопись.

Я умылась, влезла в джинсы и торопливо расчесалась. Ольга достала из сумки косметичку и перебросила мне.

— Зачем? — удивилась я.

— Затем... чтоб с тобой рядом я не чувствовала себя старой бабой.

— Ты чудо как хороша...

— Ага. Быть красивой, но немолодой так же малоутешительно, как быть молодой, но некрасивой. Однако это не твой случай. Да и я еще ничего себе девушка. Но физиономию все равно накрась, малость в возрасте сравняемся.

— Ладно, — пожала я плечами и попыталась нанести боевую раскраску.

Ольга подошла и вырвала у меня из рук карандаш.

— Краситься и то не умеешь. Сиди смирно.

Через несколько минут она закончила заниматься моей физиономией. В возрасте мы не сравнялись, но я почувствовала себя красоткой. Надо будет косметику купить...

— Как бы он на тебя пялиться не стал, — разглядывая меня, вздохнула Ольга. — Где тебя вчера носило? Чем ты вообще занимаешься?

— Собираюсь идти с тобой в бар, отлавливать большую любовь.

Я прихватила сумку, и мы вышли из номера. Приехала Ольга на машине. Водителем она оказалась рисковым, и мне два раза пришлось зажмуриться, а один раз завопить довольно громко.

— Кто тебе выдал права? — спросила я с возмущением.

— Я вообще-то хорошо езжу, просто нервничаю сегодня. Столько лет не виделись... вдруг он меня не узнает?

— Я бы на твоем месте опасалась другого: вдруг твоя большая любовь облысела и брюхом здоровенным обзавелась? Появится такой пожилой толстый дяденька, и думай потом, как от него избавиться.

— Такие, как он, не меняются... даже если брюхо отрастил и облысел. Он — это он. Поняла?

— Да я и не против. Лишь бы тебе в радость. Как дела у Валерки? Все еще ищет убийцу?

— Наверное. Меня никто не трогает, и слава богу. Коленька, змей, вечером был в клубе, все вынюхивал. Кстати, про тебя спрашивал.

— Что спрашивал? — нахмурилась я.

— Откуда тебя ветром надуло, где познакомились.

— А ты?

— А я сказала, мол, не его собачье дело. Ох, боюсь, не к добру он у нас рыщет, с его нюхом что-нибудь да нароет. Такой стервец, прости господи. — Ольга покачала в досаде головой и далее вела машину молча.

Гостиницу «Заря» я уже видела не раз, она находилась в самом центре города. С виду здание ничем особо не примечательное. Однако холл отделан с немыслимой роскошью. Мраморные полы сверкали, над головой стеклянный купол, точно ограненный алмаз. Свет преломлялся в гранях, солнечные зайчики весело скакали по стенам. «Это ж сколько сюда денег вбухали», — подумала я почти с классовой ненавистью.

Стойка регистрации тонула в глубинах холла, прямо напротив бар, от холла его отделяла низкая кованая решетка. Официанты беззвучно скользили с накрахмаленными салфетками в руках, за белым роялем пристроился дядька с помятым лицом и, прикрыв глаза, наигрывал что-то меланхоличное. Ясное дело, говорить здесь можно только шепотом. Даже Ольга присмирела.

Мы устроились возле самой решетки, так, чтобы виден был весь холл и выходы из лифтов, тут их, кстати, было четыре. Ольга заказала нам кофе и принялась нервно оглядываться.

— Помада не размазалась? — спросила она минут через пять.

— И помада, и тушь на месте, — заверила я. — Прекрати ерзать.

— Тебе легко говорить.

Кофе нам принесли, Ольга взяла чашку и едва не выплеснула кофе себе на подол.

— Черт... — выругалась сквозь зубы, а я лишь головой покачала. Надеюсь, ее былой возлюбленный стоил этих нервов.

Через мгновение мне стало не до Ольгиной любви и ее нервов, со своими как бы управиться. Двери ближайшего лифта разъехались в стороны, и оттуда вышел Бессонов. Он был небрит, хмур и очень хорош собой. Последнее я отметила машинально, точно он не имел ко мне никакого отношения. И уже в следующий момент рухнула на диван, который здесь заменял стулья, и воззрилась на Ольгины колени, стиснув зубы так, что они скрипнули. Мне было плевать, что решат официанты, лишь бы Бессонов меня не заметил, хотя я выбрала не лучший способ не привлекать к себе внимание.

— Ты чего? — приподнимаясь, спросила Ольга в полном обалдении.

— Живот скрутило. Сиди смирно и сторожи свою большую любовь.

— Прекрати, идиотка, — зашипела она, но тут вдруг произнесла совсем другим голосом: — Саша? — а потом перешла на радостное повизгивание: — Саша, это ты?

Мне даже не надо было поднимать голову, я и так знала: обращается она к Бессонову. Ольга припустилась к нему со всей возможной резвостью, а я подумала, что шанс у меня есть. Занятые друг другом, они не обратят на меня внимания, что и позволит мне тихо смыться. Я выпрямилась, держась к ним спиной, снялась с места и бочком направилась к выходу. Ольга висла на Бессонове в нескольких метрах от меня, я слышала, как она щебечет:

— Вот это встреча! Ты давно здесь?

— Вчера приехал, — ответил он.

— А мы с подругой решили выпить кофе... Генриетта, — позвала она. — Иди сюда.

Вцепившись в рукав пиджака Бессонова, она тянула его ко входу в кафе, как раз мне наперерез, так что мы неминуемо столкнемся. Поняв, что бежать некуда, я обреченно шагнула им навстречу, нацепив самую наглую ухмылку, на которую только была способна. Подозреваю, что в действительности мою физиономию просто изрядно перекосило. Собравшись с силами, я подняла на Бессонова глаза. Ольга все еще держала его под руку, светясь от счастья, он мазнул по мне взглядом и равнодушно кивнул. Признаться, не такой реакции я ожидала. Хоть один мускул на его физиономии должен был дрогнуть... Ничего подобного. Ко мне он мгновенно потерял интерес, сосредоточившись на Ольге.

— Присядем на минуточку? — предложила она. — Я так рада тебя видеть...

Он посмотрел на часы и согласно кивнул, они направились к нашему столику. Я решила сбежать, пока не поздно, но Ольга свободной рукой подхватила меня за локоть. Так мы и двигали, точно на демонстрации. Устроившись за столом, Бессонов поднял руку, официант бросился к нему со всех ног.

— Кофе, пожалуйста, — когда тот застыл рядом, произнес Бессонов и на нас посмотрел. — Вы что-нибудь хотите? — Взгляд его, обращенный ко мне, ничего не выражал, просто задал человек вопрос и ждет ответа.

— Я бы выпила чаю, — пискнула я, злясь на себя за то, что в речи моей мгновенно появилось сослагательное наклонение.

— Может быть, по рюмке коньяка за встречу? — кокетливо улыбнулась Ольга.

Надо сказать, с появлением Бессонова в ее поведении наметились изменения: ничегошеньки от ярмарочного зазывалы не осталось, респектабельная женщина, уверенная в себе.

— Что ж, повод отличный, — согласился Бессонов и сделал заказ. — Рассказывай, как жизнь? Выглядишь прекрасно...

— Грешно жаловаться, — пожала она плечами.

— Замужем? — спросил он, кивнув на обручальное кольцо, украшавшее ее палец.

— Уже девять лет.

— Бежит время. Кто этот счастливчик? Я его знаю?

— Валера Быков.

— Вот как? — Бессонов вроде бы удивился.

— У нас гостиница и ночной клуб... считается лучшим в городе. Может, заглянешь вечером? Валера будет очень рад.

— Вечер у меня свободен, — ответил Бессонов.

— Отлично.

Появился официант с подносом в руках, хотя я выпивку не заказывала, но мне ее все равно принесли.

— Что ж, за встречу, — сказал Бессонов, поднимая бокал.

Я попыталась уловить в этом некий подтекст, но ничего подобного. Его и мой бокал соприкоснулись с тихим звоном, однако взгляд его по-прежнему ничего не выражал, вежливое внимание, и не более.

— Как твои дела? — собравшись с силами, спросила Ольга и заметно напряглась, видно, готовилась к неприятному для себя ответу, что все, мол, в его жизни прекрасно, жена красавица и четверо детей. Услышать подобное для любой женщины не очень-то радостно, а Ольга все эти годы не переставала тосковать по возлюбленному.

— По-прежнему, — весьма туманно ответил он, пожав плечами. — Ты была права, я не гожусь для семейной жизни.

«Хорошо, что ты это понимаешь», — мысленно съязвила я.

— А здесь какими судьбами?

— По делам, — вновь ответил он, не вдаваясь в детали.

«Как он узнал, что я тут?» — думала я в ту минуту. Впрочем, подобную возможность я учитывала, хотя и не ожидала, что вот так столкнусь с ним нос к носу. Бессонов допил кофе и опять взглянул на часы.

— Сожалею, но мне пора, — сказал он, поднимаясь.

— Увидимся вечером? — взяв его за руку, спросила Ольга, задрав голову и глядя на него с откровенным обожанием.

— Конечно.

Он наклонился, поцеловал ее в губы, но слишком быстро и невесомо, чтобы это можно было принять за любовный поцелуй, и вновь поднял руку, подзывая официанта. Протянул ему банкноты и удалился. Парень все еще суетился рядом, спросил, чем может быть полезен. Суетливость вполне понятная: Бессонов оставил на чай сумму, раза в два превосходящую стоимость заказа.

— Уж эти мне богачи, — покачала я головой, когда официант наконец отошел.

Ольга, стиснув руки, посидела с сосредоточенным видом, потом спросила:

— Ну? Я не очень к нему цеплялась? Вроде все нормально, а?

— Ты была восхитительна. И вела себя достойно. А он, по-моему, малоприятный тип. И что ты в нем нашла хорошего?

— Заткнись, дура малолетняя, — махнула она рукой, глядя в окно. Бессонов на мгновение появился в поле нашего зрения, вышел из гостиницы и теперь спускался по ступенькам к парковке.

— Мне действительно интересно, — не унималась я. — Ты — красавица, а он — индюк надутый.

— Много ты понимаешь... Обжимаешься в ночных клубах с прыщавыми сопляками, где тебе понять, что такое настоящий мужик.

— Ладно, пусть будет настоящим, мне-то что, — скривилась я.

Надо сказать, я до последнего не верила, что Бессонов вот так просто уйдет. И теперь гадала, как это расценить. Не узнать меня он не мог, но вел себя так, словно мы впервые встретились, и при этом никакого интереса я не вызвала. Что он еще задумал? И что делать мне?

— Эй, — позвала Ольга. — У тебя опять живот скрутило? Сидишь столбиком... кстати, что это была за выходка с лежанием на диване? Хотела поставить меня в глупое положение?

— Ничего подобного. Это были колики на почве разочарования. Ожидала увидеть красавца Брэда Питта, и вдруг такой облом.

— Пойдешь вечером в клуб?

— Зачем?

— Ну... если мы окажемся вчетвером, у Валерки не будет повода ревновать.

— У него не будет повода, если ты завяжешь со своей большой любовью. Зачем ты пригласила этого Сашу в клуб, зная, что мужу это не понравится... В городе есть другие места...

— Никакой в тебе бабьей хитрости. Во-первых, пригласить его в клуб — вполне естественно, это ведь мой клуб, а в какой-то другой ресторан — это уже предложение. Он, чего доброго, решит, я на что-то надеюсь... И откажется.

— А ты надеешься?

— Еще как. Ясное дело, он здесь пролетом и до меня ему как не было дела, так и нет. Но, может, хоть разочек потрахаюсь. Он в этом деле виртуоз. Мне воспоминаний на десять лет хватило. И если подсуечусь и прежние чувства всколыхну, может, он еще приедет. Так и протяну до климакса.

— Какая гадость, — не сдержалась я. — Ты красивая женщина и готова...

— Готова, — перебила Ольга. — Еще как готова.

— Вот поэтому мужчины так к нам и относятся. Им нужно только одно...

— И слава богу, что нужно, — хмыкнула Ольга. — Не то наша сестра начала бы на стенки кидаться.

— Но ведь людей должно объединять что-то помимо секса... взаимное уважение...

— Где ты набралась этой бодяги? В журнале для продвинутых дурочек? Скажу тебе, как неплохо пожившая женщина: если секс вас не объединяет, никакое взаимоуважение уже не поможет. Кстати, в чем ты собираешься идти в клуб? — спросила она.

— А я собираюсь?

— Не играй у мамы на нервах. У тебя нет приличного платья.

— Хороший повод послать тебя к черту.

— Едем в магазин. Чего доброго, хватит ума явиться в джинсах, а это нанесет серьезный удар по имиджу заведения. — Ольга вскочила как ошпаренная и потащила меня к выходу.

Ни в какой магазин я ехать не желала, но ей было на это наплевать. Я бы предпочла поразмышлять в одиночестве: что теперь делать? Первым побуждением было — бежать из города. Но как сбежишь, если паспорт у Коли, а другого у меня нет. От Ольги Бессонов узнает, в какой гостинице я остановилась, и без труда выяснит, под каким именем я там жила. Значит, даже если Коля мне паспорт отдаст, Бессонову найти меня будет несложно. Хотя страна большая и на это потребуется время. Чего гадать, если паспорта нет? И вообще, с какой стати мне бояться? Я свободная женщина, потребую развод... Все-таки он вел себя странно. По делам сюда приехал или за мной? Не похоже, что за мной. Может, сейчас он в себя приходит от изумления и тоже гадает, как себя вести? Вот уж глупости... Эмоции демонстрировать он не привык, поступал всегда так, как считал нужным, а остальным предлагалось к этому приноравливаться. Ольга утверждала, что у него скверный характер, тут я с ней соглашусь. А еще утверждала, что скверный характер — привилегия настоящих мужчин. У Ольги в мозгах каша. Настоящий мужчина всегда уступит женщине, потому что она слабее... Вопрос: кто-нибудь из представителей сильного пола когда-нибудь задумывался об этом или это сугубо женские фантазии? Если Бессонов делает вид, что меня впервые видит, значит, и мне следует поступать так же. Главное, помнить: я ничего не боюсь. Он мне не хозяин, а я не его собственность. Никогда больше ею не буду.

Ольга, как и я, была погружена в собственные думы и всю дорогу до торгового центра не обращала на меня внимания. Бросив машину на парковке, мы вошли в здание, Ольга уверенно направилась к отделу со скромной вывеской «Тенденция», ниже значилось «Одежда из Италии». Оказывается, Ольгу здесь хорошо знали.

— Оденьте мне ее так, чтоб у мужиков челюсти сводило, — заявила она, едва закрыв за собой дверь.

Две девушки окинули меня придирчивым взглядом, и весь следующий час я примеряла платья. Ольга неутомимо отпускала критические замечания, ее солдатский юмор продавщиц не шокировал, а я уже давно на него рукой махнула. Однако назревал конфликт: то, что нравилось мне, категорически не нравилось Ольге.

— Здесь если и сведет челюсть, то по другой причине, — язвила она.

Я устала с ней препираться и, когда она, ткнув в меня пальцем в очередной раз, заявила: «Охренеть. Берем немедленно», я согласно кивнула, хоть и была похожа в этом темно-синем платье на девицу по вызову. Взглянув на цену, я свела глаза у переносицы и сказала:

— Я не спятила, чтобы выкидывать деньги на ветер.

— Сколько еще тебе повторять, бабла у меня немерено, чего ж экономить?

Пока она расплачивалась, я гадала, в чем причина такой щедрости. Соблазнять Бессонова надлежало ей, а вовсе не мне. О причине застенчиво поведала сама Ольга, когда мы выбирали туфли.

— Ты вечером с Валеркой будь поласковей. Пококетничай и все такое...

— Может, мне с ним в постель лечь? — разозлилась я.

— Да я не против. От него не убудет. Мужик делом занят, а значит, у меня руки развязаны. Гертруда, ну чего ты в самом деле? Построишь ему глазки, человеку приятно, не будет чувствовать себя обделенным вниманием. Он классный парень. Кстати, отлично танцует. Проведешь время с удовольствием.

— Ладно, буду строить твоему мужу глазки. Если у него с головой порядок, он от меня сбежит, потому что соблазнять мужа подруги может только идиотка или распоследняя шлюха.

— Почему идиотка? — заинтересовалась Ольга.

— Потому что внезапно вспыхнувшая страсть пройдет очень быстро, а видеться после этого придется еще долго.

— Это из личного опыта? — продолжила Ольга лезть с вопросами.

— Это из области здравого смысла. Кстати, я бы на его месте решила, что мы с тобой в сговоре, и отфутболила бы подружку так, чтоб впредь неповадно было.

— Надеюсь, он не такой умный, — нахмурилась Ольга.

С пакетами в обеих руках мы побрели к машине. Возвращаться в гостиницу я опасалась, была уверена, там меня поджидает Бессонов. В свойственной ему манере возьмет меня за руку, не говоря ни слова, через несколько часов я окажусь в его доме, и вернется моя прежняя жизнь. С чувством, что обращаюсь в пустоту, я заговорю о разводе (если пороха хватит), а он презрительно усмехнется. Этим все и закончится.

Ольга притормозила возле дверей гостиницы, но я, погруженная в невеселые думы, этого даже не заметила.

— Чего сидим? — спросила она. — Ждешь, что я побегу трусцой с пакетами в руках? В семь пришлю за тобой машину. Выметайся.

Вздохнув, я сгребла покупки и пошла в гостиницу. В холле ни души, но это не успокоило. Заглянув в подсобку, где пила чай девушка-администратор, я поинтересовалась:

— Меня никто не спрашивал?

— Нет, — покачала она головой.

Я поднялась в номер, опасливо его осмотрела и плюхнулась на кровать.

День тянулся медленно и событиями похвастать не мог. Хорошо это или не очень, я так и не решила. В голове все перемешалось, я попеременно думала то о старике, что лежал в чулане своего дома, то о Коле, но больше всего о Бессонове. То, что он себя никак не проявлял, почему-то очень беспокоило.

В шесть я начала собираться в клуб, а ровно в семь на мобильный позвонил мужчина, представился Алексеем и сказал, что ждет меня в машине возле гостиницы. Девушка-администратор, завидев меня, присвистнула:

— Ничего себе... Куда собралась?

— В клуб «Абажур».

— Говорят, клевое местечко. Расскажешь, как там?

— Обязательно, — пообещала я.

Приехал Алексей на стареньких «Жигулях», а на мое появление никак не отреагировал, по крайней мере не свистел и глаз не закатывал.

На парковке возле клуба яблоку негде было упасть, сплошь роскошные иномарки. Я вспомнила, что сегодня пятница, а еще порадовалась за Ольгу: клуб пользовался популярностью.

— Я вас провожу, — сказал Алексей, и мы вместе вошли в клуб. В просторном холле он подвел меня к охраннику. — Девушка к Ольге Александровне.

— Она предупредила, — ответил тот и широко мне улыбнулся. — Впервые у нас?

— Да, — кивнула я, оглядываясь.

В холле появился Валера. Поначалу внимания на меня не обратил, хотел было пройти мимо, но вдруг притормозил.

— Привет, — сказал он, приблизившись. — Ольга еще занята, идем в ресторан.

Он был в темном костюме, рубашке ослепительной белизны и стильном галстуке — в общем, выглядел роскошно. А вот хорошим настроением вроде бы похвастать не мог. Распахнул передо мной дверь ресторана, глядя себе под ноги и слегка нахмурившись.

Просторный зал был разделен на несколько секторов, один от другого их отделяли деревянные ширмы, при желании посетители могли укрыться от любопытных взглядов. Над каждым из круглых столиков, застеленных бархатными скатертями, висели разноцветные абажуры. Свет был приглушенный, что создавало интимную обстановку. На стенах фотографии в рамках. Я узнала Аль Капоне, а еще Де Ниро в смокинге, с прической по моде двадцатых годов прошлого века. Часть стены занимал огромный портрет Марлона Брандо в роли крестного отца. Собственно, именно так и следовало назвать ресторан, все здесь напоминало о временах сухого закона. Крутые парни в белых кашне с автоматами наперевес и женщины в блестящих облегающих платьях.

В глубине зала расположились музыканты, готовясь к выступлению. Саксофонист наигрывал знакомую мелодию.

— Нравится? — спросил Валера, понаблюдав за тем, как я верчу головой.

— Прикольно.

— Ольгина идея. Терпеть не могу гангстерские фильмы, но народ от этого тащится.

Мы устроились за одним из столов, официант принес нам шампанского.

— Роскошное платье, — сказал Валера, кивком указав на мой наряд. — Ольга выбирала?

— Почему ты так решил?

— У нее чудовищный вкус. Правда, ей все идет. А тебе — нет.

— Спасибо за откровенность.

— Надо полагать, сегодня меня ждет сюрприз: ее большая любовь будет нашим гостем. В городе только и разговору, что о его приезде.

— Выходит, ты знаешь, — кивнула я.

— Она неутомимо рассказывает о нем уже десять лет всем, кто желает слушать.

— Поэтому его приезд — главная новость в городе?

Валера усмехнулся:

— Не только. Значит, по ее задумке ты должна скрасить мой досуг?

— Я могу уйти. Идея с самого начала казалась мне сомнительной.

— Не стоит. Ольгу это огорчит. А вот и она.

Ольга в золотистом платье со сногсшибательным вырезом шла через зал к нашему столу.

— Надеюсь, ты не дал скучать моей подруге? — весело спросила она.

— Твой муж джентльмен, не забывай об этом.

— А почему бы нам сегодня не напиться? — смеясь, предложила Ольга.

— Есть повод?

— Можно напиться без повода.

Мы выпили, Валера опять подозвал официанта и сделал заказ. Ольга болтала без умолку, но то и дело смотрела на дверь.

— Не нервничай, — не выдержал Валера. — Это в его стиле, заставить людей томиться ожиданием. Но он непременно придет. Хотя бы для того, чтобы увидеть, как я буду ерзать.

— Не говори чепухи, — разозлилась Ольга.

— И девчонку во все это ты зря втравила, — не слушая ее, продолжал Валера. — Впрочем, тебе все это безразлично, существуют лишь твои желания.

— Что это на тебя нашло? Не смей портить мне вечер.

Как раз в этот момент в ресторане появился Бессонов. Ольга вскочила и помахала ему рукой.

— Саша, мы здесь.

— Ну, вот, счастье привалило, — сказал Валера, поднимаясь, и нацепил на лицо радушную улыбку. Подошел Бессонов.

— Здравствуй, Валера, рад тебя видеть, — сказал он.

— Спасибо, что заглянул к нам, Александр Юрьевич. Это Генриетта, Олина подруга.

Судя по всему, предполагалось, что мы видимся впервые, о нашей утренней встрече Ольга мужу не сообщила. Я удостоилась равнодушного взгляда и кивка:

— Александр.

Я подумала, а не подать ли ему руку, но решила, что это все-таки слишком.

— У вас мило, — сказал Бессонов, устраиваясь за столом с видом барина.

— Это Олина заслуга. Как видите, клуб пользуется популярностью.

— На самом деле, клуб — Валерино детище, — засмеялась она. — Он оказался прекрасным бизнесменом. Без него у меня бы ничего не получилось.

Они продолжали болтать в том же духе, Бессонов скупо улыбался, по обыкновению, словоохотливостью не страдая. Правда, между делом ввернул пару комплиментов Ольге, она раскраснелась от удовольствия, глаза сияли. На мою особу внимания никто не обращал, что меня вполне устраивало.

Играли джаз, публика танцевала, Валера вдруг поднялся и сказал, обращаясь ко мне:

— Потанцуем? — И, не дождавшись ответа, взял меня за руку.

Ольга изловчилась мне подмигнуть незаметно для других, что, видимо, означало призыв действовать поактивнее. Я была далека от этого. Соблазнять Валеру мне бы и в голову не пришло, хотя бы потому, что это занятие бесперспективное. Танцевал он действительно классно, и я посоветовала себе просто получать удовольствие. Когда музыка смолкла, Валера повел меня к свободному столику рядом с эстрадой.

— Посидим здесь. Я вижу, тебе неловко участвовать в дурацком спектакле под названием «Встреча старых друзей». Дадим Ольге возможность побыть с ним наедине.

— Ты не ревнуешь? — зачем-то спросила я.

Валера пожал плечами.

— Он уедет, опять бросив ее... Она пару месяцев будет страдать, а потом успокоится, трижды в день заявляя мне, что я ему в подметки не гожусь.

— Почему ты терпишь это?

— Люблю, наверное... — усмехнулся он. — Только ей на это наплевать. Она из тех женщин, которым нравится, когда о них вытирают ноги. Он делает это мастерски. Не обращай внимания, — махнул он рукой. — Я просто злюсь... Между прочим, Ольга права, не мне с ним тягаться.

— Кто этот тип? — подумав, задала я вопрос.

— Бессонов? Когда-то он был хорошо известен в нашем городе. Кстати, его портрет вполне мог украсить это заведение. Дай Ольге волю, она бы так и сделала. И на месте Брандо он бы мне глаза мозолил.

— Он что, был кем-то вроде крестного отца? — нахмурилась я.

— С моей стороны было бы глупо утверждать такое, — хохотнул Валера, — потому что некоторое время я на него работал. Ольга тогда жила с ним. Серьезно к ней он никогда не относился, впрочем, по-другому просто не умел. Она была игрушкой, не более, хоть и дорогой, если влетала ему в копеечку. Уделять ей много времени он не желал, вот и приставил меня к своей подружке, чтоб она не скучала. Я везде за ней таскался. И не заметил, как влюбился по самые уши. Она, само собой, внимания на меня не обращала. Мальчик для сопровождения — вот кем я был для нее. Десять лет назад Бессонов уехал в другой город. Решил начать новую жизнь на новом месте, где граждане не станут напоминать о некоторых фактах его биографии. Слышал, дела его идут прекрасно, уважаемый бизнесмен. Короче, он поступил мудро. Ольга надеялась, что он заберет ее с собой. Глупышка искренне верила, что значит для него хоть что-то... Но он ни разу о ней не вспомнил. И она вышла замуж за меня. Позови он — и побежит вприпрыжку, даже через столько лет. Правда, мечты ее напрасны... Иногда мне ее искренне жаль. Но не сегодня.

— Наверное, нам нужно вернуться к ним.

— Да они даже не обратят внимания на наше отсутствие, — засмеялся Валера. — Ольга вроде бы говорила, что ты уехала? — сменил он тему.

— Передумала.

— Мое предложение остается в силе, могу взять тебя на работу.

— Ты же видел мой паспорт. Других документов у меня нет.

— Любую проблему можно решить. Ты хорошая девушка и мне нравишься. Я тебе помогу, в какой бы помощи ты ни нуждалась. Знаешь, что я подумал? Может, Ольге следует сказать спасибо? За все эти годы я впервые чувствую себя... как бы это получше объяснить... свободным, что ли. Вдруг стало ясно, что я вполне смогу жить и без нее.

— Может, завтра ты будешь думать иначе, — покосившись на его руку, которой он сжал мою ладонь, сказала я.

— Может быть. Но сейчас... идем-ка, потанцуем.

Один танец сменял другой, а он все не выпускал меня из объятий, пока я не сказала:

— Нам все-таки пора к ним вернуться.

— Уверен, они уже смылись, — ответил Валера.

Но когда мы подошли к столику, Ольга и Бессонов все еще были там. В одном Валера оказался прав — на наше длительное отсутствие внимания не обратили. Ольга продолжала что-то рассказывать, не спуская с Бессонова сияющих глаз, он время от времени кивал с этой своей полуулыбкой, больше похожей на усмешку.

— Генриетта уходит, — вдруг сказал Валера. — Я обещал доставить ее домой.

— Мне, пожалуй, тоже пора, — кивнул Бессонов.

«Вот сейчас он предложит меня подвезти», — решила я. Ничего подобного. Он поднялся и протянул руку Валере.

— Приятный вечер. Еще раз спасибо, — наклонился к Ольге, поцеловал ее в макушку и зашагал к выходу.

Взгляд Ольги потух, она смотрела ему вслед, словно не веря в происходящее. Не зная, как поступить, я села рядом с ней, Валера устроился на своем месте и сказал язвительно:

— Кажется, это называется «облом».

— Надеюсь, тебе повезло больше, — зло сказала она. — Я еду домой, — отбросив салфетку в сторону, добавила Ольга. — Отвези Генриетту.

— Как скажешь, — хмыкнул Валера.

Мы вместе вышли из зала. Не обращая на нас внимания, Ольга направилась по коридору в сторону лестницы, а мы с Валерой на улицу.

— Я вызову такси, — промямлила я, чувствуя неловкость.

— Глупости.

На парковке стоял «Мерседес», Валера помог мне сесть, завел мотор, а когда ночной клуб остался далеко позади, сказал с кривой усмешкой:

— Уверен, она бросится за ним в гостиницу. Все еще не теряет надежды.

— Ты и это стерпишь? — спросила я с внезапной болью.

— Мне все равно.

Мы замолчали, избегая смотреть друг на друга.

Остановившись возле «Восхода», Валера заметил:

— Не самое лучшее место в городе.

— Зато дешево. Спасибо тебе.

Опершись локтем на руль, он смотрел на меня, вроде бы желая что-то сказать и не находя слов.

— До свиданья, — кашлянув, пробормотала я, продолжая испытывать неловкость.

— Может, прогуляемся немного? — спросил он.

Стало ясно: ему не хочется оставаться одному, а возвращаться к себе тем более. Я прикидывала, что ответить, а он улыбнулся:

— На чашку кофе напрашиваться не стану, просто я подумал, немного свежего воздуха нам не повредит.

— Хорошо, — согласилась я. — Только переоденусь. Ты прав, платье ни к черту, а болтаться в нем по городу по меньшей мере нелепо.

Он кивнул, а я побежала в номер. Оказавшись в холле, слегка запаниковала — вдруг Бессонов здесь. Но меня никто не ждал. Правда, администратор полезла с вопросами:

— Как там в клубе?

— Расскажу попозже.

В номере я быстро переоделась, а заодно умылась. Спускаясь вниз, я была почти уверена: Валера уехал. Не знаю, почему я так решила. Мне казалось, его предложение звучит как просьба о помощи, меня переполняло сочувствие к нему, и вместе с тем я подозревала, нет, была убеждена: он считал, что в сочувствии не нуждается, возможно, оно даже оскорбительно для него.

Выйдя на улицу, машины я не увидела и вздохнула с облегчением, однако «Мерседес» Валера припарковал чуть дальше по улице и теперь шел мне навстречу.

— В своей привычной одежде ты куда красивее, — засмеялся он и обнял меня за плечи. — Куда пойдем?

— Ты лучше знаешь город.

Мы брели в сторону проспекта, изредка встречая прохожих. Он молчал, наверное, не зная, что сказать, и я тоже. Поведение Бессонова ставило в тупик, он упорно делал вид, что видит меня впервые. И не предпринимал никаких попыток со мной заговорить. Что он задумал? Считает, объясняться нужно мне, то есть самой искать с ним встречи? Очень на него похоже...

— Извини за сегодняшний вечер, — неуверенно произнес Валера.

— О чем ты? — погруженная в свои мысли, я вроде бы даже забыла о нем.

— Я думаю, у тебя своих проблем хватает.

— Каких проблем? — испугалась я.

— Ну... если человек болтается по стране с чужим паспортом...

— А... ты об этом? Собственно, все мои проблемы довольно глупые... Я поссорилась с родителями и уехала.

— А паспорт?

— Оказался у меня случайно.

— Случайно? — переспросил он с сомнением.

— Ну, да...

— Ольга, кажется, говорила, это паспорт твоей подруги.

— Если честно, я его, можно сказать, украла. Нашла сумку с документами. Я могла вернуть их владелице, но не стала этого делать.

— А почему ты приехала сюда? А не в какой-то другой город?

— Ближайший поезд... только и всего. Сейчас я понимаю, родители не заслуживают, чтобы я так поступала с ними...

— Уверен, так и есть, — кивнул Валера. — Но возвращаться ты не торопишься.

— Дурацкие обиды, — пожала я плечами. — Думаю, через пару дней я все-таки уеду.

— Хотя бы позвони родителям, чтоб не беспокоились. А может, отправишься к ним прямо сейчас?

— Не терпится от меня избавиться? — засмеялась я.

— Напротив. Надеюсь, мы еще не раз встретимся. Без всех этих тайн. И я буду называть тебя твоим настоящим именем. Оно ведь у тебя есть? — улыбнулся он.

— Конечно. Но не такое редкое и красивое.

Разговор сам собой сошел на нет, хотя Валера и предпринимал попытки его возобновить. Вдруг поднялся ветер, небо затянуло тучами, и пошел мелкий дождь, мы заспешили к гостинице, пока он не полил по-настоящему. Валера вместе со мной вошел в холл, и я испугалась, что он захочет подняться.

— Мне еще предстоит рассказывать девушке-администратору о твоем клубе, — отводя взгляд, хихикнула я.

— Надеюсь, ты на похвалы не поскупишься, — кивнул он, быстро поцеловал меня и сказал: — Пока.

Дверь за ним закрылась, а я вздохнула с облегчением. Администратор появилась из подсобки, за нашим прощанием она наблюдала, осторожно выглядывая из-за приоткрытой двери, и теперь пребывала в недоумении.

— Ты чего его в номер не позвала? У нас можно...

— Мы только что познакомились...

— В клубе, да? Классный мужик, и видно, что при бабках. Правду говорят: в этом клубе все круто... Надо будет туда сходить, вдруг и мне повезет. Хочешь чаю?

Чай я не хотела, но с ней отправилась. Ей было нечем себя занять на дежурстве, а я опасалась оставаться одна и, только подробно рассказав о клубе, отправилась в номер, потому что глаза начали слипаться.

Я-то надеялась, что усну сразу, но не тут-то было. И, думая о Бессонове, я до утра ворочалась. А утром, позавтракав, решила: он может делать вид, что меня не знает, но я не намерена больше томиться неизвестностью. Ситуация дурацкая, и с ней надо кончать. Если он считает, что я должна сделать первый шаг, — пожалуйста. Только зря он думает, что я начну дрожать, точно осиновый лист, вчера я с собой вполне справилась. Конечно, это было нелегко, но ведь справилась. Значит, и сейчас смогу. Сразу потребую развод, чтобы он уяснил, в этот раз все будет по-другому... К тому же у меня есть повод: эту ночь он, скорее всего, провел с Ольгой.

Тут я вздохнула. Представить сцену ревности в моем исполнении затруднительно, да и ему плевать на все мои слова, он даже слушать не станет. Чувствуя, как что-то внутри тоненько дрожит и, казалось, вот-вот порвется, я взяла мобильный телефон. Номер Бессонова я, конечно, помнила, глубоко вздохнула, как ныряльщик перед прыжком, откашлялась, пытаясь справиться с волнением, и набрала номер. Руки не слушались, а меня вдруг кинуло в жар. Я знала, что будет нелегко, и призвала себя к терпению.

— Да, — резко ответил он. А я вновь глубоко вздохнула, и сказала:

— Это я.

— Кто «я»? — вроде бы удивился он.

— Инна.

— Инна? — теперь в голосе была насмешка. — А с Генриеттой что случилось?

— Нам надо поговорить.

— О чем? Ладно, приезжай в гостиницу. Номер триста двадцать. Надеюсь, что через полчаса освобожусь.

— Я буду ждать в холле.

— Как тебе удобней, — хмыкнул он и отключился.

«Спокойно, спокойно, — уговаривала я себя. — Помни главное: он не может заставить тебя вернуться, если ты этого не захочешь. Я должна быть уверенной в себе, дать ему понять, что он больше не может распоряжаться мной, как своей собственностью. Что бы он ни думал, но я ему не принадлежу...»

Уговаривая себя таким образом, я спустилась к администратору и вызвала такси. По дороге в «Зарю» пыталась представить наш разговор, что скажет он, и что отвечу я. Вошла на ватных ногах в холл гостиницы и быстро огляделась: Бессонова не было. Я вздохнула с облегчением, значит, у меня в запасе еще несколько минут.

Я устроилась на диване, стараясь выглядеть независимо. Вряд ли получалось особенно хорошо. Поджатые ноги, ладошки сложены на коленях. Студентка на первом экзамене... Я закинула ногу на ногу... может, купить сигарет? «Не глупи, курить ты не умеешь, еще кашлять начнешь. Будешь выглядеть по-дурацки».

Время шло, а Бессонов не появлялся. Я взглянула на часы и удивилась. Оказывается, я жду уже больше часа. Может, он забыл обо мне? Или ждет, что я поднимусь в номер? Ну уж нет, холл куда безопасней. Здесь ему придется вести себя с расчетом на окружающих, пусть не очень заинтересованных, и все же... Позвонить ему? Он делает это нарочно, испытывает мое терпение. Ничего, времени у меня сколько угодно. А может, его и нет в гостинице? Звонить или нет?

Я достала мобильный, нервно вертя его в руках, то и дело поглядывая в сторону лифта. Может, Ольга еще у него? Позвонить ей? Когда я готова была разреветься от обиды на то пренебрежение, которое он так явно демонстрировал, Бессонов вышел из лифта. По-прежнему небритый, в костюме и темной футболке. Рядом с ним шла девушка с короткой стрижкой. Улыбнувшись, он заговорил с ней, девушка засмеялась. Бессонов достал что-то из кармана, наверное, визитку, протянул девушке. Она взглянула на нее, и они еще немного поболтали.

Тут он меня наконец заметил. И нахмурился. Девушка, убрав визитку в сумочку, продолжала говорить. Бессонов кивнул, и они расстались, но направился он не ко мне, а к стойке регистрации. Девушка проводила его долгим взглядом и летящей походкой устремилась к выходу. Это что, девица по вызову? Не похоже. Скорее, они просто вместе спускалась в лифте, и он не упустил случая завести знакомство. Да будь она кем угодно, мне-то что до этого.

Бессонов разговаривал с администратором, я наблюдала за ним, мысленно желая ему провалиться, да так глубоко, чтобы вылезти не мог. Ничего, я терпеливая, болтай на здоровье, я подожду...

В конце концов он направился в мою сторону, я подобралась, облизнув пересохшие губы. Он подошел, сел напротив, закинув ногу на ногу, полоснул меня взглядом и буркнул:

— Ну? Какого хрена ты торчишь в холле?

— Насколько я помню, мы договорились здесь встретиться, — собрав все свои силы и стараясь, чтобы голос звучал насмешливо, ответила я. — Ты изволил меня пригласить.

— Да ты что? Должно быть, была минута слабости.

— Прекрати, пожалуйста. Прекрати, — повторила я резко. Он поднял брови, точно хотел сказать: надо же, сколько в нас отваги. — Как ты меня нашел? — спросила я совсем не то, что собиралась.

— С чего ты взяла, что я тебя искал? — удивился он. — Я здесь по делам. И твое внезапное появление было неожиданностью.

— Удивленным ты не выглядел.

— Мне надо было рухнуть в обморок?

— Саша...

— О, — засмеялся он. — Как далеко мы продвинулись. За четыре года супружества ты впервые назвала меня по имени.

— Я понимаю, у тебя есть повод упрекнуть меня...

— Что у меня есть? Ах, да... У меня столько поводов, дорогая, что одним больше или меньше, значения уже не имеет.

— Я хочу получить развод, — смогла-таки произнести я.

— Развод? — хохотнул он. Выпрямился, сложив руки на коленях, и уставился на меня. Я опустила голову, выдержать его взгляд мне никогда не удавалось.

— Я...

— У меня для тебя плохая новость, — перебил он, насмешливые нотки из голоса исчезли, он говорил жестко и предельно серьезно. — Видишь ли, тебя больше не существует. Из реки вытащили труп девицы, выглядела она препаршиво, родная мама не узнает. Но я малость напрягся и опознал тебя. Так что на днях я стал вдовцом. Не предполагал встретить тебя, милая, не то прихватил бы свидетельство о смерти. — Я в ужасе на него уставилась, а он продолжил: — Я похоронил тебя рядом с братом. Памятник пока не поставил, но уже заказал. Один на двоих. Если придет охота, загляни как-нибудь, сможешь убедиться, что я не экономлю на близких родственниках.

— Ты шутишь? — с трудом выговорила я.

— Нет, — покачал он головой. — Я же сказал, ты можешь в этом убедиться. Свою жену я похоронил, а никакую Генриетту знать не знаю. Ты хотела свободу, ты ее получила, — помолчав, добавил он. — Желаю удачи в новой жизни. А из моей катись ко всем чертям.

Он поднялся и не спеша направился к лифту, а я стиснула рот рукой, чтобы не заорать от ужаса. В его словах я ни на мгновение не сомневалась. Так вот, значит, какое он выбрал для меня наказание. А я-то голову ломала, как убедить его согласиться на развод. Игрушка успела ему надоесть, и он выбросил ее на помойку. Да с чего я вообще взяла, что он хочет, чтобы я вернулась. Он был рад избавиться от меня. Господи, как быть теперь? Предположим, я получу новые документы... Но кто подтвердит, что я — это я, если нет у меня никаких бумаг? Бессонов заявит, будто впервые меня видит... брат погиб... Кто еще? Проведя ревизию немногочисленных знакомых, я пришла к выводу: среди них нет никого, к кому я могла бы обратиться. Но ведь не могут меня заживо похоронить?

Растерянность и страх вдруг отступили, и на смену им пришла злость. Этот сукин сын прав. Я хотела свободы, и я ее получила. Пусть не так, как надеялась. И все же... я свободна, и никто не смеет диктовать мне условия. Да пусть он хоть сто раз меня похоронит. Я найду выход. И не вздумай реветь, дура. Никто не обещал, что новая жизнь будет легкой. Главное, что я избавилась от прежней, окончательно избавилась.

В общем, гостиницу я покидала, вздернув подбородок и стиснув зубы. Перед мысленным взором все еще маячила физиономия Бессонова с подлой улыбкой, но жизнь беспросветной отнюдь не казалась. Я шла по улице, прикидывая, как стану действовать. Валера обещал помочь с работой. Отлично. Съезжу в родной город и попытаюсь выправить паспорт. Все мои документы у Бессонова. Ничего, явлюсь в паспортный стол, и пусть у них голова болит, что со мной делать. Да им по фигу... Проявлю настойчивость... И тут мысли вдруг сделали внезапный скачок. Сериков упоминал некоего типа, который имел виды на его бизнес. А Бессонов десять лет назад жил в этом городе, и репутация у него была такой, что, по словам Валеры, его портрет можно смело вешать рядом с Аль Капоне. Похищение ребенка, деньги... вожделенный бизнес. А что, если... Догадка еще только маячила на горизонте, а я уже набирала номер Серикова.

— Геннадий Алексеевич, это...

— Я понял, — мягко перебил он. — Что-то произошло?

— Мне очень нужно встретиться с вами.

— Я сейчас на Садовой, вы знаете, где это?

— Найду.

— Торговый центр «Северный», у меня там магазин.

Я бросилась искать такси, на счастье, свободная машина вскоре появилась. По дороге я успела убедить себя в правильности своей догадки. Я готова поверить, будто Бессонов убил ребенка? Он способен на что угодно. Бессонов из тех, кто считает: то, что ему нужно, уже принадлежит ему по праву. И ни перед чем не остановится.

Магазин, где на продажу были выставлены двери, находился на первом этаже. Когда я спросила Серикова, продавец, пожилая дама с ярким макияжем, провела меня в небольшую каморку, что-то вроде кабинета. Сериков беседовал по телефону, увидев меня, кивнул и быстро закончил разговор.

— Здесь есть кафе, — произнес он, поднимаясь. — Там будет удобнее.

Он не спешил задавать вопросы, но напряжение в нем чувствовалось. Мы поднялись на второй этаж и устроились за металлическим столиком, Геннадий Алексеевич принес мне кофе, сам ограничился стаканом воды.

— Вы выглядите очень возбужденной, — улыбнулся он. — Даже боюсь спрашивать...

— Человек, который получил ваш бизнес...

— Купил, — поправил он. — Может, дешевле, чем он стоил, но все равно законно. Мне нужно было расплатиться с долгами, и я спешил.

— Его фамилия Бессонов?

— Гордеев, Лев Павлович Гордеев. С тех пор дела его заметно пошли в гору, и сейчас он в тройке крупнейших предпринимателей области.

«Оказывается, моя догадка ничего не стоила», — с некоторой досадой подумала я. Но тут же вздохнула с облегчением.

— Это тот Гордеев, у которого пропал сын? — брякнула я.

Сериков удивленно замер.

— Пропал сын? Игорь? Что значит пропал?

— Я слышала, отец его разыскивает... Его нет ни дома, ни... в привычных местах.

— С сыном ему не повезло, хотя... А почему вы о Бессонове спросили? — нахмурился он.

— Вы были знакомы?

— Лично нет. Но я о нем, конечно, наслышан. Вы думаете... Нет, — покачал он головой. — Может быть, я ошибаюсь, но, по-моему, Бессонов в то время уже покинул город. Многие тогда гадали, почему он это сделал, ведь здесь он чувствовал себя хозяином... Да, я уверен, он уехал прежде, чем мою дочь похитили... Однако... тут вот еще что, — помедлив, сказал он. — Молодой человек, с которым встречалась Надежда, работал у Бессонова водителем. Когда следователи узнали об этом... В общем, они, как и вы, предположили... Но их подозрения оказались безосновательными. Я ведь рассказывал вам...

— Молодой человек, о котором идет речь, все еще живет в этом городе? С ним можно встретиться?

— Он уехал спустя несколько месяцев. Кажется, через полгода. Когда стало ясно, что Надежда уже не вернется.

— Вы помните его имя?

— Конечно, — усмехнулся Сериков. — Я помню всех, кто проходил по этому делу. Нестеренко Борис Петрович.

— Что? — только и смогла произнести я.

— Вам знакомо это имя? — насторожился он.

— Нет, — с трудом выговорила я. — Просто хотела уточнить... Частный сыщик, о котором вы сказали в прошлый раз... — поторопилась я перевести разговор. — Он...

— Как раз сегодня отправился в ваш город. Пока никаких новостей.

— Что ж, надеюсь, поездка не будет напрасной. Извините, что надоедаю вам с расспросами.

— Не извиняйтесь, я благодарен вам за такое участие.

Торопливо простившись, я чуть ли не бегом припустилась к выходу. Возлюбленный Надежды — Нестеренко Борис Петрович, мой брат. Конечно, речь может идти об однофамильцах, но это маловероятно. В то время брат жил здесь, о чем я знаю доподлинно. А вот чего я не знала: оказывается, с Бессоновым они были давно знакомы, и брат работал у него водителем. Бессонов уехал, а брат еще несколько месяцев оставался тут. Так ли это? Валера тоже работал на Бессонова, вероятно, с Борисом они были знакомы. Валера должен знать: был Бессонов во время похищения в городе или нет.

Теперь вся история выглядела совершенно иначе. Генриетта, то есть Надежда, приехала в наш город, потому что там жил мой брат — ее бывший возлюбленный? И так ли уж случайно произошла наша встреча? В баре она первой заговорила со мной. Борис погиб, я считала виновником его смерти Бессонова. А если все не так? Брат, потом отец Надежды... Кто-то пытается похоронить ту давнюю историю. Но что такого знал мой брат и почему не сообщил о своих подозрениях следователю? Ответ напрашивался сам собой. Вопреки заверениям Серикова брат имел отношение к похищению. Очень надеюсь, что к гибели ребенка он непричастен, но... похититель все-таки Бессонов, и брат об этом догадывался? Оттого и погиб? Что же произошло тогда? Почему Надежда решила разыскать его через столько лет? И кто виновен в смерти брата? Я должна найти ответы на свои вопросы, иначе жить дальше будет просто невозможно.

Мобильного Валеры я не знала и позвонила Ольге.

— Мне надо поговорить с твоим мужем.

— Давай в клуб, мы здесь, — ответила она.

Клуб был закрыт ввиду раннего времени. Подергав запертую дверь, я направилась к той, что была с торца. Возле нее пасся охранник. Видимо, после обнаружения трупа о безопасности тут пеклись. Мужчина спросил, к кому я, связался по телефону с Ольгой и кивнул.

Я поднялась на второй этаж. Ольга была в своем кабинете, сидела за столом и что-то высчитывала на калькуляторе.

— Зачем тебе Валерка? — хмуро спросила она.

— Не твое дело...

— Ишь ты... Я тебя просила немного с моим мужем пококетничать, а не отбивать его у меня, шалава малолетняя. Валерка вчера позднехонько явился, что, с тобой полночи кувыркался?

— Мы совершили увлекательную прогулку по ночному городу. Твой муж очень переживал из-за этого типа, беспокоился, что ты к нему побежишь, — обиженно ответила я.

— Зря беспокоился. Ничего у меня не выгорело. — Она сняла трубку, набрала короткий номер и сказала: — Тут тебя Гертруда домогается.

Минут через десять Валера появился в кабинете жены.

— Привет, — сказал без улыбки. Чувствовалась в нем какая-то маета, должно быть, стыдился своей вчерашней слабости.

— Мне надо с тобой поговорить, — сказала я. — Наедине.

Ольга закатила глаза, а Валера кивнул:

— Идем.

Вскоре мы оказались в его кабинете, точной копии Ольгиного. На письменном столе среди бумаг стояла фотография в рамочке. Валера в обнимку с Ольгой, на ней белое платье невесты. Оба счастливые и невероятно красивые. Никаких фото на Ольгином столе я не заметила, Валера был куда сентиментальнее своей супруги или просто любил ее? Несмотря ни на что.

Он указал мне на диван в углу, и сам сел рядом. С вопросами не спешил, что позволило немного собраться с мыслями.

— Ты обещал помочь, — наконец сказала я. — Ну, вот, самое время.

— Слушаю.

— Только, ради бога, не задавай вопросов, я на них все равно ответить не смогу, — взмолилась я. — Просто помоги.

— Да в чем дело?

— Этот тип... Бессонов. Ты помнишь, когда конкретно он уехал из города? Я имею в виду, десять лет назад...

— Дай сообразить... в феврале... нет, в марте. Точно, в марте.

«Девочку похитили в конце мая», — машинально отметила я, Сериков прав, Бессонова уже не было в городе.

— У него водителем работал Борис Нестеренко... Вы были знакомы?

— С Борькой? Конечно.

— Что произошло после отъезда Бессонова?

— Ничего, — пожал Валера плечами. — Бессонов продал свой бизнес, мы об этом до последнего не знали... Он уехал, нас с собой не звал, и мы некоторое время болтались без дела. Потом пристроились кто куда. Борька открыл автомастерскую, но дела шли так себе. И он в конце концов отправился вслед за хозяином. Надеялся, что тот ему поможет на ноги встать на новом месте. Ольга, пока жила с Бессоновым, отложила кое-какие деньги, у меня тоже на черный день была заначка. Мы поженились, открыли ресторан... Дела шли неплохо, в общем, Бессонову следовало сказать «спасибо». Если б он не уехал, я вряд ли бы смог осуществить свою мечту.

— Открыть ночной клуб?

— Между прочим, лучший в городе. Плюс гостиница. И все это за несколько лет. У меня, к сожалению, не было богатого папы, так что свои деньги я сам заработал. Вкалывал как проклятый.

— А Нестеренко?

— Я с ним не общался. Ольга поначалу ему звонила, чтобы узнать, как там ее любовь. В то время Борька точно на него не работал. Но дела его шли неплохо, вроде занялся производством пластиковых окон на паях с каким-то парнем. Может, Бессонов ему и помог, вряд ли у Борьки были деньги. Откуда им взяться?

«Откуда им взяться?» — мысленно повторила я, почувствовав дурноту.

— Как ты вообще о Борьке узнала? — услышала я вопрос.

— Неважно. Он встречался с девушкой, ее звали Надежда.

Валера пожал плечами:

— Мы не были друзьями, просто работали вместе, и о его девушках я понятия не имел. Может, и была какая-то Надежда.

— Она исчезла. Работала няней в богатой семье, ребенка похитили... Это была громкая история. Ты должен помнить.

— Ну, да... В то время мы уже не виделись, у Борьки свои дела, у меня свои, но до меня доходили слухи, что у него неприятности. Вроде менты таскали из-за этого похищения, но в чем там было дело, я уже не помню. И имени девушки тоже, сколько лет прошло. Ответь мне все-таки на вопрос: тебе-то что до всего этого?

— Я же просила...

— Ну, хоть скажи: помог я тебе? — усмехнулся он.

— Еще не знаю. В любом случае, спасибо.

Валера кивнул, и я побрела прочь из клуба. Картина вырисовывалась безрадостная. Валера прав: откуда у брата могли быть деньги, чтобы начать бизнес в новом городе? Бессонов одолжил? Или... Или это выкуп за ребенка? Сериков заплатил похитителям огромные деньги, а брат не был богатым человеком, когда забрал меня к себе. Жил безбедно — это да, большие деньги появились после того, как он стал работать с Бессоновым. Может, Борис осторожничал, боясь, что на его внезапное богатство обратят внимание и свяжут его с похищением? Но как следователи, зная о его отношениях с Надеждой, до всего этого не докопались? В уме Борьке не откажешь. Мог он провернуть дело так, что остался вне подозрений? Они поделили деньги с Надеждой, и каждый пошел своей дорогой, но через десять лет она приехала в наш город, чтобы встретиться с ним? И брат погиб. Но не могла же она убить его? Может, и могла, если считала свою жизнь загубленной благодаря ему, то есть тому давнему преступлению. А тут еще брат собирался жениться... Он вполне счастлив, а она беглянка, которая даже на похороны матери прийти не смогла... Бориса застрелили. Откуда у Генриетты (я упорно так ее называла) оружие? Хотя, может, это проблема только для меня, а другие без особого труда ее решают. Застрелив его, она поняла, что окончательно погубила свою жизнь, и в отчаянии бросилась с моста? Очень похоже на правду. И девушка, которую Бессонов опознал как свою жену, — это моя подруга. Если так, круг замкнулся. Теперь правду о ребенке никто не узнает и Серикову я ничем не помогу. Только напрасно его растревожила. Однако кому в этом случае понадобилось убивать отца Захаровой? Значит, похитителей было не двое, а по меньшей мере трое. И один из них все еще в этом городе. Конечно же, я сразу подумала о Бессонове. На момент похищения он уже жил в другом городе... Но что это меняет? Если верить Валере, он покинул здешние края, чтобы покончить с прежней жизнью, которую безупречной не назовешь. Новую жизнь он начал с похищения ребенка? Отъезд дал ему возможность избегнуть пристального внимания следователей... Десять лет он жил себе спокойно, пока не появилась Генриетта... Чтобы сохранить свою тайну он избавился от брата?

Не знаю, какой из двух возможных вариантов причинял мне больше боли. Но ведь Борис был в числе подозреваемых, его не раз допрашивали, и наверняка Бессоновым тоже интересовались... Тот факт, что у следователей не было повода считать их причастными к похищению, вроде бы должен свидетельствовать об их невиновности...

Теперь Бессонов в городе, объявился он уже после убийства старика. Я не могу быть уверенной в этом. Он сказал, что не ожидал меня тут встретить, а приехал по делам. Какие у него здесь дела? Но если брат знал о похищении, точнее, о причастности к нему Бессонова, почему тот не расправился с ним раньше? Был уверен: Борис будет молчать? Потому что помогал ему? То есть преступники они оба?

Тут я вспомнила, что сегодня суббота, и немного приободрилась. Наталья, подруга Надежды, должна вернуться из отпуска. Я набрала ее номер, полученный от матери, но мобильный был отключен.

Дозвониться я смогла только в воскресенье. Наталью мой звонок отнюдь не порадовал. Я просила встретиться со мной, она отнекивалась и по телефону на мои вопросы отвечать не хотела. Я проявляла настойчивость, в результате в понедельник мы наконец встретились. В ее квартире в новом доме, где они жили с мужем. На счастье, Дениса дома не оказалось, не знаю, как в его присутствии я могла бы вести разговор.

— Проходи, — бросила Наталья, открыв мне дверь.

— А твой муж... — начала я, понижая голос.

— Не бойся, он на дежурстве. Идем в кухню. Чего ты от меня хочешь? — спросила она, поставив на плиту чайник.

— Мне очень важно задать тебе несколько вопросов.

— Это я уже слышала. Не пойму, чего ты копаешься в том старом деле.

— Надежда всего несколько дней назад была жива. Я с ней встречалась.

— Тогда в полицию топай, — пожала Наталья плечами. Мои слова впечатления не произвели. Как видно, она считала, я в лучшем случае ошибаюсь, а в худшем — морочу ей голову.

Она поставила чашки на стол, налила чай и устроилась напротив.

— У Надежды был друг, Нестеренко Борис. Расскажи мне о нем, — попросила я.

— Ну... — Наталья ненадолго задумалась. — Нормальный парень. Надька влюбилась в него по уши. У нее до Борьки вообще парней не было, а тут встречи, цветочки и все такое... В общем, понеслось. Длилось это примерно год. К себе он ее жить не звал, да она бы и не пошла, предков боялась, они у нее люди далеко не современные. В общагу он никогда не приходил, снимал квартиру, все у них было нормально. Она надеялась, он сделает ей предложение.

— Чем он занимался?

— Водилой работал у какого-то крутого мужика. Потом свой автосервис открыл. Вроде уже о свадьбе поговаривали, хотя... у меня не сложилось впечатления, что Борька очень к этому стремится. Потом матери Надежды потребовалась операция, делали их только за границей. Тут уж не до свадьбы...

— На операцию нужны были деньги? — подсказала я.

— Само собой. Борька дал сколько мог, но денег все равно не хватало... Ты что хочешь сказать? — нахмурилась Наталья. — Они с Борькой похитили ребенка? Это ж какими дураками надо быть? Тупому ясно, их сразу подозревать начнут. Между прочим, Нестеренко потом долго в ментовку таскали, так что идеи свои оставь. Не одна ты такая умная... Поверь, Борька здесь ни при чем. Менты тогда весь город перетрясли. Меня и то раз пять к следователю вызывали.

— А потом Борис уехал.

— Ну, да. Когда стало ясно, что... ждать бессмысленно. Послушай, я знала Надю, а ты нет. Она была хорошим человеком и никогда бы...

— Даже ради матери? — тихо спросила я.

Наталья вздохнула и стала смотреть в окно.

— Мать она очень любила. Не знаю, может, и смогла бы... например, деньги украсть. Но не ребенка же убить. Ей девочка была как родная. И что она выиграла от этого похищения? Я имею в виду... — Наталья вновь вздохнула.

— Допустим, ребенка убивать никто не собирался, — сказала я. — Девочку похитили, забрали бы деньги, и Надя вернулась бы вместе с ней...

— И что? — хмыкнула Наталья.

— Рассказала бы историю, что их держали в незнакомом месте люди в масках, потом вывезли куда-то и там оставили.

— А менты такие дураки, что поверили бы.

— Сериков заявил в милицию, только когда передал выкуп, а дочь ему не вернули.

— Хорошо, — согласилась Наталья. — Но Сериков знал о том, что Наде деньги очень нужны. Она к нему обращалась за помощью.

— И что?

— Денег он дал. Но немного. Она, когда ко мне пришла, ревела взахлеб, не могла понять, как так можно: знать, что человек умирает, и не помочь.

— Значит, у нее была обида на Серикова.

— Такого она не говорила. Но, допустим, ты права. Они надеялись разыграть спектакль с похищением, получили бы деньги, вернули дочь... а потом мать отправилась бы за границу делать операцию, и тот же Сериков не сложил бы два и два и ничего бы не понял?

— В милицию он не заявлял. Предположим, заявил бы позднее. Надя бы сказала, что ей помог Борис, еще какие-то люди деньги дали...

— Ты хоть представляешь, каково это — на вопросы следователя отвечать несколько часов подряд? Да они бы ее враз раскололи.

— Вряд ли она думала об этом, когда соглашалась на похищение. Она хотела спасти мать, и в тот момент это было главным для нее.

— Я не верю, — покачала Наталья головой. — Менты бы непременно докопались...

— Похитители это поняли, — кивнула я. — И тогда им пришлось отказаться от первоначального плана. Ребенка не вернули, а Надежда все эти годы скрывалась.

— Ты хочешь сказать, она преспокойно жила с Борькой в другом городе?

— Нет. Это было бы слишком опасно. Я думаю, он попросту бросил ее. Ее мать умерла через несколько дней после похищения...

— На третий день, — подсказала Наталья. — Когда Сериков сообщил ментам и они к ним в дом явились...

Я опять кивнула:

— Никакие деньги ей уже не могли помочь... все было напрасно, понимаешь? Надя оказалась в западне.

— Ужас, — прикрыв глаза, прошептала Наталья. — У меня от одной мысли мурашки величиной с кулак. Я бы поверила, что такое возможно, если бы... Мы дружили с детства, — чуть ли не по слогам продолжила она. — Я знала ее как облупленную. Она хотела любой ценой спасти мать, она помешалась на своем Борьке, запросто могла поддаться на его уговоры и сделать величайшую глупость, она не простила Серикову, что тот отказался ей помочь, то есть не дал недостающих денег, но она бы никогда, ни при каких обстоятельствах не согласилась убить ребенка, тем более Юльку, которую любила как сестру.

— А если ее согласия никто не спросил?

— Тогда она пошла бы в ментовку и сдала этого урода к чертям собачьим. Ты не поняла, подруга: Надя была хорошим человеком, а хорошие люди детей не убивают, даже для того, чтобы собственную шкуру спасти. Все, катись... разбередила мне душу. И больше не звони. Не то мужу нажалуюсь, он тебя так приложит, мало не покажется.

— Последний вопрос, — сказала я, направляясь к двери. — Ты знала кого-нибудь из друзей Нестеренко?

— Нет. Мы общались с ним постольку-поскольку...

Я простилась и, покинув квартиру, брела по улице в полнейшем отчаянии. Можно смело констатировать: мое расследование зашло в тупик. Если Наталья права, было лишь одно объяснение: у Надежды есть сестра-близнец по имени Генриетта. Но это предположение, ввиду его абсолютной фантастичности, пришлось оставить.

Утром неожиданно позвонил Сериков.

— Ваши слова подтвердились, — взволнованно произнес он. — Официантки действительно не раз видели девушку, очень похожую на Захарову. И еще... Вчера в Трубном обнаружили труп ее отца. Это, вне всякого сомнения, убийство. Я уже разговаривал со следователем. Зная ваши непростые обстоятельства... в общем, прежде чем сообщить о вас, я хотел узнать: вы готовы с ним встретиться?

— Да, конечно.

Теперь я не видела смысла прятаться от полиции. Может, оно и к лучшему. Этим делом займутся профессионалы, а мне пора подумать о своей дальнейшей жизни.

Сериков назвал адрес, и мы договорились, что через час я подъеду. Жаль, что нет у меня паспорта Генриетты, это бы придало моим словам куда больше убедительности. Конечно, я расскажу следователю, что паспорт сейчас у Башки, но тот может запросто отрицать сей факт, хотя с какой стати? Если только из вредности, с полицией у него, похоже, натянутые отношения.

Стоило мне подумать о Коле, как он и объявился. Я вышла из гостиницы и увидела его машину. Коля открыл окно и весело позвал:

— Двигай сюда, пигалица.

— Ты-то мне и нужен. Точнее, мой паспорт, — обрадовалась я, открывая дверь со стороны пассажира, но садиться не собиралась.

— Зачем тебе паспорт?

— Что значит зачем? Нужен.

— Рад, что ты жива-здорова, — ухмылялся он.

— Зря ты меня запугивал. Никто на мою жизнь не покушался.

— Ну... может, еще не все потеряно. А ты куда собралась?

— К следователю.

— Интересно. Садись, отвезу. По дороге расскажешь.

— Труп старика вчера обнаружили, — сказала я, прикидывая, стоит воспользоваться приглашением или нет.

— Знаю, потому и приехал. Да садись ты и паспорт забери. — Он в самом деле достал из бардачка паспорт и протянул мне. А я полезла в машину. — Говори адрес...

Я сказала, сверившись по бумажке, которая лежала в кармане, и мы поехали.

— Еще новости есть? — спросил Коля. — Я не понял, ты к ментам по собственной инициативе или...

— С ними Сериков встречался, когда об убийстве узнал. Коля...

— Я ведь предупреждал, — укоризненно покачал он головой.

— Не Башкой же мне тебя звать, — возмутилась я.

— Только назови... — посуровел он.

— Ну и как я к тебе должна обращаться?

— Ваше благородие.

— А куда мы едем? — додумалась спросить я, сообразив, что спальный район остался позади и мы выезжаем из города.

— Потерпи малость, сейчас узнаешь.

— Меня ждут, — пробормотала я.

— Ничего, подождут. Тут такое дело, срочно надо обсудить. И не дергайся, я этого не люблю. Засвечу в лобешник, и станешь бездыханной.

Хотя машина ехала на большой скорости, я все-таки подумала: а не попытаться ли выпрыгнуть? Покосилась на Колю, а он мне пальцем погрозил:

— Даже думать не моги...

Оставалось лишь терпеливо ждать объяснений. Вскоре мы свернули на проселочную дорогу, проехали примерно с километр и остановились возле дома за высоким забором на краю деревни. Коля, насвистывая, вышел из машины и мне кивнул:

— Потопали.

Теряясь в догадках, я пошла за ним, он открыл калитку и направился к дому, дверь открыл своим ключом.

— Ну, вот, — сказал он, устраиваясь в полупустой гостиной, из мебели здесь был диван, два кресла да телевизор. — Располагайся.

Я села на диван и уставилась на него.

— Что это за дом?

— Просто дом. Но о том, что он мне принадлежит, ни одна живая душа не знает.

— Здорово. А зачем ты меня сюда привез?

Он потер ухо и заявил:

— По идее, тебе здесь надлежит упокоиться с миром.

— Что? — растерялась я.

— Я ведь говорил, следующим трупом будешь ты. Так и вышло.

— Ты хочешь сказать... Ты меня убьешь? — признаться, подобное в голове не укладывалось, но страх уже подкрадывался, я сцепила руки на коленях, ожидая ответа, а Коля хмыкнул:

— Пока нет. Пока, — поднял он палец.

— Ну, тогда хотя бы объясни, за что?

— За деньги. Что, еще не врубилась?

— Нет, — честно сказала я, теряясь в догадках.

— Мы с тобой решили, что на тебя начнут охоту...

— Это ты решил.

— Хорошо, я. Но наш умник сам пачкаться не хочет и надумал разделаться с тобой чужими руками.

— Ты-то здесь при чем?

— Имеются в виду мои руки. В прошлый раз ты была куда толковее.

— Тебя наняли меня убить? — ахнула я.

— Ну наконец-то...

— Выходит, ты знаешь этого человека?

— Не выходит. В век Интернета это совершенно ни к чему. Злодей со мной связался, мы сошлись во мнениях, сегодня он переслал твое фото, а также перевел аванс.

— И что дальше?

— Дальше надо вычислить злодея. Уверен, он где-то рядышком обретается.

— Конечно, рядышком, — запальчиво начала я.

— Сделаем вид, что ты уже скончалась.

— Это хорошо... я имею в виду, хорошо, что ты не собираешься меня убивать.

— Разве я сказал такое? Шучу, — засмеялся Коля. — Я б, конечно, не против, но... наш умник наверняка связан с похищением, кому еще нужно тебя убивать? А Серикова потрясли основательно. Следовательно, у заказчика денежки водятся, и я, при удачном расположении звезд, слуплю с него гораздо больше, чем он назначил за тебя. Как видишь, арифметика простая. Если он будет настаивать, а ты плохо себя вести, я как честный человек выполню заказ, хотя... ты мне дико нравишься, но профессиональная этика и все такое...

— А если это Бессонов? — вслух подумала я. — Решил похоронить меня по-настоящему. С него станется...

— Это какой Бессонов? — насторожился Коля.

— Тот самый, — махнула я рукой. — Он в вашем городе популярней Пугачевой...

— Александр Юрьевич? — уточнил Коля, а я удовлетворенно кивнула:

— Ага.

— И при чем здесь Бессонов?

— Он мой муж. Если хочешь знать...

— Не хочу, — перебил Коля. — Ох, как нехорошо-то... Спасибо, что предупредила. Мама дорогая... — Он так таращил глаза, что я забеспокоилась.

— Скажи на милость, что такого в этом Бессонове...

— Уж что-то есть, — вновь перебил Коля. — Если я до смерти перепугался.

— Ты опять шутишь?

— Хороши шутки... Если я не клацаю зубами, так только потому, что за долгие годы привык держать себя в руках. Хотя в нашем случае никаких рук не хватит.

— Отпусти меня, — взмолилась я. — Пожалуйста. Я уеду, и никто ничего обо мне больше не услышит.

— Ну уж дудки, — покачал головой Коля. — Ситуация хреновая. Для тебя в особенности, но и моя не лучше. Вот что, мобильный мужа тебе должен быть известен. — Коля достал телефон. — Звони.

— Не надо ему звонить...

— Надо, милая, еще как надо. Говори номер.

Вспомнив про утюг, я обреченно продиктовала номер, Коля набрал его, и почти сразу из-за двери послышался веселенький мотивчик. Мы растерянно переглянулись, дверь открылась, и в гостиную вошел Бессонов.

— Здравствуй, Коля, — сказал он хмуро, устраиваясь в кресле. — Искренне надеюсь, ты вел себя прилично.

— Девчонку я пальцем не тронул, — поспешно заверил тот, убирая телефон. — Она подтвердит. Александр Юрьевич, можно вопрос? Эта пигалица действительно ваша жена?

— Действительно, — кивнул Бессонов.

— Как же вас угораздило? Прошу прощения... — Коля посмотрел на меня, хохотнул и добавил: — Это ж сколько баб в нашем городе нашатырь будут нюхать, когда узнают, кто вас в конце концов заполучил? А Ольга? Она знает? Ну, дела... Порвет девчонку, как тузик грелку...

— Коля, — укоризненно позвал Бессонов. — Будь добр, объясни, что происходит?

Коля подобрался, потосковал немного и поскреб за ухом.

— А вы не знаете?

— Не знаю.

— Заказ поступил... на вашу девчонку.

Бессонов только головой покачал.

— Сколько лет прошло, а здесь ничего не меняется. Я ведь говорил тебе, Коля, завязывай.

— Грешен, Александр Юрьевич, хотелось прикопить деньжат, чтоб на пенсии жить в свое удовольствие.

— Боюсь, ты не проживешь столько, чтобы пенсионный вопрос стал для тебя актуальным. Заказчика ты, конечно, не знаешь? — Коля удрученно кивнул. — Ты на вольных хлебах или...

— Или, Александр Юрьевич.

— И кто теперь твой хозяин?

Коля вздохнул:

— Гордеев.

— Значит, он мой наследник. Я прав? — Бессонов криво усмехнулся, а Коля вновь кивнул. Бессонов поднялся и шагнул к двери, но обернулся. — Подумай о смене профессии... пока не поздно. Идем, — сказал он мне. И пошел, не оглядываясь.

— Иди, — зашипел Коля.

— Стыдно быть таким трусом, — сказала я.

— Нет, она еще учить меня будет... Иди... Навязалась на мою голову.

Бессонов стоял возле своей машины, припаркованной рядом с Колиной, молча распахнул передо мной дверь. Я села, злясь на себя за то, что в его присутствии совершенно теряюсь и просто не знаю, как себя вести. Бессонов завел машину, и мы поехали в город. Задавать ему вопросы бессмысленно, надо ждать, когда он сам заговорит. Тут у меня ожил мобильный, я взглянула на дисплей: звонил Сериков. Мне уже давно надо быть у следователя... Я покосилась на Бессонова, не зная, могу ответить или нет, а он спросил:

— Кто?

— Следователь.

Бессонов забрал у меня телефон и выбросил в окно. А я подумала: стоит ли считать появление Бессонова удачей или мое положение значительно ухудшилось за последние полчаса?

— Как ты здесь... — начала я и примолкла под его взглядом.

— Коля весьма опасный тип, хоть и выглядит клоуном, — все-таки ответил Бессонов.

— Но... откуда ты...

— Пришлось за тобой присматривать. Должен я знать, в какое дерьмо вляпалась моя женушка.

Он замолчал, а я вопросы задавать не решалась, хотя их было множество. Например, куда мы направляемся.

Ответ на него я получила через полчаса. Бессонов въехал на парковку гостиницы «Заря», вышел и дождался, когда выйду я. «Я могу сбежать, — подумала я оглядываясь. — Паспорт у меня есть».

— Давай без своих обычных глупостей, — сказал Бессонов. — Я знаю, ты очень независимая девушка, но сейчас не тот случай, чтобы эту самую независимость демонстрировать. — О моей независимости он говорил без намека на иронию. Он что, утонченно издевается? Мы поднялись в его номер. — Проходи, — кивнул он, снял пиджак и, определив его на плечики, повесил в шкаф в прихожей.

Мы вместе вошли в гостиную; номер он снял двухкомнатный, дверь в спальню была распахнута. Бессонов, проходя мимо, ее прикрыл, подошел к бару, налил себе коньяка, сел в кресло и принялся вертеть бокал в руке, время от времени делая глоток.

Я забилась в угол дивана и сосредоточенно рассматривала стену напротив, чтобы, не дай бог, не встретиться с ним взглядом.

— Я слушаю, — наконец сказал он. Я сцепила зубы, сердце билось в горле, дрожащие руки стиснула коленями. — Обычная игра в молчанку? — спросил он. — В этом ты мастерица. — Он вдруг запустил бокал с недопитым коньяком в стену, бокал разлетелся вдребезги, а на стене появилось пятно. — Последние дни стоили мне нервов, — ровным голосом произнес он. — Будь добра не испытывать мое терпение.

— Чего ты хочешь? — спросила я.

— Подробный рассказ... Начни с той ночи, когда ты сбежала из дома.

— Тебя все это не касается, — собравшись с силами, сказала я.

— Разумеется, — усмехнулся он. — Только кто тебе еще поможет, идиотка?

— Зачем тебе это? — Я была в растерянности. Конечно, я все еще его подозревала, однако Бессонов не из тех, кто стал бы притворяться. Ему ничего не стоило расправиться со мной, я ведь уже покойница.

— Ты моя жена, — ответил он.

— Помнится, ты меня похоронил.

— Откопаю ненадолго. Итак...

И я стала рассказывать, терзаясь сомнениями. Я опять играю по его правилам. Куда, к черту, подевалась моя решимость никогда больше не позволять ему командовать мной. Повествуя о побеге Ольги и моем в этом участии, я опустила голову пониже, ожидая едких замечаний, но Бессонов молчал. Покосившись в его сторону, я смогла убедиться: выслушав эту нелепую историю, он и бровью не повел, как будто был уверен, так я и должна была поступить. Это совершенно сбивало с толку. Я, тепличное растение, отчаянная трусиха, вела себя как слегка свихнувшаяся героиня боевика, а он даже не удивился.

Надо сказать, собственный рассказ, точнее мои недавние поступки, казались непроходимо глупыми, и, если честно, говорить о них было неловко. Закончила я свою повесть разговором с Колей.

Бессонов прошелся по гостиной, потирая бровь указательным пальцем.

— Ну, и кого ты считаешь убийцей ребенка? Меня или своего брата? — спросил он, разворачиваясь ко мне. Я судорожно вздохнула.

— У меня нет причин подозревать тебя. К тому моменту ты уже покинул город, — сказала осторожно.

— Представляю, как тебя это огорчило.

— Зачем ты так говоришь?

— Констатирую факт. Ты ведь рада всех собак на меня навешать.

— Саша, ты мог бы просто сказать: я этого не делал, — заметила я, саму себя повергнув в изумление.

— Я этого не делал, — пристально глядя на меня, произнес он. — И я уверен, твой брат тоже. Деньги взаймы дал ему я, он их вернул, через три года, как договаривались. С приличными процентами. Что меня очень порадовало. Он умел работать. И все остальное он получил заслуженно, не потому что ты моя жена, а потому что он надежный партнер. Тебе не приходило в голову, что ты с легкостью ставишь клеймо мерзавца на единственного близкого тебе человека?

— Не смей, — прошептала я.

— Я так понимаю, это все-таки стоило душевных переживаний. Временами мне казалось, ты ненавидела его почти так же, как меня. Ладно, теперь это уже не имеет значения. Меня куда больше волнует, кто решил от тебя избавиться. Это либо человек, убивший сына Гордеева, либо тот тип, что десять лет назад похитил ребенка. Второе более вероятно, учитывая все обстоятельства. Но убийцу Гордеева я бы тоже исключать не стал.

— Но какое я могу иметь отношение к этому убийству? — возразила я.

— Ты видела труп. Убийца опасается, что ты отправишься к Гордееву-старшему и все расскажешь.

— Но тогда получается, что...

— Что убийца либо муж Ольги, либо она сама. Такое, признаться, мне даже в голову не приходило.

— Но это невозможно...

— Почему?

— Валеры не было в городе, а Ольга...

— Замечательная женщина и убить не способна, — кивнул Бессонов с серьезным видом.

— Конечно, ты знаешь ее куда лучше, — сказала я и испугалась, что это звучит упреком. — То есть я...

— Все, что тебе известно об убийстве Гордеева, ты узнала от Ольги и прочих заинтересованных лиц. Перед тобой просто могли разыграть спектакль. А когда поняли, что держать тебя под контролем не в состоянии... решение пришло само собой.

Я тут же подумала о навязчивом внимании Ольги, стойком интересе к моим делам. А Валера... он так старательно искал моего расположения. Теперь все это выглядело подозрительным.

— Одно серьезное «но», — продолжил Бессонов. — На розыски сына Гордеев отправил Колю. Хорошо зная его способности, я не сомневаюсь: за эти дни он непременно что-нибудь нарыл.

— Коля мог и не сообщить о своих подозрениях Гордееву, — подумав, сказала я, — надеясь извлечь из этого выгоду.

— Ты имеешь в виду шантаж? — заинтересовался Бессонов.

— По-моему, он считает: деньги не пахнут.

— Все-таки времена меняются, — вдруг засмеялся Бессонов. — Раньше он был куда лояльней...

— Сериков ждет, что я встречусь со следователем, — напомнила я.

— Подождет. Что значат пару дней по сравнению с десятью годами? Обойдемся пока без ментов. Сам разберусь.

В этот момент у него зазвонил мобильный. Он ответил, повернувшись ко мне спиной, выслушал звонившего и сказал:

— Хорошо. — Убрал телефон и продолжил, обращаясь ко мне: — Мне надо отлучиться на некоторое время, ты останешься здесь под охраной, ребята сейчас подъедут.

— Я не нуждаюсь в охране, — сказала я запальчиво.

— Это уж мне решать.

— Прекрати! — рявкнула я, самой себе поражаясь, а еще была уверена, что он рассмеется в ответ, но он лишь слегка нахмурился, а я сказала куда спокойней: — Тебе нужно отлучиться по своим делам?

— У меня теперь только одно дело.

— Тогда, может быть, ты скажешь, куда направляешься? Или, по-твоему, мне это знать ни к чему? Ты взялся за дело, а мне следует сидеть в уголке и ждать, не досаждая глупыми вопросами?

— Хорошо, я скажу, — ответил он неожиданно мягко. — Увидев тебя в компании своих старых друзей, я решил немного поинтересоваться их делами. Поэтому об исчезновении сына Гордеева узнал на следующий день после своего приезда. В этом городе немало людей, готовых мне помочь.

И я загрузил их работой. Жена Гордеева-старшего незадолго до исчезновения пасынка якобы отправилась на курорт, в действительности она все это время провела в трех километрах от города в закрытом лечебном учреждении, где услуги медиков стоят очень дорого. Я хочу знать, что за болезнь подкосила молодую цветущую женщину.

— Я поеду с тобой, в конце концов, меня это касается больше, чем тебя.

— Что ж, — пожал он плечами. — Едем.

Внешне клиника скорее напоминала санаторий. Вокруг лес, за металлической оградой несколько домиков и белое трехэтажное здание, видимо лечебный корпус. Позднее выяснилось, что еще совсем недавно это действительно был профилакторий одного из городских предприятий. Вдоль ворот прогуливался охранник.

Парковка, куда Бессонов загнал машину, была пуста. То ли пациентов здесь немного, то ли гости заглядывают редко. Бессонов с сомнением посмотрел на меня и сказал:

— Мы договорились с хозяином, что я буду один, и, честно говоря, я предпочел бы свое обещание сдержать. Но если ты...

— Хорошо, иди один, — покорно согласилась я и, только когда он скрылся за воротами, досадливо чертыхнулась: зачем я, спрашивается, сюда приехала? В машине сидеть? Почему я опять позволяю ему командовать? «Он ведет себя странно, — немного успокоившись, решила я. — Необычно — уж точно. Он вроде бы извинялся, что не может взять меня с собой, его тон как будто подразумевал это». Открытие так поразило, что минут сорок я пялилась в пустоту, саму себя уговаривая, что подобный тон мне просто пригрезился, что я все это выдумала... Или все-таки нет? А если нет, что заставляет его так себя вести? Сейчас я более, чем когда-либо, завишу от него, и Бессонов мог бы не церемониться... Или есть что-то, чего я не знаю, и это «что-то» диктует изменения в его привычном поведении?

Я так увлеклась размышлениями на сей счет, что время ожидания пролетело стремительно. Увидев Бессонова, я удивилась и посмотрела на часы. Он сел рядом, завел машину, а я на него уставилась, не решаясь задать вопрос. Он сдал назад, развернулся, и мы поехали в город.

— Что-нибудь выяснил? — все-таки спросила я.

— Девица подсела на кокаин. Супруг узнал об этом и запихнул ее сюда на излечение, подозреваю, принудительное.

— Гордеев к наркотикам относится как к чуме. И то, что его сын...

— Да, сыночек вряд ли мог его порадовать... Логично предположить, что в увлечении молодой жены порошком не последнюю роль сыграл Гордеев-младший. Она оказалась здесь в среду, в четверг отец был в Москве, я проверил, а вот что было в пятницу вечером...

— Ты хочешь сказать... Отец и сын могли видеться в пятницу?

— Почему бы и нет?

— Жена Гордеева совершенно точно находилась тут со среды?

— Да.

— Сынок известный был бабник... я подумала, что если отец...

— Застукал сына со своей молодой женой, которую сыночек к тому же приучил к порошку? Неплохая версия. Жаль, в среду девица уже лежала в отдельной палате...

— А если Гордеев был убит раньше и только утром в пятницу его труп оказался в клубе... Нет, — вздохнула я. — В четверг он устроил скандал в «Абажуре», об этом говорила Ольга, и Коля подтвердил. Значит, его смерть к появлению здесь мачехи отношения не имеет.

— А вот в этом я не уверен.

Мы еще немного поговорили об этом. За четыре года впервые мы что-то обсуждали столь долгое время. Конечно, сейчас особые обстоятельства... А когда погиб мой брат, это что, не было особым обстоятельством? Тогда я была убеждена: брата убил Бессонов. Что нам было обсуждать? Сегодня Бессонов обвинил меня, что брата я не любила... Он принял мое молчание за равнодушие? А я любила брата? Любила? Когда-то мне казалось, что я с чистым сердцем отвечу на этот вопрос утвердительно, а потом... потом была горькая обида на Бориса за то, что он не защитил меня... И когда он погиб... Теперь я могу признаться, меня куда больше волновало, что убил его именно Бессонов, это подогревало мою ненависть... Узнать о себе такое было неприятно, и оставшуюся часть пути я молчала, глядя в окно.

— Отвези меня в гостиницу «Восход», — попросила я, когда мы оказались в городе, и тут же добавила: — Останови машину, я сама доберусь.

— Тебе не следует туда возвращаться, — напомнил Бессонов.

— Хорошо, — согласилась я. — Сниму номер в «Заре».

— Чужим паспортом лучше не козырять. Очень может быть, что полиция уже проявляет к тебе интерес. Рядом со мной ты в безопасности, я об этом позабочусь. Да и мне будет спокойней. — Последнее замечание прозвучало скорее насмешливо.

— Я не хочу жить с тобой в одном номере, — со всей возможной твердостью сказала я. Бессонов усмехнулся.

— Там две комнаты. И у меня нет тяги к сомнительным удовольствиям: не забывай, ты у нас покойница.

— Дурацкая шутка, — сказала я, а он кивнул:

— Согласен.

Обедать Бессонов решил в номере. Стол нам сервировали в гостиной, я с трудом впихнула в себя салат, чувствуя на себе взгляд мужа. Он рассматривал меня с таким видом, точно готовился сообщить что-то очень неприятное. Может, и вправду готовился, но потом, видно, передумал, потому что так ничего и не сказал. Зато на меня совершено некстати напала словоохотливость.

— Они тебя боятся, — буркнула я.

— Кто?

— Тот же Коля, к примеру. Так и сказал, что до смерти перепугался.

— Уверен, это была шутка.

— А я не уверена. — Вот это да! Я позволила себе с ним не согласиться. И ничего, земля по-прежнему крутится, а Бессонов, против ожидания, не осадил меня, а улыбнулся вполне по-человечески. Вряд ли моим словам, тогда чему? — Я много чего успела о тебе наслушаться, — осмелев или обнаглев, добавила я.

— Поверь на слово: пятьдесят процентов из того, что ты слышала, — плод неуемной фантазии. В любом случае, моя крутость сильно преувеличена, если справиться с тобой я так и не смог. Весьма обидное открытие для моего самолюбия, — заметил он с усмешкой.

Ему пришла охота иронизировать? Скорее просто поиздеваться надо мной, но что-то в его взгляде моей догадке противоречило.

— Не помню, чтобы я хоть раз посмела тебе возразить, — сказала я и тоже попыталась усмехнуться.

— С этим трудно не согласиться, — кивнул он. — Нет, ты не возражала. Ты молчала. Изо дня в день, из года в год. Что бы я ни делал и что бы ни говорил, ты упорно молчала. И я ничего не мог поделать с девчонкой, которая почти вдвое моложе меня.

— Ты... — начала я, внезапно лишившись и страха перед ним, и терпения, но мой боевой задор исчез так же стремительно. Какой смысл обсуждать все это?

— Я. И что дальше?

— Ничего.

— Другого ответа я не ждал, — хохотнул он. — Могу поздравить, ты выиграла все битвы. С молчаливым упорством, достойным лучшего применения.

Я отодвинула тарелку, потому что появилось искушение запустить ее ему в физиономию.

— Ты усердно молчала, но я очень быстро научился читать по глазам. Это было нетрудно, учитывая, что там всегда было одно и то же: ты можешь трахать меня в свое удовольствие, но души моей не получишь. Я тебя трахал, а ты терпела, сцепив зубы. Вот и вся наша семейная жизнь.

— Для меня новость, что она тебя не устраивала. Что ты пытаешься мне сказать: я была плохой женой? Наверное, так. Может, потому, что твоей женой я себя никогда не чувствовала. Хочешь скажу, кем я себя чувствовала? Пустым местом. Это в лучшем случае, когда ты ненадолго забывал обо мне. А когда... надеюсь, ты помнишь, как мы с тобой познакомились? Ты... — Я почувствовала дурноту, как будто тот вечер вернулся и я вновь оказалась в гостиной брата.

— Ты была не против, — заявил Бессонов, глядя на меня с сомнением.

— Ах, вот как... — Я закрыла глаза, чтобы не видеть его, и покачала головой. — Ты даже не представляешь...

Я резко поднялась и отправилась в ванную. Заперла дверь и, как была в джинсах и футболке, встала под горячий душ. Мне надо было избавиться от воспоминаний, смыть их с себя, липкие, въедливые, точно застарелая грязь. Понемногу я успокоилась, сердце стало биться ровнее, я разделась, развесила свои вещи и еще немного постояла под струями воды. Облачившись в гостиничный халат, вышла из ванной. Бессонова в номере не было. Вместо него в кресле сидел молодой мужчина и смотрел телевизор. При моем появлении он поднялся и произнес:

— Меня зовут Сергей. Пока Александр Юрьевич не вернется, я побуду с вами. Если я вам мешаю, могу отправиться в коридор.

— Вы мне не мешаете, — буркнула я и закрылась в спальне.

Я была рада, что Бессонова нет в номере, и с трудом представляла, что будет, когда он вернется. Я бы предпочла никогда больше не видеть его, но знала, что не могу покинуть номер, и не только потому, что парень, сидящий в гостиной, этого не позволит. Мое расследование зашло в тупик, и помочь мне сдвинуть его с мертвой точки способен лишь Бессонов. Конечно, можно обратиться в полицию, но подобное решение влекло за собой большие сложности. Неизвестно, как поведет себя Бессонов, узнав, что я нарушила его запрет. Откажется подтвердить, что я его жена? Это вполне в его духе. Что помешает ему сделать то же самое, когда наше расследование подойдет к концу? И этот парень в гостиной, чем он на самом деле занят: охраняет меня от предполагаемого убийцы или все-таки следит за тем, чтобы я не сбежала? Скорее всего, и то, и другое. В любом случае решение Бессонов оставит за собой. Он так привык, и у него нет причин меняться.

Я мысленно вернулась к нашему недавнему разговору. С его точки зрения, я не только не любила своего брата, я была скверной женой. Оказывается, ему нужна моя душа, а он получил только тело. Я нервно засмеялась. Он считает себя обманутым... в самом деле считает? В его словах звучала злость, а еще... я бы сказала, отголоски давней боли, если б способна была вообразить подобное. Он сукин сын, которому плевать на других. Он не получил то, что, как он считал и считает, принадлежало ему по праву... Может, я ошибалась и его равнодушие на самом деле было ненавистью сродни моей.

Разговор с ним не принес ничего, кроме боли, мы были на разных полюсах и навсегда там останемся. Бессмысленный разговор. Но я боялась, мы непременно к нему вернемся, и хотела этого, может, на этот раз у меня хватит сил сказать ему все... Зачем? Просто выговориться, избавиться от накопленных обид? Теперь вдруг выяснилось, у него имелись свои. Знай я об этом раньше... Что? Постаралась бы использовать? Причинить боль? На самом деле он ничего не чувствует, ломает передо мной комедию с одной целью: заставить меня поверить, что во всех своих бедах виновата я и только я... Ловко, ничего не скажешь. Я не сказала «нет» в тот первый вечер, а потом с наслаждением мстила ему за это четыре года. Лживая сволочь, вот он кто...

Я нервно бегала по комнате, мысленно обращаясь к нему с гневной речью, а получился длинный перечень обид. Зачем мне все это сейчас, когда я уже избавилась от него? Он не заставит меня вернуться, не сможет заставить, да это ему и не нужно. Он, как и я, почувствовал себя наконец-то свободным. Мы держали друг друга в тюрьме целых четыре года, и каждый считал тюремщиком другого, а теперь вдруг выяснилось, что оба мечтали о побеге... Печальный итог...

Бессонов вошел в номер, я слышала, как он разговаривает с охранником, и испуганно замерла. Он заглянул в спальню и бросил коротко:

— Есть новости.

Когда я появилась в гостиной, Бессонов был там один, настраивал ноутбук, расположившись в кресле за журнальным столиком. Махнул мне рукой, предлагая к нему присоединиться, а меня покоробило от этого хозяйского жеста. Если я начну цепляться к нему из-за этого, наше расследование обернется затяжным семейным скандалом, которого мы тщательно избегали четыре года. Да пусть хоть ногой машет, мне плевать.

Я подошла и села рядом.

— Запись сделана час назад, — пояснил он.

На экране появилось изображение. Мужчина находился спиной к видеокамере, но я без труда узнала Валеру. Он вошел в кафе. Столики справа и слева. Устроился в углу, теперь я видела его лицо. Микрофон оказался слишком чувствительным, голоса окружающих людей сливались в невнятный шум. Вскоре возле Валеры появился мужчина, на некоторое время скрыв его от камеры. Он сел напротив, и я смогла его разглядеть. Высокий, худой, лет шестидесяти, лысина в обрамлении седых волос. Лицо неприятное. Он что-то сказал Валере, слов, по-прежнему, не разобрать, а тот развел руками, точно говоря: «Ничего не поделаешь». Напряженное лицо мужчины крупным планом, он опять что-то говорил, я решила: очень похоже на угрозы. Валера слушал молча и кивал. Наконец мужчина достал из внутреннего кармана пиджака пухлый конверт и перебросил Валере. Тот кивнул в очередной раз и убрал конверт в карман пиджака. Мужчина встал и направился к выходу. Валера выпил кофе, который ему в тот момент принесли, взглянул на часы и покинул кафе.

— Кто этот тип? — спросила я, когда экран погас.

— Гордеев Лев Павлович. Бизнесмен и большой приятель здешнего губернатора.

— Странно, — нахмурилась я. — Что, по-твоему, он передал Валере? Деньги?

— Похоже, — пожал плечами Бессонов.

— Но... Валера его боялся. Он прятал труп, чтобы отвести подозрения полиции и отца Гордеева от своего клуба. У меня сложилось впечатление, Гордеева он опасался куда больше полиции. И вдруг он получает от него деньги. За что?

— Ответ напрашивается сам собой: все это время Валера не сидел сложа руки и вычислил убийцу... А может, не просто вычислил, а раздобыл доказательства. Кстати, в клинике, где лежит жена Гордеева, он побывал гораздо раньше меня, если быть точным, неделю назад.

— И Гордеев решил его отблагодарить?

— Возможно, его благодарность вынужденная, — заметил Бессонов.

— То есть Валера его шантажировал?

— Для начала я хочу проверить свою догадку. Для этого придется встретиться с Ольгой.

Он достал мобильный, набрал номер, а когда Ольга ответила, сказал только одно слово:

— Приезжай, — и равнодушно отбросил телефон. А мне вновь захотелось огреть его чем-то тяжелым. Может, не один раз и даже не два, чтобы увидеть наконец, как с его физиономии сползет это самодовольное выражение.

— Не думаю, что нам следует с ней встречаться, — сказала я, удивляясь, что голос мой звучит почти спокойно.

— Ты можешь подождать в спальне, — закрывая ноутбук, ответил он. — Вряд ли наш разговор продлится долго.

— Ты ведь уверен, что она приедет? — не удержалась я.

— Конечно.

— Конечно... Она все еще любит тебя. А ты собираешься ее использовать.

— Я собираюсь разобраться в этой истории, только и всего.

— Для достижения цели все средства хороши?

— Что это тебе вздумалось читать мне нотации? — удивился он. — Ах, да... я забыл... вы, кажется, успели подружиться. А если выяснится, что она точно так же использовала тебя? Или ты ей готова простить этот маленький грех и твое возмущение распространяется только на меня? Я хочу задать ей вопрос, отвечать на него или нет — решать ей. А сейчас, будь добра, отправляйся в спальню.

Я стремительно удалилась, так хлопнув дверью, что, должно быть, содрогнулся весь этаж, а Бессонов засмеялся. Я села на краешек кровати и стиснула руки, пытаясь унять нервную дрожь. Бессонов прохаживался в гостиной, что-то насвистывая. Я думала об Ольге, о том, как она мчится сюда сломя голову... Неужели она так и не поняла, с кем имеет дело? У нее есть мужчина, который ее любит, а этот мерзавец бросил ее тогда, бросит и сейчас. А она летит, как мотылек на огонь свечи... Она готова страдать вновь, да еще находит ему оправдание. Наверное, настоящая любовь только такой и бывает, твое собственное «я» вдруг отступает на второй план, и ты способен на все ради своей любви. А она поманит и предаст. И тогда у тебя ничего не остается...

В дверь громко постучали, Бессонов направился в холл, а я чуть приоткрыла дверь спальни. Тихий смех, Ольгин восторженный шепот, слов было не разобрать, какая-то возня, а потом голос Бессонова, довольно громкий:

— Мне известен твой темперамент, но не могла бы ты на время оставить в покое молнию на моих брюках...

— Ты сам виноват, все эти дни я пребываю в нетерпении, когда тебе надоест валять дурака...

— Ну, вот и дождалась... Выпьешь?

— Чуть-чуть... Я боялась, что ты уедешь...

— Твои страхи были напрасны...

Я услышала, как он идет к бару, разливает коньяк.

— Скажи-ка, милая, Гордееву-младшему о том, что наркобизнесом в этом городе заправляет его отец, ты сообщила?

— Откуда ты... — помедлив, начала Ольга, но вдруг чертыхнулась: — Я, кажется, забыла, с кем имею дело.

— Может, стоит напомнить, я не люблю повторять вопросы дважды.

— Зачем тебе?

— Я знаю, что ты и твой муж оказались в непростой ситуации. Твое благополучие меня беспокоит.

— Правда?

— Я когда-нибудь тебя обманывал?

— Нет... к сожалению. Однажды ты сказал, что я напрасно трачу на тебя время...

— Очень вероятно, что это произойдет вновь.

— Ну и пусть... свои слезы я уже выплакала.

— Я жду ответа, дорогая.

— Да, правду о своем сволочном папаше он узнал от меня.

— Надо полагать, в вашем клубе любители запретных удовольствий могут ни в чем себе не отказывать. В этом причина его большой популярности и роста вашего благосостояния?

— Надеюсь, за эти годы ты не стал блюстителем нравственности? — усмехнулась Ольга.

— Я далек от этого.

— Слава богу... После твоего отъезда... Короче, всем здесь теперь Гордеев заправляет. При этом строит из себя святошу. «Город без наркотиков» и все такое... Ему нужны были надежные люди, вот он и использовал старую гвардию. Кстати, Башка на него работает, да много кто... И Валерка мой тоже, хоть и не связан с ним напрямую. Мы просто закрываем глаза на кое-какие делишки в клубе и имеем свой законный процент. Игорек был у нас частым гостем. Начал возле меня тереться. Я терпела сколько могла, а потом его послала. А этот ублюдок стал меня шантажировать. Расскажу, мол, отцу о том, что здесь творится, и он вашу лавочку прикроет. Менты у него с рук кормятся, и губернатор в друзьях, в общем, пойдем с муженьком по этапу с приличным сроком. Ну, я ему и сказала, кто такой в действительности его папаша. Потом, конечно, пожалела, но слово не воробей. По его роже стало ясно: он об этом даже не догадывался. Отец его в свои дела не посвящал ввиду его беспросветной глупости и болтливости. Он ушел в глубокой печали, и больше мы не виделись.

— Я так полагаю, это произошло накануне его исчезновения?

— Ну да, в четверг. Папаша был в Москве, до этого Игорек от него прятался, видно, имелась причина. Домой он носа не показывал со вторника, ночевал в клубе. Я могу остаться до утра, — совсем другим тоном произнесла Ольга.

— А что скажет муж?

— Плевать мне на него.

— Может, не стоит? Через пару дней я все равно уеду.

— И меня не позовешь?

— Не позову.

— Ах, Саша, Саша, — вздохнула она. — Сколько раз за эти годы я молилась, чтобы ты... Чтобы ты испытал все то, что пришлось пережить мне. Чтобы каждый день стал для тебя пыткой, чтобы ты жизни не мыслил без человека, которому до тебя попросту нет дела...

— Если тебя это утешит: твои молитвы были услышаны, — усмехнулся Бессонов. — И я огреб все по полной программе.

— Шутишь? — не поверила Ольга. — На свете есть женщина, которая заставила тебя страдать? Хотелось бы взглянуть на нее...

— Может, и доведется.

— Хватит тратить время на болтовню, — сказала Ольга, решительно поднимаясь. — Я столько лет ждала... Вовсе не для того, чтобы упрекать тебя. Хоть ночь, да моя...

Я услышала ее шаги, а потом резкий окрик Бессонова:

— Ольга... — Но он опоздал, она уже распахнула дверь спальни и увидела меня.

— Ты здесь откуда? — спросила в замешательстве.

Подошел Бессонов, привалился к дверному косяку и сказал:

— Знакомься. Это моя жена. Она действительно сбежала из дома, но не от родителей, как сказала тебе, а от меня.

— Эта...

На мгновение я решила, что она набросится на меня с кулаками, лицо ее странно дернулось, и она отступила на шаг.

— Что ж, ребята, у вас будет повод вволю посмеяться... — Ольга развернулась на каблуках и бросилась бежать.

Дверь хлопнула, а я сказала:

— Ненавижу тебя...

— Не трудись. Мне это хорошо известно.

Он подошел, стащил покрывало с кровати, взял подушку и вернулся в гостиную. А я так и осталась стоять, давясь слезами.

Завтрак нам принесли в номер. Мы сидели друг напротив друга, избегая разговоров и взглядов.

— Как ты себя чувствуешь? — спросил Бессонов.

— Отвратительно, — сквозь зубы ответила я.

— Я так и понял. Выглядишь соответственно.

— Зато ты... непременно нужно было унизить ее? Ты из тех, кому все надо втоптать в грязь.

— Послушай, дорогая, ты не очень-то разошлась? Четыре года молчала, как партизан в застенках, и вдруг разговорилась. С семейными сценами ты малость опоздала...

И тут я себя удивила. Вскочила, уронив поднос, кофейник опрокинулся, тарелки полетели на пол, а я замахнулась с намерением влепить ему пощечину. Он перехватил мою руку и швырнул меня на диван. Я неловко упала, подол халата задрался... Я, наверное, представляла собой забавное зрелище, одной рукой одергивая халат, а другой, прикрывая голову. Он сгреб меня за шиворот, и совсем рядом я увидела его лицо... Я знала этот взгляд и знала, что последует за ним, сжалась в комок, обмирая от ужаса. Его рука была на моем бедре, он навалился сверху, но внезапно выпрямился и повернулся ко мне спиной.

— Еще раз посмеешь выступить с подобным номером... — начал он и покачал головой.

— Извини, — поспешно сказала я, обхватив себя за плечи. — Я не знаю, что вдруг на меня нашло.

Он прошелся по комнате, потер рукой шею, поддал носком ботинка тарелку, лежавшую на полу, и с хрустом ее раздавил.

— Чего это ты вздумала рукой прикрываться? — спросил с усмешкой. — Не помню, чтобы я хоть раз тебя ударил. Хотя когда-то так и подмывало влепить тебе хорошую затрещину.

— Когда-то? А теперь? — Страх еще не отпустил, вот я и мела языком, пытаясь успокоиться.

— А теперь считаю до ста и дышу ровно.

— Получается?

— До ста досчитать? Нет, что-то не очень. Так что замахиваться на меня больше не советую.

— Я же извинилась. Вчера, когда Ольга меня увидела, я чувствовала себя... ужасно. Мне было так больно, так обидно за нее...

— Блин, — перебил Бессонов мои излияния. — Ты бы о муже так переживала.

— В каком смысле? — растерялась я.

— В буквальном, милая, в буквальном.

Утро началось бодро, подозреваю, денечек выдастся ему под стать. Я сползла на пол и стала собирать осколки, натолкнулась взглядом на его ботинок и подняла голову. Бессонов стоял в трех шагах от меня, сунув руки в карманы брюк.

— Прекрати ползать, горничная уберет...

— Я...

— Твоя поза очень возбуждает, — с кривой усмешкой заявил он. — А я еще не пришел в себя от вида твоей голой задницы.

Я поспешно поднялась и скрылась в ванной, заперев дверь. Натянула джинсы, пуговицы блузки не желали попадать в петли, пальцы дрожали. Я долго умывалась холодной водой, глубоко вздохнула и направилась в гостиную. Бессонов лежал на диване, закинув руки за голову и закрыв глаза. Я прижалась спиной к стене и сказала нерешительно:

— Вчера ты выяснил, что хотел? И что теперь?

— Можно прижать Валеру и заставить его разговориться. Об убийстве Гордеева он знает куда больше нас, за что и получил свои деньги. Но подводить Ольгу не хочется. Придется еще раз встретиться с Колей, хоть я и не успел соскучиться. Он мне звонил, когда увез тебя, в мобильном должен быть его номер. Найди.

Я взяла мобильный, который лежал на столе, и стала проверять звонки. Нашла нужный номер и протянула телефон Бессонову.

— Здравствуй, Коля, — сказал он. — Загляни ко мне, уверен, где меня искать, ты знаешь. Есть разговор.

Он вернул мне телефон и еще некоторое время лежал с закрытыми глазами. Потом велел позвонить по гостиничному телефону и попросить убрать в номере.

— Возьми в пиджаке деньги, дай горничной на чай, мне подниматься лень.

Пришла горничная, я сунула ей в руку банкноты, и она, не сказав ни слова, навела в гостиной порядок. Только она ушла, как в дверь постучали.

— Мне ждать в спальне? — спросила я.

— Все равно подслушивать будешь, оставайся здесь.

Бессонов поднялся и пошел открывать.

— Доброе утро, Александр Юрьевич, — бодро приветствовал его Коля.

— Только не для меня. Проходи.

— Неужто неприятности? А я вот гадаю, зачем вдруг вам понадобился?

— Потерпи немного, сейчас поймешь.

Бессонов включил ноутбук и развернул его к Коле, который к тому моменту устроился в кресле. Николай встретился со мной взглядом и весело подмигнул. Видеозапись они смотрели в молчании. Коля с большим интересом. Когда запись кончилась, он усмехнулся и потер подбородок ладонью.

— Интересное кино...

— Более чем, — кивнул Бессонов. — Я бы еще понял, если бы конверт перекочевал в карман Гордеева. Но здесь мы видим обратное.

— Вы считаете, в конверте деньги?

— А ты как считаешь? Что Гордеев решил оплатить? Молчание Быкова?

— Александр Юрьевич, мне об этой встрече ничего не известно. Клянусь.

— Я склонен тебе верить. Прежде всего потому, что ты знаешь — врать мне бессмысленно.

— Я бы добавил: опасно, — вновь усмехнулся Коля.

— Хорошо, что ты это помнишь. Допустим, Гордеев решил не сообщать тебе об этой встрече. Но кое-какие предположения ты сделать можешь... Это связано с исчезновением его сына?

— Александр Юрьевич, — Коля покачал головой. — При всем моем уважении, вы ставите меня в затруднительное положение. Я могу лишиться работы.

— Коля... есть несколько способов заставить тебя разговориться. Я бы предпочел самый простой... и самый приемлемый для нас обоих. — Бессонов достал из кармана пачку долларов, провел по ней пальцем, раскинув веером, и выложил на стол. — Повторных предложений я не делаю.

— Мне известна ваша манера вести дела, — вздохнул Коля. — Я бы...

— Коля, все, что я хочу, — убедиться, что к моей жене данная история не имеет отношения. Остальное меня не касается.

— И я могу рассчитывать, что все сказанное здесь между нами и останется?

— Можешь. При условии, что интересы моей жены это не затрагивает.

— Не сомневаюсь, что вы сдержите свое слово, — повеселел Башка, сгреб со стола деньги и убрал их в карман. — Я думаю, Валера неплохо продвинулся в своем расследовании и в результате смог существенно улучшить свое материальное положение.

— Надеюсь, для тебя не новость, что Гордеев-младший неделю как покойник, — сказал Бессонов. Коля едва заметно кивнул. — Его труп был обнаружен в субботу утром в подсобке клуба. Что тебе об этом известно?

Коля поморщился, на этот раз потер ухо и ответил с некоторой неохотой:

— Я решил, пусть головная боль будет у Валерки.

— Значит, это ты его туда определил?

Я сидела в замешательстве, Коля покосился на меня, а Бессонов произнес:

— Ее присутствие беспокоить тебя не должно. Я позабочусь о том, чтобы девчонка хранила молчание.

— Моя работа, — покаянно произнес Коля.

— Значит, сыночка убил Гордеев?

— Я при этом не присутствовал, но отношения у них не складывались. Парень был его постоянной головной болью. О какой-либо полезной деятельности он и слышать не хотел, пьяные загулы, бабы... Он умудрялся выбирать себе подружек весьма неосмотрительно. Среди них были дочка нашего мэра и племянница губернатора. Каждый раз все заканчивалось громким скандалом. Это еще пол-беды, но парень — конченый наркоман и баб своих на дурь подсаживал. А Гордеев с экранов телевизоров не слезает, известный борец с наркотой.

— Но от прибыльного бизнеса не отказывался? — сказал Бессонов.

— Далеко не каждый на это способен, — уважительно взглянув на него, ответил Коля. — В общем, одной рукой боролся, другой бабло загребал, и сын-наркоман ему точно кость в горле. Раза три он пробовал его лечить, пользы от этого никакой, сыночек после очередной терапии точно с цепи срывался. Если мне будет позволено, приведу цитату из Библии: «По плодам их узнаем о делах их». Это как раз о Гордееве и его сынке.

Бессонов чуть приподнял брови, выражая свое отношение к чужой учености, а Коля довольно хохотнул.

— Игорек при случае отзывался о папаше весьма нелицеприятно и рад был ему свинью подложить. В чем очень преуспел.

— Ты имеешь в виду жену Гордеева? — спросил Бессонов.

— Девка на тридцать лет моложе супруга и без царя в голове. Чем она его взяла, мне неведомо, в городе есть шлюхи и получше. Гордеев вдовец, может, тосковал по женской заботе, но с ней промахнулся. Вся его семейная жизнь — сборник анекдотов. Он жрал виагру упаковками, а она наставляла ему рога с собственным сыном.

— И он узнал об этом?

— Еще бы, если застал их в постели. Голубки лежали обнявшись, считая, что он вдали обретается. Ему стоило проявлять осмотрительность и без звонка домой не являться.

— Когда это было?

— Почти месяц назад. Гордеев был вне себя от бешенства. Я думал, они наконец разведутся, но она его, как видно, крепко держит за яйца. Он как следует ее отметелил, сломал нос и два ребра. И посадил под домашний арест. А сыночка в большом гневе выгнал из дома, правда, вскоре заставил вернуться, но придумал наказание получше — перестал снабжать деньгами. И отказался оплачивать его долги. Гоша клялся и божился папашу прикончить. Родительский дом в гневе покинул, и его подружка осталась без кокса, все еще находясь под домашним арестом. Кое-какие запасы быстро кончились, и девица на стену полезла. Так папик узнал, что она наркоманка. Где у него раньше глаза были, остается лишь гадать. Девка отправилась в клинику, а сыночек прятался от праведного папиного гнева у Валерки в клубе. Но в пятницу вечером оказался дома.

— Отец с сыном выясняли отношения?

— Должно быть, так... Если вам интересно мое мнение, Гоша как-то узнал об отцовском бизнесе, о том бизнесе, который он так тщательно скрывал. Не думаю, что причиной стала малолетняя задрыга, которую они трахали на пару, уж это-то папа как-нибудь бы пережил.

— Гордеев-младший шантажировал отца?

— С него станется. Он же совершенно чокнутый... был. А бабло и власть легко перевешивают отцовские чувства...

— Положим, не у всех, — заметил Бессонов.

— Вам видней, но у таких, как Гордеев, без сомнения. Он позвонил мне ночью из дома. Я приехал и застал душераздирающую картину. Сынок лежит бездыханным возле камина с пробитой башкой, а папа бегает рядом и вопит, что все кончено. Себя он жалел куда больше сына. Махнул коньячку и ко мне полез с сакраментальным вопросом «что делать?». Я его никогда не уважал, но так вышло, что его благополучие тесно связано с моим собственным. Мне не улыбалось вновь остаться без работы. В такой ситуации был лишь один выход: вывезти труп в ближайший лесок и зарыть. Папа уже был готов на все, даже лишить засранца достойного погребения, а себя возможности его навещать и тихо поплакать над мраморной плитой. Но понемногу начал соображать и решил, что такой расклад для нас неприемлем. Если Гоша будет числиться в розыске... кто-нибудь из ушлых ментов может и докопаться.

— И тогда возникла идея с клубом?

— Точно. Накануне Гоша там скандалил с московскими гостями с весьма сомнительной репутацией. Да и без того в клубе достаточно граждан, которые парня не жаловали. Я имею в виду посетителей. Опять же Валера... Упорно болтали, Игорек и к Ольге под юбку залез. В общем, для ментов широкое поле деятельности. Я был уверен, Валера вызовет полицию, и основная головная боль выпадет ему. Убитого горем папашу никто особо дергать не будет, учитывая его связи... Но труп вдруг исчез, а папа, перестав клацать зубами от страха, требовал для сына гражданской панихиды. Думаю, Валера решил с ментами не заморачиваться и где-то его зарыл. Кстати, разумно. А заодно распустил слух, что Ольга с Игорьком сбежала. Он выиграл время и докопался до истины, о чем свидетельствует эта видеозапись. Обе стороны пришли к соглашению. Ольга уже вернулась домой, заявив, что все это время была у подруги. Менты ее дважды допрашивали, но не так чтобы очень настойчиво. Теперь парня продолжат искать ни шатко ни валко и, возможно, к весне найдут, если будет на то воля божья, а Валера шепнет, где искать. К тому моменту все улики канут в Лету, и менты получат очередной висяк. Зато парня похоронят по-христиански. В общем, все окажутся довольны и счастливы.

— Странно, что Гордеев решил заплатить. Мог бы попросту избавиться от шантажиста, если уж ты у него в доверенных лицах. Но он о встрече с Валерой тебе даже не сообщил.

— Валерка ему нужен. Отлаженный бизнес и все такое... Хотя, возможно, старикан разделался бы с ним позднее, найдя ему достойную замену. И меня не стал посвящать в их маленькое дельце, потому что сам прекрасно справился. Валерка нуждается в Гордееве не меньше, чем Гордеев в нем. Вряд ли он запросил слишком много, а бабла у моего хозяина немерено. Как видите, все это не имеет ни малейшего отношения к вашей супруге.

— Что ж... — пожал плечами Бессонов. — Будем считать, свои деньги ты отработал.

— Спасибо. Но есть одно «но»: о втором убийстве я не могу сказать то же самое.

— Какое убийство ты имеешь в виду?

— Одинокий старикан в доме... Менты нашли труп. Они склонны считать, кто-то из местного контингента забрался в дом с целью поживиться и старика придушил. Районник подходящий, шпаны сколько угодно. Не успеют менты оприходовать одних, как им на смену подрастают другие. Я же уверен, что ваша девчонка, прошу прощения, супруга, столкнулась в доме с убийцей, когда навещала старика. Мне заткнуться или можно продолжить?

— Продолжай, — кивнул Бессонов, откидываясь на спинку кресла.

— Прежде чем дальше строить предположения, желательно знать: насколько правдив был ее рассказ. — Коля на меня уставился выжидательно, я покосилась на Бессонова, а тот едва заметно кивнул.

— В основном правдив, — не очень охотно ответила я. — За исключением кое-каких деталей.

— Они точно несущественны? — мяукнул Коля и тут же кашлянул, опасливо взглянув на Александра Юрьевича.

— Я сбежала не от родителей, а от мужа. Это существенно? — Бессонов и бровью не повел, а Коля досадливо крякнул, отводя взгляд. — И с Генриеттой, чей паспорт ты видел, я была знакома лично. Разумеется, я не догадывалась, что это не настоящее имя, пока не обнаружила ее фотографию в газете... Дальше вы оба знаете.

— Иными словами, ваша супруга затеяла расследование, что и послужило причиной того самого заказа, который я получил.

— Кстати, заказчик не объявился?

— Как в воду канул, наплевав на аванс. Не бог весть какие деньги, но все же... Думаю, ему уже известно и о вашем появлении, и о том, кем девушка вам доводится. Оттого он и решил залечь на дно. Я бы предпочел вернуть ему деньги, чтобы моя репутация не страдала, — засмеялся Коля. — Но... он лишил меня такой возможности.

— Давай начистоту, — сказал Бессонов. — Ты успел покопаться в том старом деле?

— Я же надеялся заработать, — ответил Коля, точно оправдываясь.

— Есть успехи?

— Ни малейших. Менты похищением вновь заинтересовались, по настоянию Серикова. Но вряд ли им повезет больше, чем мне.

— Бизнес Серикова получил Гордеев. Тебя это беспокоит? — подумав, задал вопрос Бессонов.

— В некотором смысле. Я ведь уже сказал: не хотелось бы остаться без работы. А если вы возьметесь за дело...

— Значит, вероятность того, что ребенка похитил Гордеев, ты не исключаешь?

— Насколько я знаю, бизнес он купил. Дешевле, чем при других обстоятельствах, но купил... Что касается того, мог ли он это сделать... Гордеев редкая гнида и, в принципе, может все... в чем мы недавно убедились. Но особого смысла затевать все это я не вижу. Скорее он просто воспользовался ситуацией.

— Меня ты, надеюсь, не подозреваешь? — криво усмехнулся Бессонов.

— Избави бог. Те деньги, что заплатил Сериков, для вас сущий пустяк, кому знать, если не мне. Да и не ваш стиль вести дела подобным образом.

— Спасибо, что в детоубийцы не записал. Хотя кое-кто, глядишь, и порадовался бы...

Коля удивленно приподнял брови, но промолчал, а я нахмурилась.

— Я бы занялся нянькиным дружком, — продолжил Коля. — Помнится, он был у вас водилой.

— Забудь об этом, — махнул рукой Бессонов.

— Как скажете.

Но Александр Юрьевич решил, что Коля заслуживает пояснений.

— Нянькин жених, как ты его называешь, брат моей жены. Его застрелили несколько дней назад.

Коля поскреб затылок.

— Ух, как все запутано...

— Я думаю, Генриетта, то есть Надежда, приехала в наш город, чтобы встретиться с ним, — вмешалась я в разговор.

— И в результате он погиб?

— Если брат не был причастен к похищению, а я надеюсь, что это именно так, настоящий похититель боялся, что Генриетта все ему расскажет.

— Логичнее было бы избавиться от нее, — заметил Коля.

— Возможно, так бы и произошло, но она сама помогла ему в этом...

— Я что-то не понял, — Коля нахмурился.

— Девушка позвонила моей жене ночью, сказала, что стоит на мосту и вот-вот сиганет вниз, — заговорил Бессонов. — Само собой, та бросилась ее спасать. Но, предположительно, опоздала, о чем свидетельствовала брошенная сумка с документами и билетом в этот город, туфли и шарф, парящий на ветру. Все было именно так, милая? — обратился ко мне Бессонов.

— Так, — кивнула я.

— Моя жена забрала сумку, оставив взамен свою.

— Зачем? — ошалел Коля.

— Чтобы скрасить мою скучную жизнь веселым приключением, зачем же еще?

— Хорошо, что я убежденный холостяк, — вздохнул Коля.

— Я теперь тоже, — порадовал Бессонов.

— Но... — Коля перевел взгляд с меня на Бессонова. — Звонок, документы в сумке и шарфик на ветру... Это же чистой воды подстава. Или я чего-то недопонял?

— Девчонке двадцать один год, и жизнь она знает из дурацких книжек. Только это ее и оправдывает. Спасибо за содержательную беседу, — заявил Бессонов, выпрямляясь в кресле. Понятливый Коля тут же поднялся.

— Александр Юрьевич, мне в этом деле еще малость покопаться или лучше поскорее его забыть?

— Копайся на здоровье. Сообщи, если вдруг появится что-то интересное.

— Можете не сомневаться.

Коля шустро припустился к входной двери и аккуратно прикрыл ее за собой.

— Получается, у нас только один подозреваемый: Гордеев? — спросила я и густо покраснела, решив, что «у нас» прозвучало как-то... В общем, надо было выразиться иначе.

— Гордеев или кто-то другой... — пожал плечами Бессонов. — Одно несомненно: он в этом городе. И деньгами, полученными от Серикова, распорядился с умом. Поэтому и не вызвал подозрений. У того же Гордеева денег куры не клюют, на лишний миллион никто бы внимания не обратил. А вот появление у вчерашнего небогатого парня роскошной тачки, квартиры и прочего кое-кого насторожило бы. Особенно если с нянькой их что-то связывало.

— Как же мы его найдем? — Я едва не чертыхнулась от досады на себя: то «нас», то «мы». И как я должна выражаться? Судя по физиономии Бессонова, мои мытарства были ему глубоко безразличны, и он на местоимение просто не обратил внимания. И то хорошо.

— Что-нибудь непременно появится, — ответил Бессонов. — Если он убил старика и твоего брата, значит, здорово припекло. А в таком состоянии человек теряет осторожность. Наберись терпения.

— Почему ты говоришь «он»? Их может быть двое, трое...

— Маловероятно. Чем меньше людей задействовано, тем проще все сохранить в тайне. Этой уже десять лет. Следовательно, ее хранит один человек. Не то она так или иначе выплыла бы наружу.

— А Генриетта?

— Мою мысль это лишь подтверждает. Если бы не твоя подруга...

С ним было трудно не согласиться. Если бы не наша встреча с Генриеттой, кто бы стал копаться в этом деле? Спустя десять лет? Кое-что меня очень беспокоило, я прикидывала и так и эдак и в конце концов решилась задать вопрос.

— А Гордеев?

— Что — Гордеев? — не понял Бессонов.

— Он убийца и должен...

— Это не мое дело.

— Потому что ты обещал Коле?

— Потому что это не мое дело. Пусть полиция ищет его сына. Если Коля прав и по весне найдут труп, могут сколько угодно копаться в этом дерьме. Им за это деньги платят.

— Так неправильно.

— В твоих замечаниях я не нуждаюсь. Все. Тему закрыли.

— Знай свое место и помалкивай?

— Детка, ты испытываешь мое терпение.

— Меня ты по имени тоже никогда не называл, — глядя на него исподлобья, сказала я. — Или почти никогда.

— Может, мне тебя по имени-отчеству называть? Инной Петровной?

— А мне тебя Александром Юрьевичем? Тогда можно перейти на «вы».

— Да что за черт!.. — рявкнул он. — Тебе в самом деле лучше помолчать... временно. Вот что, — совсем другим тоном продолжил он. — Этот дом, где ты нашла газету...

— Где мы с Ольгой прятались?

— Да. Хочу на него взглянуть.

— Зачем?

— Сам не знаю. Поехали, авось мысли появятся.

Он подхватил пиджак, который лежал на спинке кресла, и направился к двери, с некоторым недовольством взглянув на меня. Должно быть, ждал, что я брошусь за ним вприпрыжку. Я все-таки поспешила, не желая его злить. Он распахнул передо мной дверь и дурашливо поклонился.

В коридоре прогуливался молодой человек, Сергей, тот самый, что оставался со мной в номере. В холле к нам присоединились еще двое. Но отправились мы на разных машинах, я с Бессоновым, за рулем «Лексуса» был он сам, охрана следовала за нами на джипе.

— Это местные? — спросила я, кивнув на джип, возникший в зеркале заднего вида. — Или ты их с собой привез?

— Ребята из службы безопасности моей фирмы. Вряд ли в расследовании от них будет много толку, но охрана не помешает. За тобой присмотреть, пока меня нет, и пыль в глаза пустить, что тоже нелишне.

— Присмотреть, чтобы я не сбежала?

— Присмотреть, чтоб тебе голову не оторвали, — съязвил Бессонов. — Вроде бы уже пытались.

— Коля уверен, что теперь убийца присмиреет. Ты умеешь производить впечатление.

— Надеюсь. Кстати, это в твоих интересах.

— Если Коля прав, тебе не стоит тратить свое время.

— Эта сука, кто бы он ни был, намеревался тебя убить, я его из любой норы достану и размажу по асфальту. Чтоб другим неповадно было.

— Дело чести, да? — не удержалась я от язвительности и нарвалась.

— Дура занудливая, — сказал он в досаде.

На счастье, мы уже подъехали к дому, и отвечать мне не пришлось. Двое парней остались возле машины, Сергей отправился с нами. Пока мы шли по тропинке, Бессонов оглядывался. Я держалась чуть позади него, Сергей шел рядом. Поднявшись на крыльцо, я попыталась нашарить рукой ключ, но его на месте не оказалось.

— Ключа нет, — пожала я плечами.

— Открыть? — подал голос Сергей.

Бессонов немного подумал и ответил:

— Без надобности.

— В доме ничего интересного, — затараторила я. — На чердаке стопка газет и журналов... Довольно много. Я просто стала их листать от безделья...

— На всякий случай хозяином дома следует поинтересоваться.

— Ольга сказала, его не могут найти. Земля здесь дорогая, и на нее есть желающие...

— Вот как. Тем более стоит.

Мы вернулись в гостиницу; не успели войти в номер, как Бессонов сказал:

— Мне придется уехать. С тобой останется Сергей.

— Ему обязательно тут находиться?

— Обязательно, — ответил он спокойно, но чувствовалось: возражать бесполезно.

— Можно мне задать вопрос?

— Слушаю.

— Ты считаешь, Генриетта жива?

— Уверен.

— Но зачем ей понадобилось устраивать весь этот спектакль?

— А у тебя по этому поводу соображений нет? — усмехнулся Бессонов.

— Я бы решила, что ей нужны были документы. Допустим, убийца искал ее, а раздобыть новый паспорт она не могла... Но с чего она взяла, что на мосту я оставлю свою сумку?

— Есть другой вариант, — пожал плечами Бессонов. — Она хотела представить дело так, будто покончила жизнь самоубийством. Ей нужен был свидетель, который бы подтвердил, что она бросилась с моста. Девица рассчитывала, ты вызовешь полицию. В реке будут искать тело, а если не найдут, решат, что его унесло течением. И она вновь исчезнет на многие годы...

Я прошлась по комнате, скрестила руки на груди и потерла предплечья, ежась, точно от холода. Бессонов понаблюдал за мной немного и пошел к выходу, а я спросила:

— Но чье тело ты опознал в таком случае? Мы с Генриеттой немного похожи, рост, цвет волос, тот же тип лица... Я была уверена, в реке нашли именно ее...

Бессонов замер возле двери, стоя ко мне вполоборота, вдруг вернулся в гостиную и устроился в кресле. Не спеша закинул ногу на ногу, а потом взглянул в упор.

— Никакого трупа не было, — наконец произнес он.

— Что? — растерялась я. — Но...

— Я проснулся ближе к утру, тебя в доме не оказалось. Зная твои привычки, я был уверен: ты попросту сбежала. В полицию я не заявлял, решив, что сам справлюсь. Мои парни нашли таксиста, который тебя подвозил. Твое поведение ему показалось в высшей степени странным, если быть точным, он охарактеризовал тебя как девушку с большой придурью. Правда, заметил, что ты очень красива. Полностью с ним согласен. Он отъехал метров на пятьсот от моста, но все-таки решил вернуться и взглянуть: что ты там делаешь. Ты зачем-то сбросила вниз свою кофту, а потом припустилась бежать в сторону вокзала. Из всего услышанного я сделал вывод: тебе очень хотелось, чтобы я решил, будто ты в ту ночь покончила с собой, прыгнув с моста.

— Зачем же ты... — развела я руками.

— Зачем я соврал про твои похороны? — усмехнулся он. — Видишь ли... сказать, что все эти дни я чувствовал себя скверно, значит не сказать ничего. И когда ты явилась сюда требовать развод... — Он замолчал, усмешка все еще украшала его физиономию, но теперь в ней было больше горечи.

— Значит... значит, сюда ты из-за меня приехал? — спросила я осторожно и отвела взгляд.

— Разумеется. Появляться здесь мне бы и в голову не пришло. Этот город не числится среди моих любимых.

— Почему?

— Инна, — помедлив, произнес он. — У меня нет желания говорить об этом. Тем более что многое ты сама уже знаешь или догадываешься...

— Ты... хотел покончить с прежней жизнью? — все-таки задала я вопрос, хоть и предполагала, что делать этого не стоит. Но он вдруг проявил чудеса терпения, засмеялся и кивнул:

— Звучит глупо, но, в общем, близко к истине. Все, что связано с этим городом, я предпочел забыть. Сказать честно, очень рассчитывал, что и меня здесь благополучно забыли. Напрасные надежды. Жаль, что ты не выбрала другое место.

— Это все из-за железнодорожного билета, — точно оправдываясь, сказала я.

— Я понял, — кивнул Бессонов.

— Что было дальше? — кашлянув, спросила я. — Как ты нашел меня?

— Предположил, что ты поспешила уехать. Я-то думал, ты воспользуешься автобусом, чтобы не предъявлять документы. Но к тому моменту я уже знал: ты снимала деньги в банкомате железнодорожного вокзала. Продавщица магазина на вокзале вспомнила девушку, которая ночью покупала дорожную сумку и еще кое-какие вещи. При этом то и дело поглядывала на часы, магазин покидала почти бегом. В это время отправляется немного поездов, если быть точным, всего два. В Санкт-Петербург и проходящий — сюда. Я выяснил, какие бригады работали в ту ночь. И одна из проводниц уверенно опознала тебя на фотографии. И слегка удивила, потому что запомнила имя — Генриетта. Имя редкое, потому и запомнила. Это вызвало массу вопросов, потому что из распечатки разговоров твоего мобильного следовало: в ту ночь тебе звонили с телефона, зарегистрированного на имя некой Генриетты Александровны Романовой. Следовательно, она дала тебе паспорт, как я тогда считал, на время. Проверка железнодорожного билета это подтвердила. Я пытался разыскать Генриетту. Тут мне повезло. Девица останавливалась в захудалой гостинице на окраине и искала квартиру подешевле, о чем не раз говорила администратору. Та в конце концов рекомендовала ей свою знакомую. Знакомая действительно сдала ей комнату, где Генриетта и жила примерно полтора месяца. По словам женщины, она нигде не работала, ни с кем не общалась. С утра уходила, возвращалась к вечеру. А потом вдруг исчезла, кстати, в тот день, когда убили Бориса. Хозяйка беспокоилась и заявила в полицию.

— Вот как... — кивнула я.

— Я приехал сюда. К моменту нашей встречи уже знал, где ты остановилась. В городе полно гостиниц, но на то, чтобы навести справки, ушло всего несколько часов. Это я к тому, чтобы ты не особенно обольщалась: найти человека даже в большом городе не так уж сложно. По этой причине я и поселил тебя в своем номере.

Тут можно было возразить: номер необязательно снимать на мое имя. Есть ведь еще его охрана... они тоже живут здесь. Но я предпочла не делать замечаний и спросила:

— Интересно, где сейчас мой паспорт?

— Либо у Генриетты, либо у тех, кто натолкнулся на твою сумку случайно. Паспорт попросту могли выбросить. Придется заявить, что ты его потеряла, — добавил он, я быстро взглянула на него, а он усмехнулся, словно читая мои мысли.

— Если ты знал, где я живу...

— Я знал, где ты, и не видел необходимости мозолить тебе глаза. Рассчитывал, что у тебя хватит здравого смысла вернуться домой. Но ты была далека от этого. Утром ты ждала меня в холле в компании моей старой знакомой. Я решил приглядывать за тобой, в чужую игру не вмешиваясь. Но вмешательство все-таки понадобилось.

Я села в кресло рядом с ним, мои колени коснулись его колен, и я испуганно отодвинулась, чем вызвала на его лице очередную усмешку. Он взглянул на часы, а я поспешно сказала:

— Наверное, я должна объяснить, почему я это сделала, почему сбежала...

— Чего ж объяснять? Жизнь со мной для тебя чистое мучение, и ты хотела от меня избавиться. Прекрасно тебя понимаю, потому что я хотел того же.

— Но... — растерялась я. — Почему в этом случае ты со мной не развелся?

— Почему? — переспросил он, зло рассмеялся и направился к двери. — Теперь это не имеет никакого значения, — бросил он на ходу.

— Саша, — позвала я. — А если это важно для меня?

— Уверен, что нет.

Он ушел, а я заревела. В номере появился Сергей, и мне пришлось перебраться в спальню. Я лежала на кровати, давилась слезами и сама не могла понять причину своих слез.

Бессонов вернулся ближе к вечеру, услышав, как хлопнула дверь, я подняла голову от подушки. Первым побуждением было бежать ему навстречу, для себя я объяснила это стремлением побыстрее узнать новости, не зря же он столько времени где-то пропадал. Но, уже оказавшись у двери, я вдруг сменила траекторию и припустилась в ванную. Взглянула на себя в зеркало и ужаснулась. Господи, на кого я похожа... глаза красные, как у кролика, волосы в беспорядке и вообще выгляжу ужасно. Я умылась холодной водой, потянулась к полотенцу, Бессонов вошел в спальню и позвал меня:

— Инна...

— Да-да, я сейчас... — Слезы опять полились ручьями, да что со мной такое... — Как дела? — спросила я, выходя из ванной.

— У тебя или у меня? — нахмурился он.

— Про свои дела я все знаю...

Он подошел слишком близко, я собралась отодвинуться, но вдруг решила: это может его обидеть, стояла и разглядывала пуговицу на его пиджаке.

— Вот что... — помедлив, сказал он. — Давай-ка спустимся вниз, там полно магазинов. Купим тебе красивое платье.

— Зачем?

— Я помню, что наряды тебя не очень-то интересуют, но кое-кто утверждает: шопинг заметно улучшает настроение. Вдруг в этот раз все-таки сработает.

— По-моему, это глупость, — сказала я, продолжая разглядывать пуговицу.

— Ну, не скажи. Выберем платье и поужинаем в ресторане. Идем. — Он взял меня за руку и повел к выходу.

— Я не хочу, — попятилась я в двух шагах от двери. — Почему-то всем хочется купить мне платье. От этого я чувствую себя куклой Барби.

— Кому это «всем»? — вновь нахмурился Бессонов.

— Ольге... — вздохнула я, вспомнив недавнее путешествие в торговый центр.

— Значит, платье, в котором ты была в клубе, она тебе купила? Узнаю вкусы былой подружки, а я-то гадал, зачем ты нацепила это дерьмо. Неужто меня позлить... Она раскошелилась, чтоб заведению урон не нанести, или была еще причина?

— Была... — пожала я плечами.

— Расскажешь по дороге, — сказал он, распахивая дверь. — Ну, так что за причина? — напомнил Бессонов, когда мы направились к лифту.

— Она рассчитывала на романтическое свидание с тобой, а мне следовало развлекать Валеру.

— И как? Ты его развлекла?

— Хорошего ты обо мне мнения, — пробормотала я, хотя могла бы не трудиться. Кто меня вообще за язык тянул?

— Неудивительно, — хмыкнул Бессонов. — Что можно сказать о женщине, которая помогает подруге соблазнить собственного мужа? Чего это ты краской залилась? — входя в лифт, спросил он. — Я знаю, вы болтались по улицам, к тебе в гостиницу Валера заглянул на пару минут. Задержись он чуть дольше, и я бы ему голову оторвал. Кстати, о чем вы беседовали во время прогулки?

Я торопливо принялась рассказывать, Бессонов слушал, время от времени кивая, и хмурился, хотя повода я для этого не видела.

— Значит, Быков настойчиво предлагал свою помощь? — произнес он, когда я закончила. — Интересно...

Что ему интересно, узнать не удалось. Мы как раз подходили к ближайшему магазину. Кстати сказать, их было здесь не меньше десятка. Одежда известных марок, обувь, сумки... Может, у кого-то все это и вызывало энтузиазм, но только не у меня. Девушка-продавец, которую, как видно, беспокоили нечасто, устремилась нам навстречу с сияющей улыбкой.

— Девушке срочно надо поднять настроение, — заявил Бессонов, кивнув в мою сторону, а я вновь вспомнила Ольгу. В том, что ко мне ни она, ни Бессонов не относятся всерьез, — всецело моя заслуга. Мне бы следовало вернуться в номер, а не терпеть все это...

Появилась вторая продавщица. Бессонов устроился в кресле, а мы направились туда, где были развешаны платья из новой коллекции. Девушки наперебой что-то объясняли, я кивала время от времени, чувствуя на себе его взгляд. Повернулась и увидела, как он сидит, играя мобильным, с этой своей кривой ухмылкой, и совсем уже собралась сказать, что никакие платья мне не нужны, вообще ничего не нужно, но тут наши взгляды встретились... Может, мне показалось, или я сама это выдумала, но в глазах его была печаль... В общем, я пошла в примерочную. Надела платье, очень боясь, что опять разревусь.

— Ну, как? — спросила девушка, осторожно выглядывая из-за шторки.

— Не знаю...

— Вы выйдите сюда...

И я вышла, чувствуя себя главным лотом на невольничьем рынке и не решаясь поднять взгляд.

— По-моему, очень красиво, — сказала девушка.

— Класс, — отозвался Бессонов.

— Давайте голубое примерим. И черное, — засуетились продавцы.

Я мерила, выходила, слушала их восторженные восклицания, и почему-то трудно было дышать, а реветь хотелось даже больше...

— Какое будете брать? — услышала я вопрос и пожала плечами, а Бессонов, поднимаясь, сказал:

— Все.

— Любовник? — шепнула мне девица, упаковывая платья, пока Бессонов расплачивался.

— Муж.

— Повезло.

В ресторан мы отправились вдвоем. В гостинице было три ресторана, но Бессонов предложил прокатиться по городу.

— Зачем ты это затеял? — пробубнила я, направляясь к машине.

— Зачем купил тебе платья? Представь, что мы едва знакомы и я добиваюсь твоего расположения проверенным мужским способом.

— Тебе нужно мое расположение?

— Я же сказал, представь...

— Это трудно.

Город мелькал за окном, а я ничего не замечала вокруг.

— По-моему, неплохое местечко, — кивнул Бессонов.

Парковка у «неплохого местечка» отсутствовала, машину пришлось бросить в переулке по соседству. Ресторанчик оказался маленьким и уютным. Мы сделали заказ, некоторое время сидели в молчании. Я испытывала странную неловкость, а Бессонову, похоже, было все равно.

— Девчонки в магазине мне позавидовали, — сказала я.

— Да? Ну, где ж им знать, что завидовать нечему...

— Ты сказал...

— Стоп. Давай не будем портить друг другу вечер. Отвлечемся от наших взаимоотношений, тем более что нет в них ничего хорошего.

— Ты поэтому привез меня в ресторан? Не хотел оставаться со мной в номере?

— Смена обстановки пойдет тебе на пользу.

— Здорово, что ты так обо мне заботишься.

— Инна...

— Ты это делаешь нарочно?

— Что? — нахмурился он.

— Называешь меня по имени.

— Опять не так? Я знаю, все, что я делаю или говорю, вызывает у тебя гневный протест. Наберись терпения. Надеюсь, все это продлится недолго и нам не придется мозолить глаза друг другу.

После этого мы почти не разговаривали, изредка перебрасывались ничего не значащими фразами. Мне не хотелось оставаться в ресторане и возвращаться в гостиницу тоже не хотелось. По-моему, я и сама не знала, чего хочу.

— Десерт? — спросил Бессонов.

— Нет, спасибо.

Вскоре мы покинули ресторан. Уже стемнело, и, направляясь в переулок, я держалась за его руку, старательно обходя лужи. Пока мы ужинали, на улице прошел дождь.

Они появились как по волшебству, возникли из темноты, бесшумно, словно тени. Все стало вдруг предельно четким и контрастным: темный переулок, машины вдоль тротуара и трое крепких парней, один держал в руке пивную бутылку. Мы уже поравнялись с «Лексусом» Бессонова, но от троицы нас отделяло всего несколько шагов, и полукольцо вокруг нас стремительно сжималось.

— В машину, и не высовывайся, — скомандовал Бессонов.

Пискнула система сигнализации, я дрожащей рукой распахнула дверь, слыша, как один из парней произнес:

— Не спеши.

— Даже не думал, — ответил Бессонов.

Я успела юркнуть на сиденье и захлопнуть дверь. В этот момент Бессонов ударил ближайшего парня, ловко вывернул руку другому, отобрав у него бутылку, и огрел ею третьего. На все это ушло считаные секунды. Я хлопала глазами, пытаясь решить, стоит вздохнуть с облегчением или подождать, и вдруг из темноты возникли еще двое. И с ними он, наверное, справился бы, но троица к этому моменту пришла в себя, правда, тот, что схлопотал бутылкой, все еще тряс головой и должного участия в драке принять не мог. Я схватила мобильный, мысли путались... какой номер набрать, чтобы вызвать полицию? На ум пришел Коля. Надо ему звонить, хоть кому-нибудь... И тут я увидела в руках одного из нападавших нож, отчаянно закричала, бросила телефон и распахнула дверь. Кстати, весьма удачно. Парень навернулся на угол двери и схватился за глаз, истошно вопя, совсем как я недавно. Не очень соображая, что делаю, я прыгнула на спину типу в клетчатой рубашке, обхватив его шею руками, и стиснула зубы на его ухе, может, потому, что было оно сильно оттопырено. Парень пытался меня сбросить, злобно матерясь, а я зажмурилась, чтобы было не так страшно, и наугад била ногами кого ни попадя. Туфли на шпильке оказались неплохим оружием.

Все закончилось неожиданно. Вспыхнул свет фар, взвыл автомобильный сигнал, а вслед за этим раздался гневный окрик:

— Прекратите немедленно, полицию вызову.

— Уходим! — заорал кто-то из парней, и враги бросились врассыпную.

Я разжала руки, отпустив чужое ухо, и, наверное, рухнула бы на землю, не подхвати меня Бессонов вовремя. Под моей тяжестью он не удержался на ногах, и мы плюхнулись в лужу. Из проезжавшей мимо машины появились двое мужчин.

— Помощь нужна? — спросил один из них.

— Спасибо, все в порядке, — ответил Бессонов, поднимаясь и помогая встать мне.

— Шпаны развелось, — посетовал второй мужчина, и они вернулись к своей машине.

— Пропал костюм, — констатировал Бессонов, оглядывая себя, перевел взгляд на меня и добавил: — И платье тоже.

Разрез на платье, который заканчивался чуть выше колена, значительно удлинился, и вид у меня был, наверное, совершенно неприличный.

— Тебе что было сказано: не высовывайся.

— Мне надо было смотреть, как тебя по асфальту размазывают? — не осталась я в долгу. Бессонов схватил меня за плечи, торопливо окинул взглядом.

— Он тебя ударил?

— По-моему, я ему ухо откусила, — нервно хихикнула я.

— Тайсон обзавидуется, — засмеялся Бессонов, а я вдруг заорала:

— Мы так и будем здесь стоять?

Он помог мне сесть в машину и устроился за рулем. Включив блокировку дверей, я смогла перевести дух.

— А ты молодец, — улыбнулся Бессонов. — Только, ради бога, больше никогда не повторяй этот номер. Даже если меня размажут по асфальту.

Бровь у него была рассечена, кровь стекала по лицу, он вытер ее ладонью и чертыхнулся. На скуле ссадина, видно, к асфальту его все-таки приложили. Костяшки пальцев представляли жуткое зрелище, в общем и целом, смотреть на него было страшно.

— Надо немедленно ехать в травмопункт, — сказала я, чувствуя дурноту.

— Ерунда.

— Ты можешь хоть раз в жизни меня послушать?

— Говорю тебе, ерунда. Честно. Позвони Сергею, — сказал Бессонов, протягивая мне мобильный. — Пусть вынесет мне пиджак и тебе что-нибудь переодеться.

Он завел машину, и мы поехали в гостиницу.

Охрана ждала нас на парковке.

— Александр Юрьевич, — волновался Сергей. — Я же говорил, нельзя вам одному ехать.

— Все в порядке, — отмахнулся Бессонов.

Я переоделась в машине, пока мужчины стояли на улице, и зашагала ко входу в гостиницу, не обращая на них внимания. Все четверо припустились следом. Сергей догнал меня и спросил шепотом:

— Сколько их было?

— Вроде пятеро, — буркнула я.

— И как он?

— Кто?

— Кто-кто, — шикнул он, а я развела руками:

— Прекрасно.

Мы поднялись в номер, Сергей донимал вопросами, на этот раз адресуясь к Бессонову. Я напомнила о враче. Само собой, меня никто не слушал. Я отправилась к горничной, попросить аптечку. Входя в номер, услышала слова Бессонова.

— Похоже на обычную шпану. Решили, что богатый дядя, перепугается и начнет им деньги совать.

— А если все-таки не шпана? — усомнился Сергей.

— Тогда они идиоты. Жаль, что все сбежали. Могли бы побеседовать. Ладно, отправляйся к себе.

Бессонов скрылся в ванной, а я чертыхнулась, стоя с пузырьками и ватой в руках. Подумала и пошла за ним.

— Можно войти? — позвала громко.

— Я в душе, — ответил он.

Устроившись на краешке кровати, я стала ждать. Он не появлялся очень долго. Вышел в белом гостиничном халате, аккуратно вытирая лицо полотенцем.

— Очень больно? — спросила я.

— До невозможности.

Он сел рядом, и я начала обрабатывать его раны. Коснулась ватным тампоном рассеченной брови, и он поморщился.

— Извини, — сказала испуганно. — Медсестра из меня никудышная.

— Зато ты отлично кусаешься и дрыгаешь ногами.

Он замолчал, а я продолжала врачевание, но делать это молча не могла, наверное, сказывался недавний стресс.

— Ты сказал Сергею, что это просто шпана...

— Сказал.

— Ты в этом уверен?

— Дай подумать... — Он дурашливо нахмурился.

— Думай, пожалуйста, вслух, чтобы я не приставала к тебе с вопросами.

— Почти уверен, нападение с нашим делом никак не связано.

— Нападение? Да ты первый на них набросился. Вполне возможно, они не собирались затевать военных действий.

— Мне так не показалось. К тому же старое правило еще никто не отменял: бей первым, и у тебя появится преимущество. Этому каждый уличный мальчишка учится довольно быстро.

— По-моему, ты уже не в том возрасте...

— Спасибо, что напомнила. Ну, да, я ведь тебе в отцы гожусь.

— Ввязываться в драку, да еще с превосходящими силами противника. Вот уж не думала, что ты способен на подобные глупости.

— Способен, способен, — хохотнул Бессонов. — А что касается превосходящих сил... В любой драке надо определить цель. Знать, чего хочешь добиться, и рваться к этому, несмотря ни на что. Если станешь драться бесцельно, покалечат, а то и убьют. Этому тоже учишься быстро и попусту кулаками не машешь. Заводилой у них был коротышка в ветровке, едва он лишился чувств, дружки думали только о том, чтобы убраться восвояси.

— Целая наука, — проворчала я. — И где ты набрался этих премудростей?

— В бизнесе правила те же... Кстати, я рос в рабочем районе, там взрослеют рано.

— Ты никогда об этом не рассказывал. — Я смущенно отвела взгляд, решив, что сболтнула лишнее.

— Неудивительно, верно? — очень серьезно произнес он.

— Это что, упрек? Я должна была поинтересоваться твоим прошлым? Сомневаюсь, что ты стал бы отвечать и вообще...

Я досадливо нахмурилась.

— У тебя руки дрожат, — заметил он.

— Боюсь сделать тебе больно...

— Мне следовало время от времени ходить с разбитой рожей, — усмехнулся Бессонов. — Говорят, женщин это возбуждает.

— У меня стойкое отвращение к насилию.

— Правда? Очень многим женщинам оно, похоже, нравится. Разумеется, если перепадает кому-то другому. Отчего-то руки мужчины кажутся горячее и куда страстней, если на них еще осталась кровь врагов.

— Я начинаю подозревать, что все мужики самодовольные придурки, если додумались до такого.

— Точно. И драку я затеял, чтобы произвести впечатление. Смотри, какой я герой.

— Ты просто смеешься надо мной, — разозлилась я.

— Скорее уж над собой. Производить впечатление я малость опоздал, теперь могу сколько угодно руками махать, твоего отношения ко мне это не изменит. — Он стиснул мое запястье, а я испуганно замерла, уходя от его взгляда. — Ты права... Я вел себя как последний засранец. Не сегодня, разумеется, а четыре года назад. Меня не очень заботило, что ты чувствуешь. Красивая глупая девчонка, которой надо радоваться, что я на

ней женился. А потом... Я сам загнал себя в ло-
вушку и понятия не имел, как из нее выбраться
И делал только хуже. Это как снежный ком... Посмотри на меня, — сказал он резко, и рука занеме-
ла от боли, так сильно он ее сжал. — Ты была не
одинока в этом аду. Я жарился по соседству.

Бессонов оказался слишком близко, так близко, что меня бросило в жар, и взгляд метался по
комнате, лишь бы не видеть его лица, его глаз...

— Мне больно, — пискнула я, и он отпустил
руку. А я попятилась и тут же испугалась, неожиданно почувствовав себя виноватой. Он мог решить, что его слова и он сам вызывают у меня отвращение. — А если сегодняшнее нападение все-
таки связано с убийством? — скороговоркой произнесла я, поспешно меняя тему.

— Поживем — увидим, — ответил Бессонов
глядя на меня с привычной усмешкой. — Если
наш злодей вынужден прибегать к услугам дворо-
вой шпаны — дела его из рук вон плохи. Спасибо
что привела мою физиономию в порядок. — Он
поднялся и пошел к двери.

— Тебе непременно надо показаться врачу, —
сказала я, адресуясь к его спине. Рука Бессонова
замерла на дверной ручке, он повернулся и сказал
непривычно мягко:

— Не вздумай себя упрекать. Это моя вина
Моя. Я мужчина, Инна, и я старше почти на це-
лую жизнь. Спокойной ночи.

Утром я проснулась поздно. Слова Бессонова
произвели впечатление, и полночи я думала о нем.
о нашей совместной жизни, которую язык не поворачивался назвать семейной. Теперь собствен-

ное поведение не казалось мне безупречным. Чтобы избавиться от чувства вины, явившееся как по заказу, я начала вспоминать все свои обиды. Их набралось предостаточно, но большинство из них сейчас представлялось глупыми. И поделать с этим ничего было нельзя.

Открыв глаза, я еще некоторое время лежала прислушиваясь. Бессонов с кем-то разговаривал по телефону, до меня доносился только его голос, который он старательно понижал, так что слов не разобрать. Я вздохнула, с удивлением отметив, что будущее мне видится куда более смутным, чем несколько дней назад, хотя вроде бы наметились перемены к лучшему. Я по-прежнему девица без паспорта, но доказывать, что я — это я, живая и здоровая, не придется. Вернусь домой, получу новый паспорт и... Еще вчера я считала: единственным счастливым событием нашего четырехлетнего брака можно считать лишь предстоящий развод. А теперь? То, что было ясным и понятным совсем недавно, сегодня таковым не казалось.

Я направилась в душ, поймав себя на мысли, что боюсь встретиться с Бессоновым, должно быть, по этой причине в ванной пробыла долго, собираясь с силами, прежде чем появиться в гостиной.

Он завтракал в одиночестве. Кивнул мне и сказал:

— Присоединяйся. Не хотел тебя будить...

Я налила себе кофе, пробормотав:

— Доброе утро. Как ты себя чувствуешь?

— Ты имеешь в виду боевые ранения? О них я успел забыть. Горничная была слегка шокирована, увидев мою физиономию, а так полный порядок.

— Ты что, бритву дома забыл или решил отпустить бороду? — зачем-то спросила я.

— С чего-то надо начинать новую жизнь, — усмехнулся он. — Мужчина с трехдневной щетиной выглядит сексуально, одна блондинка почти убедила меня в этом.

— Это не та девица, которой ты оставил свою визитку? Или она брюнетка? — «Господи, что я несу?» — в отчаянии подумала я.

— Длительное воздержание не идет мне на пользу, — засмеялся он. — Сегодня всю ночь девки голые снились, не припомню такого со времен прыщавой юности. Мое вчерашнее геройство на тебя впечатления не произвело, придется искать радости на стороне.

— Желаю удачи, — в тот момент мои ночные мытарства показались мне идиотскими, с чего это я решила, что он способен на какие-то чувства... Ничего подобного. Да он просто смеется надо мной. Я всегда была пустым местом им и останусь.

— А тебе что снилось? — веселился он.

— Кошмары.

— Значит, тебе повезло еще меньше. Кстати, у меня есть новости.

Стыдно сказать, но, занятая своими мыслями, о деле, что должно было меня занимать, я почти забыла. Симпатий к Бессонову это обстоятельство не прибавило, взглянув хмуро, я переспросила:

— Новости? Какие?

— Дом, где мы были вчера, принадлежал некой Ядвиге Болеславской. Семь месяцев назад старушка скончалась в возрасте восьмидесяти девяти лет, проведя последнее десятилетие в интернате нечто среднее между домом престарелых и психушкой. Сегодня утром Сергей навестил место скорби и выяснил: бабка давно съехала с катушек, состояла на учете и не реже двух раз в год оказывалась в стационаре, пока не зависла там с постоянной пропиской. Первое время ее навещала родственница, но потом решила, что в этом нет необходимости: старуха никого не узнавала.

— Она умерла семь месяцев назад? Кому же в этом случае принадлежит дом?

— Как раз сейчас Сергей это и выясняет, но кое-какие догадки имеются.

— Не испытывай моего терпения, — разозлилась я.

— Девичья фамилия Ольги — Болеславская, — сказал Бессонов. — Уверен, она и есть та самая родственница.

— Ольга? — Я растерянно таращилась на него, пытаясь оценить новость. — Она говорила, хозяина дома не могут найти... хозяина, а не хозяйку. И еще что-то о призраках, которые не дают ему покоя... Когда бабка оказалась в психушке? Я имею в виду, постоянное проживание?

— Десять лет назад, в конце апреля. Меньше чем за месяц до похищения.

— Кто жил там в это время? — заволновалась я. Бессонов развел руками.

— Выходит, что никто. Хотя, это еще предстоит проверить.

— Дом не мог пустовать. Каким образом в этом случае газеты за май месяц оказались на чердаке? — Я вскочила, прошлась по комнате, Бессонов наблюдал за мной. Остановившись рядом с креслом, в котором он сидел, я заговорила вновь: — Ты считаешь... — и замолчала.

— Давай повременим с выводами, — пожал он плечами.

Это было легче сказать, чем сделать.

— Когда ты уезжал... ты оставил ей деньги? — задала я вопрос.

— Немного. Чтобы хватило на первое время.

— Достаточно для того, чтобы открыть кафе?

— Вряд ли.

— Она могла откладывать деньги, пока жила с тобой, — скорее для самой себя сказала я, просто думала вслух.

— Вот это маловероятно. Она не привыкла в чем-то себе отказывать, жила на широкую ногу и искренне считала, что так будет всегда. Хотя я предупреждал: мы с ней не из тех, кто живет долго и счастливо и умирает в один день. Я думаю, мой отъезд стал для нее серьезным испытанием, прежде всего потому, что о деньгах она привыкла не беспокоиться.

— Она любила тебя, — сказала я, наверное, излишне резко. Его тон, даже то, как он сидит в кресле с видом барина, здорово задели, точно речь шла не об Ольге, а обо мне. Приступ женской солидарности, именно так он это расценил, судя по усмешке, которая тут же появилась на его физиономии.

— Да, наверное. А я — нет. И компенсировал отсутствие любви банкнотами. Скаредность не в моем характере.

— Она была знакома с Сериковым? — подумав, спросила я.

— Понятия не имею.

— Была ли она знакома с Надеждой, ты тем более не знаешь... Черт, ты выбросил мой мобильный, там номер Наташи, подруги Захаровой... Возможно, она знает... Надо ехать к ней...

— Наберись терпения. Через несколько часов ты получишь ответы на все свои вопросы. — Он взглянул на часы и добавил: — Думаю, часа через три. А пока, будь добра, позавтракай.

Конечно, мне было не до завтрака, но Бессонов настаивал, и, сидя с набитым ртом, я продолжала гадать:

— Допустим, Ольга нуждалась в деньгах...

— Ты что, ее подозреваешь в похищении? — вроде бы удивился он.

— Не знаю, — честно призналась я. — Мне не хотелось бы думать, что она имеет отношение к гибели ребенка... но эти газеты в доме... и ее странные слова о призраках. Надеюсь, это все-таки не она.

— Хочешь, пойдем в кино? — неожиданно предложил Бессонов.

— В кино?

— Ну, да. Или поедем за город. Болтаться по улицам с моей физиономией все-таки не стоит. Проведем время с пользой...

— У нас наконец-то появилась зацепка, хоть какая-то, а ты...

Тут в дверь постучали, Бессонов пошел открывать и вернулся вместе с Сергеем.

— Ну? — спросил без особого интереса, обращаясь к нему.

— Единственная родственница старухи Болеславской — ее внучатая племянница Быкова Ольга Александровна, которая и вступила в права наследства несколько месяцев назад. Проживал ли кто в доме на протяжении последних десяти лет, установить будет непросто, по крайней мере на это потребуется время. Из бывших соседей никого не осталось, а нынешние сидят за заборами и мало что видят. За коммунальные услуги платили исправно, вероятно, та самая родственница.

— Ольга говорила, земля там — на вес золота, — вмешалась я. — Почему она не продала дом? — вопрос, конечно, риторический, вряд ли Бессонов мог на него ответить.

— И это мы скоро узнаем, — кивнул он. — Ну, так что, в кино или на прогулку?

— Какая, к черту, прогулка? — возмутилась я.

— Тебе надо отвлечься. Ты чересчур близко к сердцу принимаешь эту историю. Какой смысл бегать по номеру и изводиться себя вопросами?

— Хорошо. Пусть будет прогулка.

— И никаких разговоров о похищении и убийствах, — добавил он.

Мы отправились за город, бродили по лесным тропинкам, сопровождаемые охраной. Бессонов не хотел ничего слышать о похищении, а я не могла думать ни о чем другом, в результате почти все время мы молчали. Наконец раздался звонок на мобильный, Бессонов ответил и удовлетворенно кивнул.

— Они подъезжают, — сказал он, обращаясь ко мне. — Пора возвращаться.

— О ком ты говоришь? — нахмурилась я.

— Это сюрприз. Не уверен, что приятный, зато в этом деле можно будет поставить точку.

Вскоре мы были в гостинице, я терялась в догадках, но с вопросами не лезла, если Бессонов обещал, что сегодня я все узнаю, можно и потерпеть.

Не успели мы войти в номер, как ему опять позвонили, а минут через десять раздался стук в дверь.

— Открывай, — кивнул он мне. — Надеюсь, на ногах ты устоишь. Если нет, кричи громче, успею подхватить тебя на руки.

Облизнув пересохшие губы и прислушиваясь к биению своего сердца, я потянула дверь на себя... На пороге стояла Генриетта в компании двоих мужчин богатырского телосложения, испуганная и несчастная. Признаться, ее появление не особенно удивило, чего-то в этом роде я и ждала, а вот она... Генриетта отступила на шаг, бормоча:

— Ты? Но... как ты... Кто эти люди?

— Проходи, — вздохнула я, она вошла, растерянно переводя взгляд с меня на Бессонова, а потом на своих конвоиров.

— Эта дурочка не придумала ничего умней, как устроиться в гостиницу по твоему паспорту, — сказал Бессонов. — Избавила нас от необходимости искать ее по всей России. Все это время она оставалась в нашем городе, собственно, там ее и следовало сдать ментам, пусть разбираются, но я подумал, ты захочешь с ней поговорить, прежде чем она отправится за решетку.

— Кто это? — испуганно спросила Генриетта, которую я упорно продолжала называть так.

— Мой муж. Пожалуйста, садись. — Она покорно села на диван, а я устроилась рядом. — Мне придется многое тебе рассказать... как я узнала и

вообще... — Говорила я, должно быть, не очень
толково, собиралась с силами, но начать решила с
главного: — Твой отец... он... несколько дней на
зад его убили. Думаю, ты знаешь, кто.

Она закрыла лицо руками, но тут же их убра
ла, лицо ее кривилось от боли, но слез не было.

— Пожалуйста, оставьте нас, — попросила
Бессонова, взяв Генриетту за руку.

— Нет, — покачал он головой. — Неизвестно,
что придет в голову этой девице. Пусть привыкает
к слушателям, теперь рассказывать о своих подви
гах ей предстоит долго.

— Прекрати... — умоляюще произнесла я и
вновь повернулась к Генриетте: — Я... я не верю,
что ты... что ты могла убить ребенка.

И вот тогда она заплакала. Беззвучно, глядя
куда-то перед собой, до боли стискивая мою руку.

— Хорошо, что это наконец кончится, — с
трудом произнесла она. — Сколько раз за эти го
ды я сама хотела во всем признаться...

— Сейчас самое время, — ввернул Бессонов.

— Расскажи, что тогда произошло, — сглаты
вая ком в горле, попросила я, испытывая к ней
острую жалость и злясь на Бессонова. Может, он
и считал, что имеет право с ней так разговаривать,
но я... я не хотела верить в ее вину, я надеялась,
вот сейчас она все объяснит, и я вздохну с облег
чением. Мы вместе пойдем к следователю, я буду
рядом, чтобы поддержать ее...

Она горько усмехнулась:

— Моя мама умирала, и никто не мог помочь.
Или не хотел.

— Я знаю, что Сериков отказал тебе в помощи.

— Почему же... денег он дал. Сколько мог. Он тогда решил бассейн на даче сделать, в подвале, я случайно смету увидела. Этих денег с лихвой хватило бы на несколько таких операций. У меня это в голове не укладывалось... Я так ненавидела его в ту минуту...

— О своих душевных переживаниях расскажешь следователю, — вновь вмешался Бессонов. Она поежилась, избегая смотреть в его сторону.

— Я встречалась с парнем, — сказала тихо. — Мы хотели пожениться. Его звали Борис...

— Ты знаешь, что он мой брат? — спросила я, когда она опять замолчала. Генриетта ошарашенно покачала головой:

— Боря твой брат? Но... Конечно... А я голову ломала, почему твое лицо мне знакомо. Фотография у него дома, мать и сестра, ты очень похожа на свою маму... и на брата. Боря пытался мне помочь, искал деньги. Он только что открыл автосервис, взял большой кредит... в общем, денег не хватало. У Бориса был друг, то есть однажды я их видела вместе, и он нас познакомил. Я возвращалась от Сериковых с деньгами, что дал мне отец Юли... Полторы тысячи долларов... и встретила его. Мне казалось, что случайно. Он проводил меня до остановки, видел, в каком я состоянии, сочувствовал и... намекнул, что деньги можно раздобыть, это совсем нетрудно, если все провернуть с умом. Поначалу я не поняла, о чем он. Ночью маме стало плохо, вызвали «Скорую», но ее даже в больницу не взяли, сделали уколы и уехали. Мне кажется, я всех возненавидела...

— А этот самый друг опять появился, — подсказал Бессонов.

— Да.

— И предложил похитить ребенка?

— Тогда мне казалось, что все будет просто. Мы с Юлькой несколько дней переждем в надежном месте, пока он получит выкуп. А потом вернемся. Она ведь совсем маленькая и ничего не сможет рассказать.

— Но... тебе пришлось бы отвечать на вопросы, — в замешательстве сказала я.

— Когда он мне растолковывал, что да как, была уверена, что смогу... Если честно, я об этом мало думала. Главное — получить деньги. Потом вернуть ребенка. Он сказал, Сериков не станет сообщать в полицию.

— Зачем понадобилось похищать ее вместе с тобой?

— А кто бы с ней остался? Он не хотел, чтобы в этом участвовал еще кто-то... он и я... вдвоем. Деньги поровну. Сериков позвонил мне, я приехала к ним, а когда он ушел, собрала Юльку, и мы вышли из дома. За гаражами нас ждала машина, никого из соседей по дороге мы не встретили. Погода была скверной, дождь, ветер, во дворе ни души.

— Где вы девочку прятали?

— Дом почти в центре города. Он сказал, о нем никто не знает. Надежное место. Еду он привез заранее... — Она замолчала, разглядывая свои руки.

— Вы ведь получили выкуп? — спросила я.

— Да.

— Почему тогда... он с самого начала не собирался возвращать девочку?

— Никто не хотел ее убивать, — покачала она головой. — Ни он, ни я...

— Но что же произошло?

— Юлькин отец позвонил мне в тот вечер, потому что не мог взять ее с собой. У нее поднялась температура. Утром он собирался вызвать врача. За ночь температура подскочила до тридцати девяти. У меня не было лекарств, а я боялась выйти из дома, хотя могла. Аптека всего в троллейбусной остановке, но я думала, что меня уже ищут. Юле становилось все хуже, а он не приходил. Звонить ему он запретил... И я не знала, что делать. Днем он наконец пришел. Я сказала, надо вызвать врача, а он отказался, мол, справимся сами. Сбегал в аптеку и опять ушел. Я дала ей лекарство, Юля вдруг начала задыхаться, она уже была без сознания... Я могла вызвать «Скорую», но боялась. А утром она умерла. Вдруг открыла глаза, посмотрела на меня, вздохнула и... все... — По лицу Генриетты прошла судорога, она так стиснула мою руку, что я едва не вскрикнула от боли. — Он приехал через несколько часов, с деньгами, страшно довольный, а Юли уже не было... Когда он увидел ее... Я мало что соображала. Он сказал, мы что-нибудь придумаем, и увез ее. А я осталась одна в доме, я даже не помню, что делала тогда. Наверное, ничего, просто лежала и смотрела в потолок. Он приезжал и опять уезжал, так прошло несколько дней, потом он привез газеты. Из них я узнала, что мама умерла. Все было напрасно, понимаешь? Он сказал, у нас только один выход: бежать. Где-нибудь устроиться под чужим именем, начать новую жизнь. Деньги есть, и проблем не возникнет. Главное, чтобы нас никто не нашел. Я думала, мы уедем вместе. Рядом с ним мне было бы легче, я бы могла с ним говорить, не притворяясь, просто говорить, понимаешь? Но он сказал, вдвоем нельзя. Нас непременно найдут. Он привез мне новый паспорт, разделил деньги поровну, как обещал. На машине мы отправились в соседний областной центр и там простились. Он сказал, что уедет на Байкал, и мне советовал отправиться куда-нибудь далеко, где маловероятно встретить знакомых.

— Ты ведь могла все рассказать моему брату еще до похищения, — мягко произнесла я, не выпуская ее руки.

— Наверное. Может, он даже согласился бы помочь нам... хотя вряд ли. Он бы сказал, мы угодим в тюрьму, и какой тогда прок от денег? А еще... Я не хотела, чтобы он знал, какая я. Что я способна украсть ребенка. Я ведь мечтала стать его женой. Вдруг бы он отказался от меня, разлюбил? А после смерти Юли... Разве бы он поверил, что я не виновата? Я и сама не верила. Я могла ее спасти, просто вызвав врача, но я не стала этого делать...

— Что было дальше?

— Я переезжала из одного города в другой и всего боялась. Мне казалось, достаточно кому-то посмотреть на меня внимательно, и он поймет, кто я. На работу устроиться не решалась: вдруг кто-то проверит паспорт? Жила на съемных квартирах, деньги экономила, чтобы хватило надолго. У меня не было друзей или просто хороших знакомых. Мужчины тоже не было. То есть было двое. Один бросил меня через месяц, второй ограбил. Жил у меня неделю, однажды утром я проснулась, а в квартире ни его, ни денег. За квартиру платить было нечем, я все-таки устроилась на работу, продавщицей в овощной ларек. Место получше было не для меня. Паспорт я боялась показывать, хотя, когда он мне его давал, сказал, что документы надежные.

Я слушала ее, пытаясь представить себе такую жизнь. Жизнь беглянки. Еще совсем недавно я считала, что способна скрываться под чужим именем, и только теперь по-настоящему поняла, на что едва не обрекла себя.

— Я скопила немного денег, — продолжила свой рассказ Генриетта. — И поехала к отцу. Я не знала, что стану делать здесь, иногда мне хотелось зайти в ближайшее отделение полиции и все рассказать. И будь что будет... Но в последний момент на это не хватало смелости. Я боялась тюрьмы, хотя эти годы были ничуть не лучше тюремного заключения. Если бы я сразу во всем созналась, сейчас была бы свободным человеком. Может, смогла бы устроить свою жизнь. Хотя вряд ли... Ты думаешь об одном, а на деле выходит совсем по-другому.

— Ты приезжала сюда два месяца назад? — задала я вопрос, я видела, как мучительно дается ей этот рассказ, и растягивать ее муку не хотелось. Лучше сразу...

— Да, — кивнула Генриетта. — Долго слонялась возле дома, не решаясь зайти. Дождалась вечера, позвонила в дверь. Отца я сначала даже не узнала. Он так изменился, постарел. Я сказала: «Папа», а он ничего не ответил, но в дом пустил. Мы сидели на кухне, я ему все рассказала. Вряд ли он поверил. Я плакала и просила: «Помоги мне.

Скажи, что мне делать». А он ответил: «Уходи. Соседи могут увидеть». А я опять плакала. Куда мне было идти? И тогда он сказал: «У меня была хорошая дочь, добрая, честная девочка, я ее похоронил десять лет назад. А тебя я знать не знаю». Он просто спятил от одиночества. Или от горя. А я говорила ему про маму, про то, что эти деньги мне нужны были, чтобы спасти ее. А он сказал: «Хорошо, что мать до этого не дожила». Он меня выгнал, понимаешь? Единственный близкий мне человек. Такая, как я, ему не нужна. Никому не нужна. Я ушла рано утром, чтобы никто меня не видел. Точно воровка. Я и была воровкой, воровкой и убийцей. Я бродила по городу, ждала вечера, когда отходил мой поезд. На самом деле я надеялась найти Бориса, надеялась что-нибудь узнать о нем... А встретила его. Он садился в машину. Дорогая машина около дорогого ресторана. Это я скиталась по городам, а он никуда не уезжал. Все это время жил здесь. У него все было отлично, понимаешь? Жена, работа...

— И ты решила его шантажировать? — спросил Бессонов, вновь вмешавшись в наш разговор. В тот момент я его ненавидела, уж очень жестоко это прозвучало, хотя, наверное, он был прав.

— Нет, — покачала головой Генриетта. — Я не хотела денег, если вы об этом. Я хотела... невозможного. Я хотела все вернуть назад, вернуть свою жизнь, потому что эта была чужой от начала до конца. Я бы никогда не согласилась ему помогать, и Юлька сейчас была бы жива... и мама... может, я смогла бы найти деньги, и ее бы спасли. Даже если нет, у меня остались бы отец и Борис... Он ведь любил меня, а я предала его... всех предала.

— Не сомневаюсь, что тебе хотелось все вернуть назад, но закончился ваш разговор тем, что ты взяла у него деньги? — сказал Бессонов.

— Взяла. «Кто тебе поверит, что ребенок умер сам? — твердил он. — Это ты оставалась с девчонкой, а не я. Может, ты ее придушила. Уверен, так и было. Через десять лет ни одна экспертиза не установит, отчего погибла девочка. Даже если ее тело найдут. А его не найдут. Никогда. Я скажу, ты все это выдумала, чтобы меня шантажировать, найму лучших адвокатов, твое слово против моего».

— Он запугал тебя, и ты согласилась прятаться дальше.

— Да... денег он дал немного. Сказал, что потом привезет еще, если я немедленно уберусь из города. Купил мне мобильный, у меня его не было, кому мне звонить? Он сказал, что моя жизнь наладится, если я сама этого захочу, если я возьмусь за ум и перестану копаться в этом старом дерьме. Я спросила его о Борисе, он сказал: Борис уехал много лет назад, через несколько месяцев после похищения. И он понятия не имеет, где он сейчас. Я вернулась в город, где жила до этого. У меня был ноутбук, я часами сидела в Интернете и... в «Одноклассниках» увидела фотографию. Какой-то тип выложил фото, где он вместе с другом на рыбалке. Друг был очень похож на Бориса. Я не сомневалась: это он и есть.

— И тебя потянуло к любимому? — сказал Бессонов, на сей раз без усмешки, но все равно его слова прозвучали издевательски.

— Когда-то он любил меня, — пожала Генриетта плечами. — Из странички в «Одноклассниках» я узнала, в каком городе он живет, и поехала туда. Остановилась в гостинице, потом сняла комнату... А через два дня встретила тебя, — повернулась она ко мне. — Я очень хотела все рассказать, я надеялась, вдруг ты мне поможешь. Хотя бы отыскать Бориса. В большом городе это оказалось совсем непросто, найти его, я имею в виду. Я не знала, как это сделать. И тебя просить о помощи не решалась. Ты была... Я видела, ты сама нуждаешься в помощи. В конце концов я узнала адрес. Я понимала, что не могу просто взять и прийти к Борису, бродила возле его дома, надеясь его увидеть. Но мне не везло. Однажды я просидела рядом с домом целые сутки и наконец увидела его. Но он был не один. Он был с девушкой, молодой, красивой, он так смотрел на нее, как никогда не смотрел на меня.

Бессонов вновь усмехнулся, а я испугалась его очередного вмешательства в рассказ, а еще испугалась того, что могла услышать дальше.

— Я хотела уехать и не уехала, — вздохнула Генриетта. — Видеть его хотя бы издали, вот и все, на что я рассчитывала. Уже никаких надежд не осталось. Я чувствовала себя совсем потерянной, только встречи с тобой давали мне силы... И тут явился он. То есть он сначала позвонил, сказал, что привезет мне деньги. Деньги были мне нужны. Мы встретились в кафе. Он здорово злился, сначала я не могла понять причину, а потом стало ясно, потому что он спросил: «Что ты делаешь в этом городе?» Я ответила: «Этот город ничем не хуже любого другого». — «Дура, — сказал он. — Ты думаешь, твой Борис придет в восторг, встретив былую любовь? Да он тебя ментам сдаст, и правильно сделает. Убирайся отсюда немедленно, иначе больше не получишь ни копейки». Я пообещала уехать, но не сделала этого. Вечером я опять пошла к дому Бориса, я видела, как он вышел из подъезда, и... я решила, что должна подойти к нему, все рассказать... Он очень удивился, увидев меня. Очень удивился... и только. Я-то надеялась, он пригласит меня в свой дом, и я все ему расскажу. Но он куда-то торопился, наверное, к своей девушке. «Позвони мне завтра. Тогда и поговорим. А сейчас извини, я спешу», — и уехал, даже номера мне не оставил. Борис уехал, а я стояла возле подъезда и тогда увидела его. Точнее, его машину, в самом конце двора. И испугалась. Ведь я обещала ему, что покину город. Еще вчера. Я бросилась оттуда со всех ног, остановила такси, но возвращаться в свою квартиру боялась. Он не знал, где я остановилась, но я была уверена: он непременно найдет меня. Он звонил несколько раз, на звонки я не отвечала. Ночь провела на каком-то чердаке. На следующий день сняла комнату по объявлению, а потом узнала из новостей по телевизору, что Борис погиб. Это он убил его. Я знаю. И я знала, что меня он тоже убьет.

— И придумала этот трюк с самоубийством? — подсказал Бессонов. — На что ты рассчитывала?

— Не знаю, — низко склонив голову, прошептала Генриетта. — Я просто хотела, чтобы он решил: меня больше нет... я умерла. Стоя на мосту, я в самом деле хотела прыгнуть вниз, чтобы все наконец-то кончилось.

— Что-то ты мудришь, дорогая. А билет в паспорте? Зачем ты его купила и почему оставила в сумке?

— Я подумала... если Инна найдет сумку и сообщит в полицию... возможно, они смогут отыскать его.

— Это как стрела на асфальте в детской игре: ищи там? — Бессонов покачал головой и засмеялся. — Только женщина способна до такого додуматься. Ты рассчитывала, они обнаружат твое фото среди без вести пропавших, начнут копаться в той давней истории и выйдут на убийцу? Уверяю тебя, шансы были мизерные.

— Он искалечил мою жизнь и должен был поплатиться! — отчаянно закричала Генриетта.

— А что ты сама собиралась делать? Без документов и денег? Милостыню на вокзале просить?

— Она была напугана, — напомнила я.

— Разумеется.

— Я надеялась, что ты не оставишь меня, — вздохнула Генриетта. — Ты поможешь. Надо выждать время, а когда все решат, что меня нет в живых... Я бы попыталась все тебе объяснить, я ведь чувствовала, ты... я нужна тебе. Ведь так было, да?

— Да, — кивнула я.

— Я думала продержаться неделю, — куда спокойнее продолжила она. — А потом прийти на наше место, чтобы увидеть тебя...

— А еще ты видела ее машину, на тряпки моей жены, конечно, тоже внимание обратила, — подхватил Бессонов. — Логично предположить, у подружки деньги водятся. А если есть деньги, значит, можно обзавестись и документами. А потом шантажировать ее этим и тянуть бабло до скончания века...

— Прекрати! — рявкнула я.

— Ты еще не поняла, с кем имеешь дело? — зло спросил он. — Представляю, как девушка расстроилась, когда увидела, что ее затея не удалась. Подружка, к большому удивлению, не стала звать на помощь, звонить в полицию и прочее. Она поменяла сумки и сбежала, прихватив чужой шарф, а вместо него повесила свой кардиган. Ведь ты обреталась по соседству и все видела?

— Мне ничего не оставалось, как взять твою сумку. Там был паспорт. Мы немного похожи, и это давало мне шанс. Но я все равно каждый день приходила на наше место, надеясь тебя встретить. Но тебя не было. Хозяйка комнаты, которую я снимала, на меня косилась, постоянно задавала вопросы, я боялась, она что-то заподозрила, вдруг позвонит в полицию, и те проверят, кто я такая? Надо было уезжать. Но меня не покидала надежда увидеть тебя. Я решила отправиться к дому, где ты жила, ведь в паспорте указан адрес. Но за высоким забором ничего не разглядишь. Я прождала весь день, а вечером устроилась в гостиницу. Рано утром там появились эти люди и привезли меня сюда, ничего не объясняя. Вот и все.

— Я... я помогу тебе, — сказала я, избегая смотреть на Бессонова.

— Интересно, как? — спросил он.

— Ты сказала, мой отец погиб? — вздохнула Генриетта. — Я уверена, это он его убил. Он убил

Бориса и убил моего отца, так как боялся, что я все им рассказала.

— Ты так старательно избегаешь называть его по имени, — заметил Бессонов. — Он — это кто?

Я уже знала ответ, догадывалась. Уверена, Бессонов его тоже знал. Просто хотел услышать подтверждение. Но Генриетта молчала, стискивая пальцы.

— Я жду, — поторопил Бессонов.

— Его фамилия Быков, — вскинула голову Генриетта. — Валерий Быков. Спасибо тебе, — сжав мою руку, сказала она. — Теперь ты все обо мне знаешь. И все равно хочешь помочь. Твой муж считает меня негодяйкой, и он прав. У меня больше не осталось сил, я ничего не хочу. Даже твоей помощи. Я иду в полицию.

— Вот это правильно, — согласился Бессонов. — Сериков, как бы вы к нему ни относились, по крайней мере, должен знать, что случилось с его дочерью. И перестать надеяться.

Я закрыла лицо ладонями, сдерживая слезы, а он добавил, обращаясь к Генриетте:

— А чтобы ты не передумала по дороге, мои ребята тебя проводят.

— Я поеду с ней, — сказала я, поднимаясь.

— Не поедешь, — отрезал Бессонов. — Ты не адвокат, и у следователя тебе делать нечего. Об адвокате я обещаю позаботиться.

Он кивнул охране, один из мужчин шагнул к Генриетте, она беспомощно посмотрела на меня и пошла ему навстречу.

— Генриетта, — позвала я, когда они были уже возле двери.

— Ты же знаешь, меня зовут Надежда, — сказала она, не оборачиваясь. — Папа назвал. Но я не оправдала его надежд.

— Ну, вот, тайн почти не осталось, — сказал Бессонов, когда за ними закрылась дверь, и мы оказались одни.

— Я не верю, что она убила ребенка, — сказала я, покачав головой, не ведая, к кому обращаясь. К Бессонову или все-таки к себе.

— Возможно, девочка действительно умерла, вот только что это меняет? Пора выслушать версию Валеры.

— Ты хочешь поговорить с ним?

— Все надо доводить до конца. Но нам следует поторопиться. Очень скоро у него менты появятся, если наша девушка начнет давать показания.

— Ты думаешь, они держали девочку в доме Ольгиной тетки?

— Уверен.

— И... Ольга знала об этом?

— Давай спросим у нее. Сейчас они наверняка в своем клубе. Нанесем дружеский визит и поболтаем.

— Тебе совсем не жаль ее? Ведь она тебя любит...

— Ольга? — Он немного помолчал. — Когда ты сбежала, я места себе не находил. Все думал, а вдруг я тебя никогда не найду? Никогда, понимаешь? Пройдет год, два, десять... А я ничего не буду знать о тебе. Надеяться снова и снова, бояться, что кто-то мог обидеть тебя, что ты нуждаешься в помощи, а меня нет рядом. Это я к тому, что прекрасно понимаю, каково все эти годы было Серикову. Трехлетний ребенок, который через полгода не вспомнит, кто его отец и мать. Он ведь все равно верил... Вдруг дочь где-то совсем рядом, в соседнем городе, среди чужих людей...

— Пожалуйста, не надо, — всхлипнула я.

— Пора кончать с этим делом, — нахмурился Бессонов. — Тебе здорово досталось, смерть брата, потом еще и это... — Он подошел и осторожно обнял меня, а я сказала:

— Едем. — И попятилась к двери.

Возле клуба мы были уже через двадцать минут. Охранник на входе с неудовольствием уставился на мои джинсы, перевел взгляд на Бессонова, скупо улыбнулся и кивнул. Стало ясно: фейсконтроль пройден успешно.

— Валера здесь? — спросил Бессонов таким тоном, точно был тут хозяином, а Валера подавал пальто в гардеробе.

— У себя, — вновь кивнул охранник. — Вас проводить?

— Обойдусь.

— Кабинет на втором этаже, — сказала я, и мы направились к лестнице. И едва не столкнулись с Ольгой.

— Какого хрена вам здесь нужно? — уперев руки в бока и загораживая нам проход, задала она вопрос.

— Поговорить с твоим мужем.

— О чем, интересно? — Она покачала головой и сказала в досаде: — Бессонов, убирайся из моей жизни. Ты в ней уже достаточно напакостил.

— Ты ведь знаешь, если я решил с ним поговорить — я поговорю, — нараспев ответил он.

— Господи боже мой, — фыркнула она, переводя гневный взгляд на меня. — Что ты в ней нашел?

— Тебе это прямо сейчас объяснить?

— Знаешь что я, пожалуй, сделаю? Позову охрану, и они вышвырнут тебя и твою девку на улицу.

— Не советую. Я вернусь и разнесу ваш кабак к чертям собачьим. Зачем тебе лишние хлопоты?

— По-прежнему считаешь себя хозяином жизни, да?

Неизвестно, чем бы закончились эти препирательства, но тут на площадке второго этажа появился Валера.

— Александр Юрьевич? Решили нас навестить? Рад, что наш клуб пришелся вам по душе.

Ольга нехотя отошла в сторону, и мы начали подниматься по лестнице. Ольга шла следом.

— Оказывается, вас есть с чем поздравить, — продолжил улыбаться Валера, направляясь к своему кабинету. — Эта девочка — ваша жена? Несколько неожиданно. Ольга до сих пор не может прийти в себя от этой новости. Простите ее за такой прием, вы же знаете, как женщины обидчивы.

Мы вошли в кабинет, Валера устроился за столом, Бессонов сел в кресло, я на диван, стоящий в углу. Ольга замерла возле двери, скрестив на груди руки.

— Я перейду сразу к делу, — сказал Бессонов. — Надежда Захарова в настоящий момент дает показания в кабинете следователя.

Ольга перевела испуганный взгляд на мужа, тот оставался внешне спокойным. Подумал немного и кивнул.

— Вы всегда играли в моей судьбе роковую роль. Неудивительно, что и сейчас без вас не обошлось. Невинное любопытство: вы-то как оказались замешаны в это дело?

— Моя жена — родная сестра Бориса Нестеренко.

— Мир тесен, — усмехнулся Валера. — Иногда даже слишком. Что бы вы ни думали обо мне, но девочку я не убивал. У меня этого и в мыслях не было. Трагическое стечение обстоятельств. Десять лет назад мне не следовало оставлять в живых эту дуру. Пристрели я ее тогда, и никто ничего бы не узнал. Уверен, вы бы на моем месте так и поступили. А я ее пожалел. Оттого, наверное, мне и не дано достичь ваших высот, хотя такой пример перед глазами. Мне казалось, она так напугана, что никогда здесь не появится. А она появилась. Досадный промах. Кстати, а как вы заработали свои первые деньги?

— Сейчас речь не обо мне, Валера, — ответил Бессонов.

— Да-да, разумеется. И в подобной ситуации вы никогда не окажетесь. Я знал, что ее нельзя оставлять в живых, но оставил. Твердости не хватило, а вам ее не занимать. Крутой парень... Вот бабы на вас всю жизнь и виснут. Моя жена — уж точно. Им нравятся крутые мужики, а не слабаки вроде меня.

— Ну, Бориса и отца Захаровой ты все-таки убил, — пожал плечами Бессонов.

— Пришлось...

— Ты что, спятил? — рявкнула Ольга. — Замолчи немедленно.

Валера равнодушно махнул рукой, потом окинул взглядом кабинет и добавил:

— Пожалел все это. Сколько сил потрачено... и времени. Успел, знаете ли, душой прикипеть к любимому детищу. Хотя помню до сих пор ваше золотое правило: ни к чему и ни к кому не привязывайся. Это лишает свободы. В общем, дал маху. Ты думаешь, что оставляешь грехи в прошлой жизни, а они перекочевывают вместе с тобой в настоящую. И однажды приходится платить по счетам.

— Насчет грехов верно замечено, — сказал Бессонов. — И человек со временем мало меняется. По крайней мере, в твоем случае было именно так. Ты не отказал себе в удовольствии срубить легких денег и шантажировал Гордеева.

— И тут вы правы. И легких денег по-прежнему хотелось, и твердости не прибавилось. Я ведь мог убить девку два месяца назад, когда она здесь появилась. Прикопал бы в лесочке, ее бы даже искать никто не стал, раз уж она давным-давно исчезла. А я опять пожалел. Денег дал, но о спокойной жизни мечтать уже не приходилось. Она о Борьке спрашивала, и я заподозрил: начнет его искать. Так и оказалось. Потом и вовсе до смерти перепугался, увидев их вдвоем. Если она все ему рассказала, мне конец: не сдаст меня Борька ментам, так начнет шантажировать. Одним словом, спохватился, да поздно. Вот и готов был перестрелять всех подряд, лишь бы спасти свое сомнительное благополучие. Жаль, Захаровой удалось сбежать от меня, а оставаться надолго в вашем городе я не мог. Но был уверен, она здесь непременно появится.

— Ты уже на пятнадцать лет наболтал, — зло сказала Ольга. — Идиот несчастный.

— Похищение — ее идея? — равнодушно спросил Бессонов, кивнув в сторону Ольги. Та резко выпрямилась, и на мгновение я решила: она непременно на него набросится. Но тут Валера ответил:

— Нет. Что вы. Мне и в голову не пришло ей довериться. Я очень хорошо знал, что она собой представляет. Хотя любил ее от этого ничуть не меньше. Вы не баловали ее вниманием, занятые делами, и мы часто проводили время в компании друг друга. Она без конца о вас болтала, да и вообще много чего рассказывала. Я знал, что ее тетку в психушку отправили, дом пустует. Пару раз мы туда заезжали вместе, проверить, все ли в порядке. И когда я решил шантажировать Серикова, дом показался надежным убежищем. Главное, проследить, чтобы Ольга там не появлялась, а она как раз уехала к теплому морю, раны зализывать, которые вы нанесли ей, не позвав с собой. Но она, конечно, догадалась. Не знаю, как, но догадалась. Хотя могу предположить, что я опять дал маху. Газеты... я привез их Захаровой, чтобы она могла убедиться: ее мать умерла и назад дороги нет. Я их потом на чердак отнес, а надо было выбросить. Думаю, женушка заподозрила, что в доме без нее кто-то был, и в конце концов нашла газеты. Вот на такой ерунде люди и засыпаются... — Валера вздохнул и покачал головой, криво усмехаясь. — Мне было двадцать четыре года, еще совсем пацан, — сказал он, глядя Ольге в глаза. — Я любил тебя... господи, как я любил тебя... И эти деньги... Единственный шанс тебя получить, они мне до зарезу были нужны, вот он я, крутой парень, ничуть не хуже, чем твой Бессонов. Мне казалось, я все так ловко придумал, у меня все получится... Но судьба сыграла со мной гнусную шутку. Я мечтал о любимой женщине, а получил шлюху, которая ни в грош меня не ставила и при каждом удобном случае не отказывала себе в удовольствии напомнить, кто я такой... Вот и все, что мы сделали здесь друг для друга, — улыбнулся он. — Теперь ты свободна и, надеюсь, будешь счастлива.

— Валера, — испуганно прошептала Ольга, а он резко бросил:

— Заткнись. — И под его взглядом она как-то вся съежилась, сникла, разом постарев, превратившись из красивой женщины в дурнушку.

— Где искать девочку? — спросил Бессонов.

— В лесополосе, в трех километрах от развилки в направлении деревни Костерино, — ответил Валера, взял лист бумаги, авторучку и набросал схему. — Там большая береза, найти будет нетрудно. — Он пододвинул бумагу Бессонову, тот взглянул на нее и кивнул.

— Сам ментам отдашь.

— Это все, что вас интересует?

— Если ты имеешь в виду труп Гордеева-младшего, это не мое дело.

— Что ж... — Валера развел руками.

— Мне очень жаль, — вдруг сказал Бессонов. — Ты нанял киллера, чтобы избавиться от моей жены. Тебе не стоило этого делать.

— Это был жест отчаяния, — усмехнулся Валера. — Разумеется, я даже не догадывался, что она ваша жена. Неплохо вас зная, смело могу предположить: теперь моя песенка спета. Вы меня полюбому достанете.

— Я ведь сказал, мне очень жаль. — Бессонов поднялся и кивнул мне.

— Валера... — начала Ольга.

— Катись отсюда, — отрезал он. — Мне надо подготовиться к встрече с ментами, собраться с мыслями.

— Я позвоню адвокату, — торопливо пробормотала она, первой выходя из кабинета.

Я закрыла дверь, когда Бессонов сказал ей, понижая голос:

— Не оставляй его.

— Сукин ты сын, Саша, — ответила она, качая головой в досаде. — Ты только что уничтожил мою жизнь. Ты являешься сюда через десять лет и думаешь, что можешь... — договорить она не успела.

За дверью прогремел выстрел, Ольга замерла, точно пытаясь понять, что произошло, догадываясь и еще не веря в это, а потом бросилась в кабинет мужа, отчаянно крича:

— Валера! Я люблю тебя, что ты наделал, я же люблю тебя...

Все поплыло перед глазами, и я, наверное, свалилась бы в обморок, не успей Бессонов подхватить меня под руки. Вокруг заполошно носились какие-то люди, кричали, обращались друг к другу с вопросами, кто-то требовал звонить в «Скорую», кто-то в полицию, а в ушах стоял Ольгин вой, отчаянный, безнадежный...

Не помню, как мы оказались на улице.

— Ты был уверен, что он сделает это? — каким-то бесцветным голосом спросила я уже в машине.

— Нет. Но не исключал такой возможности. У человека должен быть выбор...

Бессонов собирался в тот же день покинуть город, но вышло иначе. Одна беседа со следователем сменялась другой. Утром приехал адвокат Бессонова. Предосторожность излишняя, претензий к нам у следствия не было.

Саша приложил все усилия, чтобы мне не особенно досаждали, но легче от этого не стало. От него я вскоре узнала: схема, которую набросал Валера на листе бумаги и оставил на своем столе, помогла обнаружить захоронение.

С Сериковым я так и не увиделась. Бессонов был против. Сам Сериков встреч со мной не искал и даже не позвонил. Что неудивительно. Ему, скорее всего, было попросту не до меня. Боль, терзавшая его все эти годы, обрушилась на него с новой силой...

Ольга категорически отрицала, что ей было известно о преступлениях мужа. Деньги, на которые девять лет назад они открыли кафе, по ее словам, принадлежали ей. Она смогла скопить необходимую сумму, пока жила с Бессоновым. Тот, в свою очередь, подтвердил, что в деньгах ей никогда не отказывал. К следователю Ольга явилась с целым ворохом бумаг, доказывая, что неоднократно брала кредиты в банках. Бессонов в разговоре со мной с усмешкой заметил по этому поводу: «Занятая тем, чтобы сохранить свое имущество, недавнюю утрату она переживет легко». Я в этом сомневалась, хотя толика правды в его утверждении, наверное, была.

Хуже всего дело обстояло с Надеждой. Ее в первый же день заключили под стражу, и встретиться с ней мне уже не пришлось. Рассказ Нади о смерти девочки вызвал сомнения, требовалась экспертиза, о результатах которой оставалось лишь гадать, учитывая, сколько времени тело находилось в земле... Теперь моя несчастная подруга была единственным подозреваемым, и отвечать перед законом ей предстояло тоже одной. Своей вины она не отрицала, хотя по-прежнему настаивала: ни она сама, ни Валера об убийстве не помышляли.

Бессонов, как и обещал мне, нашел для нее адвоката, из тех, кого рекомендовали ему в этом городе. После встречи с Надеждой адвокат заехал к нам в гостиницу и сообщил: она неплохо выглядит, внешне спокойна... «По-моему, она и в самом деле вздохнула с облегчением», — добавил он. О ее дальнейшей судьбе говорил туманно, но в одном не сомневался: тюремного заключения ей не избежать.

В среду, прямо из кабинета следователя, мы отправились домой. Саша позвонил по мобильному, и вскоре к нам присоединился джип с охраной. Бессонов молчал всю дорогу, а я лежала на заднем сиденье закрыв глаза. Теперь в этой истории не осталось темных пятен. Ольга, заглянув в мой паспорт после побега, заподозрила, что появилась я в ее жизни не случайно. Вот и предпочла, чтобы я находилась рядом. Вряд ли она узнала Надежду на фотографии, иначе не привела бы меня в дом своей тетки. Благополучие Валеры слишком тесно было связано с ее собственным, и рисковать она бы не стала, хоть никогда и не отказывала себе в удовольствии позлить мужа. Мои постоянные отлучки и нежелание отвечать на ее вопросы подозрения лишь увеличили. И в доме появился Валера. Уверена, она сама ему позвонила. В отличие от Ольги, Валера на фотографии Надежду узнал сразу, ее новое имя было ему хорошо известно, ведь паспорт она получила от него. Особого доверия между супругами не было, и он, скорее всего, и в этот раз откровенничать с Ольгой не стал. Она сама все поняла, обнаружив газету в моей сумке. Ее муж постарался со мной подружиться, надеясь узнать, что связывало нас с Захаровой. Ольга в этом усердно помогала. Однако и ему я ничего не рассказала. И тогда он решил обратиться к услугам Коли. Репутация последнего была ему хорошо известна...

Мне было жаль девочку Юлю, которую я никогда не видела, ее отца и мать, Надежду, моего брата, несчастного старика Захарова, Ольгу и Ва-

леру. Вопреки всякой логике Валеру было жал
даже больше остальных. И в памяти в сотый ра
всплывала его фраза: «Вот и все, что мы сделал
здесь друг для друга». Вот и все...

В город мы въезжали ближе к ночи. Сумерки
пустынные улицы... мир вокруг казался неприют
ным, и так же серо и уныло было в моей душе.

— Отвезти тебя в квартиру Бориса? — спросил
Бессонов, поворачиваясь ко мне.

— Я... я не смогу там, — покачала я головой.

— В его квартире до развода могу жить я. А те
бе будет куда привычней в нашем доме. Если и
это не подходит... сниму тебе номер в гостинице
Вот твой паспорт. — Он вынул его из кармана
пиджака и протянул мне вместе с пачкой денег. —
Это на первое время.

— Спасибо, деньги у меня есть.

— В гостиницу? — спросил он.

— Домой. Мне даже не во что переодеться, —
словно оправдываясь, добавила я. — Я хотела спросить... о разводе...

— Обе стороны за, проблем не возникнет. Об
остальном договоримся.

— Об остальном?

— Тебе принадлежит половина имущества...

— Чушь. Ничего мне не принадлежит. Это твои
деньги, и мне они не нужны.

— Потому что они мои? — усмехнулся Бессонов.

— Потому что я ни копейки не заработала.

— Борис оставил приличное наследство, в любом случае ты не пропадешь.

— С его наследством?

— С твоим характером. Ну, вот... — Он замолчал, а я увидела, что машина тормозит возле дома, который я всегда считала его домом, а сейчас вдруг мысленно произнесла «нашего». Бессонов достал из бардачка ключи и отдал их мне. — Не возражаешь, если я позвоню утром? Просто чтобы знать: у тебя все в порядке.

— Да, конечно, — сказала я и неуверенно спросила: — Ты не зайдешь?

— Устал как собака. Хочу поскорее завалиться спать.

— Тогда... до свидания.

— Спокойной ночи...

Я пошла к калитке, боясь, что вдруг обернусь, и обернулась, когда на крыльце возилась с ключами. Машина так и стояла возле ворот, и я подумала, может быть, он не уедет? Сделала шаг в холл, закрыла входную дверь и заревела, услышав, как заработал двигатель машины.

Я прошла в гостиную, не разуваясь и не включая свет, бросила ключи на журнальный стол и опустилась на диван. Вот и все, что мы сделали здесь друг для друга... Мы ведь даже не пытались. Ни он, ни я... как это ни горько. Не пытались простить или хотя бы понять... Я так мечтала о свободе, готова была на что угодно, отчаянно желая получить ее. И вот я свободна. И счастлива? Господи, какая я дура... Я схватила телефон, набрала первые три цифры и опять заревела. А если я все выдумала, если я не нужна ему, никогда не была нужна... как спокойно он сказал о разводе, не спросил, хочу ли я этого, а сказал... все уже решил? И мой звонок ничего, кроме досады, не вызовет? Ну и пусть... пусть будет больно, невыносимо больно, но я хотя бы попытаюсь.

Я вновь стала набирать номер, и тут входная дверь хлопнула, а я замерла с телефоном в руках.

Бессонов осторожно прошел через холл и стал подниматься по лестнице.

— Саша, — позвала я. Поспешные шаги, и он заглянул в гостиную.

— Извини... вернулся, чтобы взять кое-какие вещи. Я думал, ты уже спишь...

— Не сплю. И... если бы ты не приехал, я бы тебе сама позвонила. Вот, сижу с телефоном...

Он включил свет, подошел и опустился передо мной на корточки. Взял телефон из моих рук, отбросил в сторону и долго смотрел мне в глаза. А я поспешно вытерла слезы ладонью и попыталась улыбнуться.

— Что делать-то будем? — спросил он.

— Есть предложение? — Я опять попыталась улыбнуться, вышло так себе.

— Идиотское, — кивнул он. — Но, может, сгодится? Давай разведемся... — Сердце ухнуло вниз, а он продолжил: — Я начну ухаживать за тобой по всем правилам — цветы, подарки, рестораны, авось ты и разглядишь во мне что-нибудь хорошее. Потом сделаю тебе предложение, и ты на него, может быть, согласишься.

— У меня сколько угодно твоих подарков, и я все про тебя знаю.

— Может, не все. Я люблю тебя, — сказал он очень серьезно, а сердце вновь совершило неверотный прыжок и не спеша вернулось обратно. — И тебя люблю. И не променял бы этот четырехлетний дурдом на самую счастливую жизнь, но с другой. Хотя раза три всерьез думал застрелиться.

— Почему ты не сказал мне...

— Почему? Дурак, наверное. Или характер скверный. Гонору много. Что ж мне, в ногах валяться у сопливой девчонки?

Я обняла его и торопливо зашептала:

— Саша, я не тебя ненавидела, а себя. Потому что... потому что думала, такую, как я, ты никогда не полюбишь. За что меня любить?

— Глупенькая... любят не за что-то... просто любят. Я и сам не знаю, как это меня угораздило... — Он засмеялся, а потом поцеловал меня, и я порадовалась, что он наконец-то до этого додумался.

Тут он вдруг отстранился и сказал:

— Марш в душ.

— Давай ты первый. В холодильнике что-нибудь найдется? Хочешь, я пока приготовлю что-нибудь вкусненькое...

— Да что ж ты за бестолочь такая, я ж тебя не мыться зову. Ты мне здорово задолжала за недели вынужденного поста. Давай, давай, шевелись. — Он схватил меня за руку и потащил в ванную.

— Не смей опять командовать, — возмутилась я, правда, не особенно стараясь.

— Обещаю исправиться... завтра... или послезавтра. А если вдруг забуду, ты метнешь в меня тарелкой. Темперамент у тебя будь здоров, хоть ты и прикидывалась овечкой...

— Поцелуй меня в зад, — не осталась я в долгу, вконец расхрабрившись.

— В любом месте и в любое время.

Умники утверждают, что в любви начисто отсутствует смысл. Может, и так. Зато она придает смысл всему остальному. Обычным дням, домашним хлопотам, завтраку по утрам, ожиданию звонка, разговорам ни о чем. Любовь сделала мое сердце невесомым, точно перышко. Я и не догадывалась, как легко быть счастливой...

В пятницу утром мы не услышали звонка будильника, потому что полночи провалялись на лужайке за нашим домом, таращились в звездное небо, занимались любовью, попутно отбиваясь от комаров. Саша проснулся первым, я слышала, как он возится в ванной, взглянула на часы и ахнула. Он же просил завести будильник на восемь, а сейчас почти половина десятого. Я вскочила и попыталась сделать несколько дел сразу: окончательно проснуться, найти свой халат, умыться, приготовить завтрак и удачно проскользнуть под руку Саше, чтобы успеть его поцеловать, пока он бреется.

— Где моя рубашка? — орал он.

— Да вот же она... Ты будешь блинчики?

— Какие, к черту, блинчики, я все на свете проспал. Кофе приготовь, быстро.

Я бросилась в кухню. Когда Саша там появился, кофе был уже готов. Он на ходу сделал пару глотков, сунув галстук, который все никак не хотел завязываться, в карман.

— Важная встреча? — пискнула я.

— Важная, важная... — Он вернул мне чашку и
пошел к двери.

— Ты ничего мне не говорил...

— Это мои дела, — отрезал он.

Я слышала, как он обувается в холле, чертыха-
ясь сквозь зубы. Наверное, с ботинками я тоже
напутала... Я хотела зареветь, а потом взяла тарелку и швырнула ее в стену. Осколки разлетелись по
мраморному полу, и на мгновение стало тихо. Саша заглянул в кухню, хмуря брови, и вдруг улыбнулся.

— Если ты поедешь со мной, по дороге успею
рассказать о делах...

Литературно-художественное издание

АВАНТЮРНЫЙ ДЕТЕКТИВ

Полякова Татьяна Викторовна

ОГОНЬ, МЕРЦАЮЩИЙ В СОСУДЕ

Ответственный редактор *О. Рубис*
Редактор *Т. Другова*
Художественный редактор *С. Груздев*
Технический редактор *Г. Романова*
Компьютерная верстка *О. Шувалова*
Корректор *Г. Титова*

ООО «Издательство «Эксмо»
127299, Москва, ул. Клары Цеткин, д. 18/5. Тел. 411-68-86, 956-39-21.
Home page: **www.eksmo.ru** E-mail: **info@eksmo.ru**

Подписано в печать 02.07.2012.
Формат 84x108 ^{1}/$_{32}$. Гарнитура «Таймс».
Печать офсетная. Усл. печ. л. 18,48.
Тираж 45100 экз. Заказ 9025.

Отпечатано в ОАО «Можайский полиграфический комбинат»
143200, г. Можайск, ул. Мира, 93
www.oaompk.ru, www.оаомпк.рф тел.: (495) 745-84-28, (49638) 20-685

ISBN 978-5-699-57898-6

9 785699 578986 >

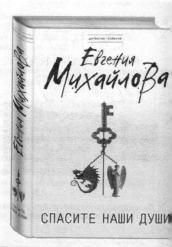

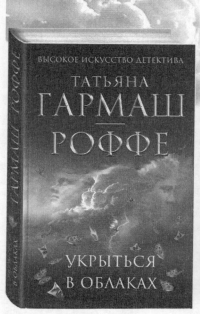